けるクリエイターだ。ダークでありながら純真な世界観でファンを魅了している。

二階の純真さは、人魚の純真さと重なり合うところがあるのかもしれない。人間の世界は楽園だと思っていたら、そうではなかった。人魚は夢破れた――。だが二階は、楽園を夢見ることをあきらめない。楽園の実現を信じているからこそ、この作品で現代の人類に警鐘を鳴らそうとしているのだろう。きっとあなたも、心に響いてくるものがあるはずだ。（沙）

★《bedtime story》

★《immortal moonlight》

そこは本屋。本屋だけど中央には大木があって、壁の時計はどれも違う時刻。それよりも何よりも、お客が奇妙すぎる。まるでお化けの世界に迷い込んだよう……。

　それは、夢に見た世界がもとになっているのだという。たしかに、たまの描く世界は、夢に見るような奇妙な光景ばかりだ。あまり感情を露わにしない少女たちが、素直にその環境を受け入れ、遊んでいる。

　たまは、自身または少女の内側に隠された思い——欲望や恐怖やコンプレックスなどを絵に反映してきた。ときには忌み嫌うものを描き入れることもあるが、それも現実とは異なる夢に似た世界だからこそ可能であるにちがいない（少女の顔のデフォルメも、現実とは違う世界であることを物語る）。そこは恐怖も浄化されていく、夢に仮託した理想郷なのだ。

　そのたま、2年半ぶりの個展が開催、画集も出版される。可愛くも残酷なパラダイスは、きっと魅惑的な夢をもたらしてくれる。（沙）

★たま個展「Nighty night
——少女主義的水彩画集Ⅷ出版記念」A室

2024年3月7日（木）～20日（水・祝）会期中無休
12：00～19：00（土・日・祝は～17：00）
入場料／前売券（オンラインチケット）800円、当日券1000円
※前売券は2月29日（木）正午から発売
※A室・B室の両方を観覧可能
場所／東京・銀座 ヴァニラ画廊
Tel.03-5568-1233
http://www.vanilla-gallery.com/

★《hermitage bookstore》

恐怖も浄化する夢の国

たま TAMA

★《allusion》

★たま画集「Nighty night――少女主義的水彩画集Ⅷ」

B5判・ハードカバー・64頁・予価税別3000円／発行・アトリエサード、発売・書苑新社
2024年3月12日発売予定／右記個展にて先行発売!
※たま（原案・絵）・最合のぼる（文）の書下し短編「微睡夢紀行」も収録!

★たま画集「Deep Memories」「Calling」ほか好評発売中!

好事家が夢見た楽園

伊藤晴雨
ITO Seiu

※記事・出版情報→90ページ

★《ご褒美》

ウブな少女がエロスを花開こうとしている――古川沙織が一貫して描き続けているのは、そんな桃源郷的世界だ。もしかしたらその少女は、それがどのように淫らなことなのか、自覚がないのかもしれない。いや、同じことが、古川自身に対しても言えるのかも。でも、だからこそ、そのエロスが失われず生き続けているのだと、言ってよかろう。

古川の作品は、カラー作品だと柔らかめで明るめだが、精緻なモノクロのペン画だと、硬質で暗鬱な雰囲気になる。そのシュルレアリスム的な光景の中で変質したエロスは、より密室的で個人的、そしてより倒錯的だ。

さらに言えば、しばしば描かれる少女の黄金水の放出は、そうした無垢なエロスや欲望の無自覚な解放の象徴でもあろう。そのほとばしりが桃源郷を潤す。

古川沙織の久々の個展が開かれ画集も出版される。その妖しくかぐわしい世界を、ぜひ堪能されたい。（沙）

★（上）《車輪の下》（下）《目が欲しい》

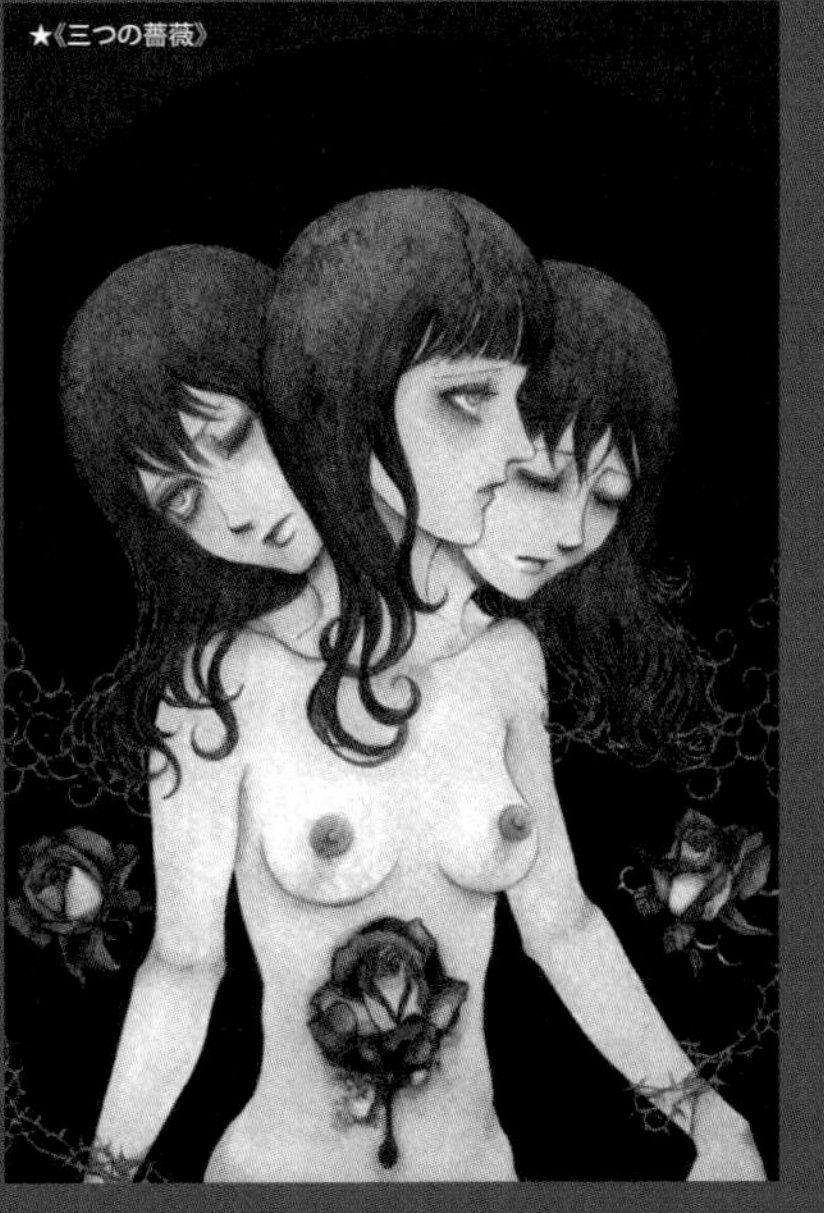

★《三つの薔薇》

★古川沙織 画集刊行記念個展
「Mistress Alice」
2024年3月16日（土）～26日（火）水曜休
11:00～19:00（最終日～17:00）入場無料
場所／東京・京橋 スパンアートギャラリー
Tel.03-5524-3060 https://span-art.com/

★古川沙織 画集
「Mistress Alice」
発行・アトリエサード、発売・書苑新社
2024年3月下旬発売予定！
左記個展にて先行発売！

★古川沙織画集「ピピ嬢の冒険」ほか
好評発売中

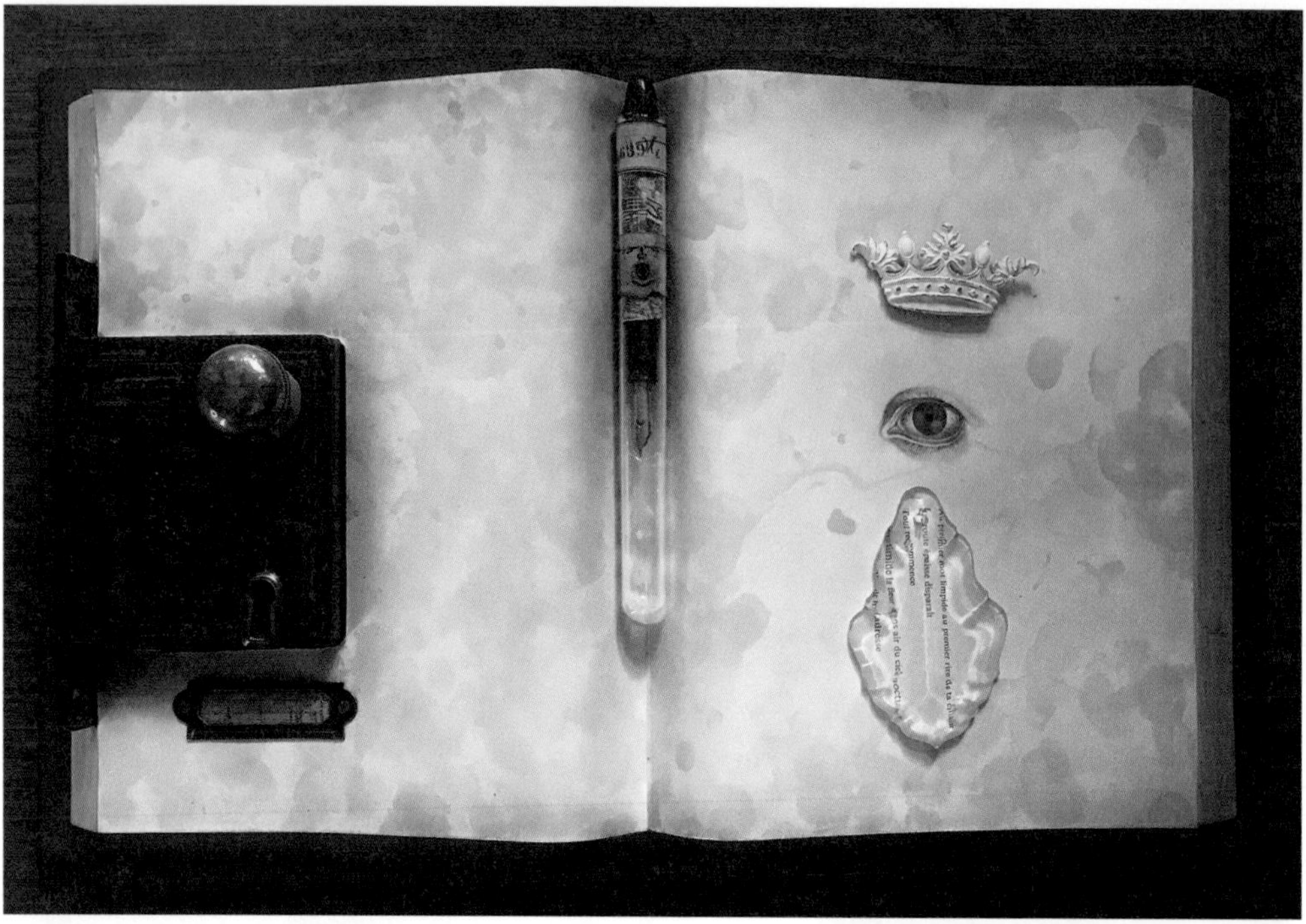

菊地拓史

KIKUCHI Taqji

ノスタルジックで深淵な宇宙

★山吉由利子

★森馨

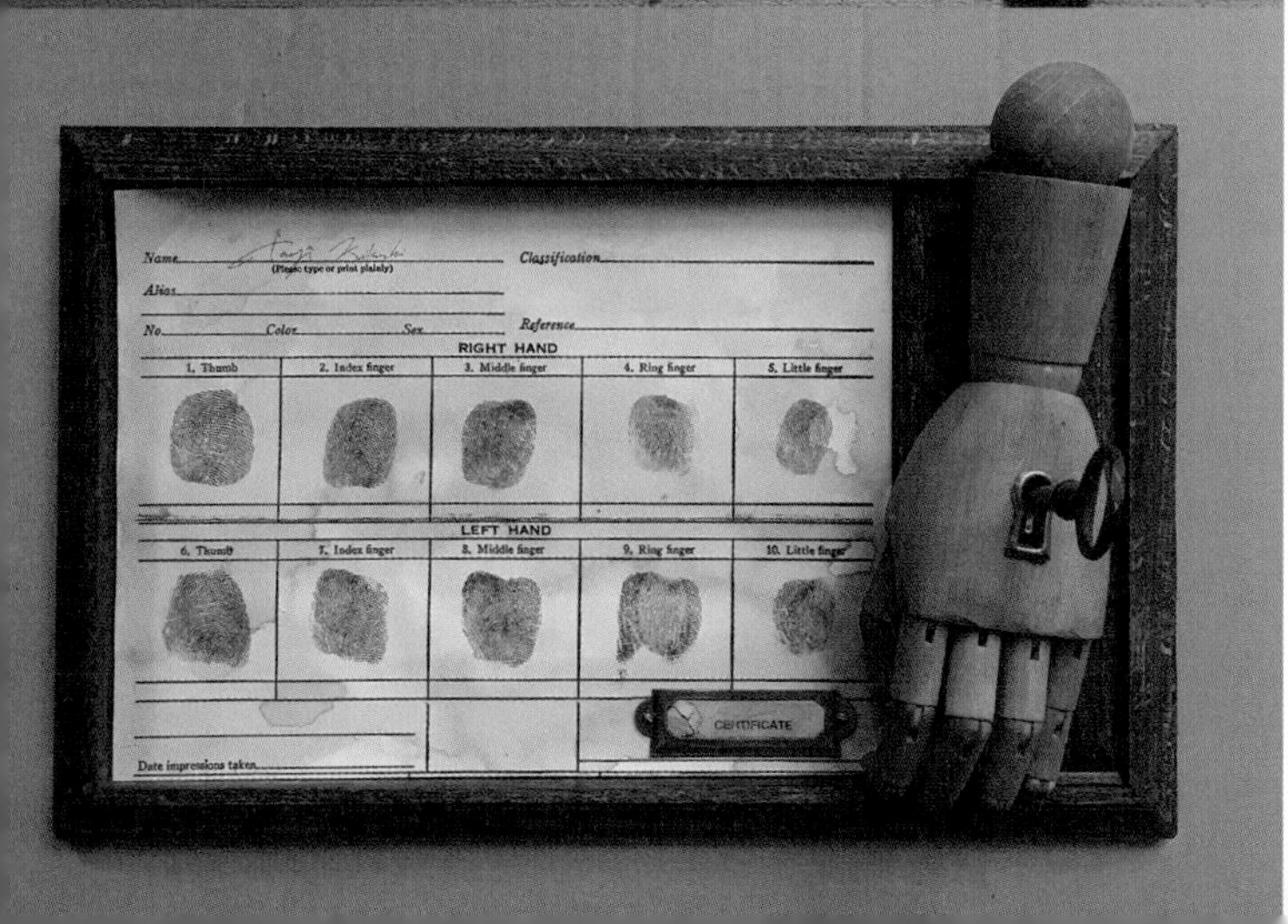

大切な宝物は、箱の中にしまっておく。箱を開けば、自分だけの宇宙がある。そんな幸福をだれもが感じたことがあるにちがいない。だが、その箱の中の宇宙をより緻密に構成し、出会わないものを出会わせ、ささやかだけど格別なイマジネーションに富んだ宇宙を出現させる——そんな魔法を持った者は、そう多くはない。たとえば、ジョゼフ・コーネル。彼は生涯を孤立した環境で過ごしたが、その想像力を箱の中に凝縮した。

そして菊地拓史もまた、そのひとりであろう。ノスタルジーに彩られた、本当にささやかな物語のかけら。それはどこか見知らぬ宇宙へと、観る者をいざなう。身近に思えながら、どこまでも深淵な宇宙がそこに広がっているのだ。

再開発による閉館が迫るストライプハウスギャラリーで、その菊地の個展が開催される。山吉由利子と森馨も、ゲストとして出品。2フロアを使った大規模な展示だ。静謐で奥深いその宇宙を、じっくり味わいたい。(沙)

★菊地拓史 個展
「airDrip」

2024年3月1日(金)〜10日(日)
会期中無休
13:00〜19:00 入場無料
ゲスト:山吉由利子、森馨
場所/東京・六本木
ストライプハウスギャラリー
Tel.03-3405-8108
https://striped-house.com/

★菊地拓史 作品集「airDrip」
好評発売中!

★小倉「ストリップ劇場」

★京都・橋本遊廓「大徳楼」
遊女の洗浄室

★熱海遊廓跡地「旧つたや」

★沖縄「栄町社交街」ちょんの間・女の足

紅子 BENIKO ※インタビュー記事→54ページ

失われゆく色街に刻まれた「思い」を写す

★沖縄「首里劇場」

★京都・橋本遊廓「多津美旅館」玄関

大小島真木 OHKOJIMA Maki

原初へ遡り自然との共生を探る

※記事→86ページ

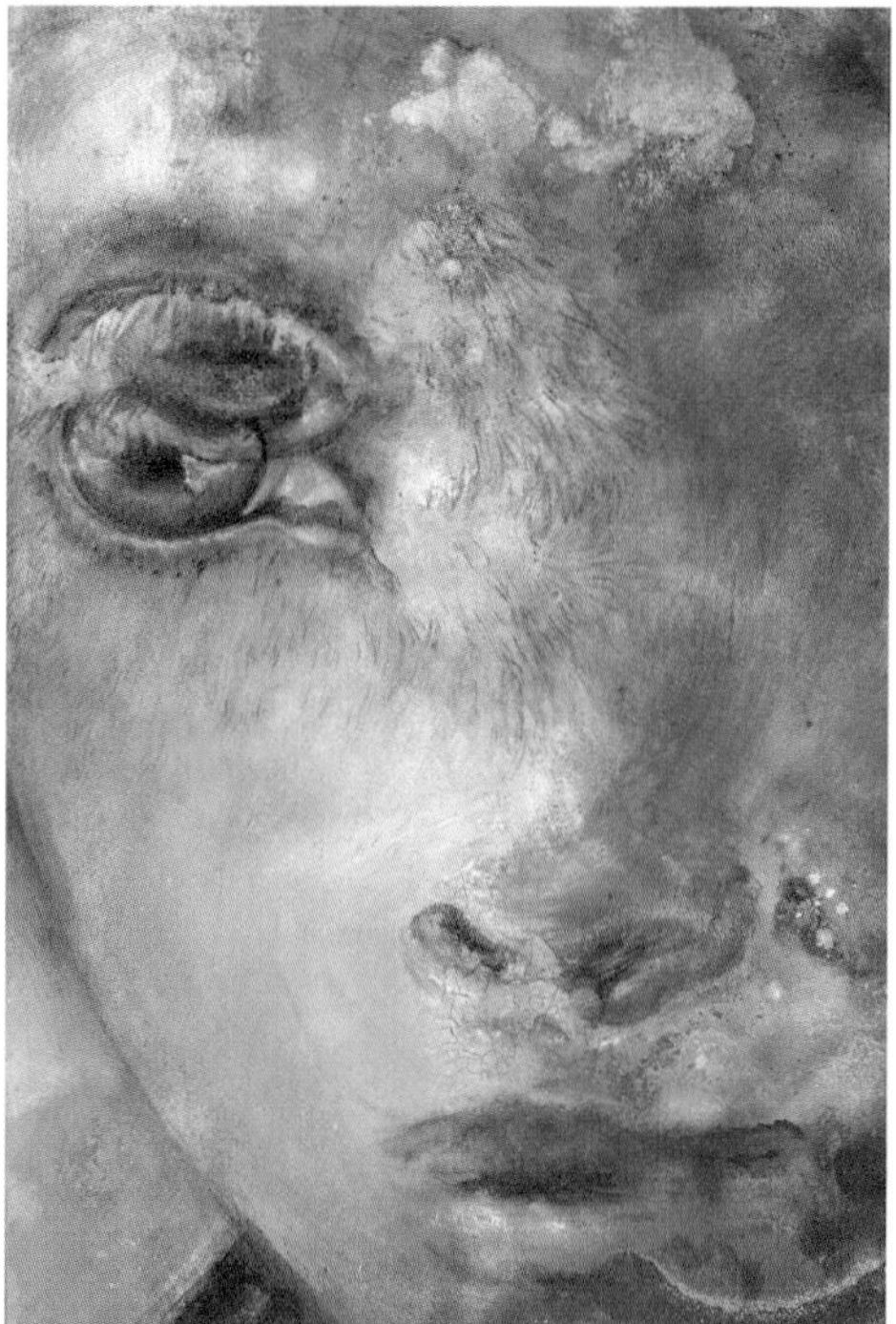

★（右頁と左頁上）映像作品《千鹿頭》2023より＝（右中央）森の住人に扮した民俗学者の田中基（右下）古の民に扮した彫師の大島托
（左頁下）『私ではなく、私ではなくもなく"not〈I〉, not not〈I〉"』展（HARUKAITO by island）より
＝（右下）《同じさの補遺として》2023（左下）《Hexe》2023 写真：Maki Ohkojima

七菜乃 NANANANO
裸体が夢見るエデンの園

七菜乃の「LONG VACATION」は、屋外の青空のもとなどで撮影された集団ヌードの写真集だった。公共の場で全裸になることはいまは許されていないが、アダムとイヴも蛇にそのかされて羞恥心を芽生えさせるまでは、何も隠さず暮らしていた。神がアダムとイヴをエデンの園から追放した時に、身にまとうものを与えたのは興味深い。裸を隠すことは、エデンの園、つまり楽園を離れてしまったことの証拠であり、そう考えると七菜乃の試みは、まさに、楽園を甦らせようとすることに他ならないのではないか。その裸体群に幸福感が感じられるとしたら、その風景が「楽園」だからだ。

一方、コロナ禍において始められた「おうちヌード」のシリーズは、被写体の部屋という生活の場でのヌード写真である。窓からの自然光で撮られたそれらの写真は、外出もままならないコロナ禍の状況を反映しているが、それがおさまったいまにおいては、外光が、失われた楽園からの光のようにも見える。手が届きそうで届かない楽園。そこに戻ることを夢見て、衣を脱ぎ捨てる——。

4月は、今も撮り続けられている、その「おうちヌード」シリーズでの個展。光をまとう裸体に、どのような楽園を思い描こう。(沙)

★七菜乃写真展

2024年4月5日(金)～21日(日) 月・火休
13:00～19:00 入場無料

場所／東京・神保町 神保町画廊
Tel.03-3295-1160
http://www.jinbochogarou.com/

★七菜乃 写真集「LONG VACATION」

B5判・カバー装・144頁・定価税別3200円
好評発売中!

悠歌 HALCA

壊れた心を縫合し
未知なる世界を進む

「私は茫漠な世界に漂う少女である」という。その「不完全な自分」に宿る「底知れぬ渇きとマグマ」。悠歌は、それと真っ向から対峙し、「破裂しそうな魂を抱きしめながら、自分という大地に亀裂を刻んできた」。

自らを撮影したその写真にはしばしば、もうひとりの「私」が写し出されている。それは、「壊れた心を縫合する儀式」を表現したものなのだろうか。そのせめぎ合いが、ときに激しく、ときにファンタジー的に表現される。

果たして悠歌にとって、少女は「楽園」なのだろうか。その鋭い目線に、自身に立ち向かい続けようとする強い意思を感じ取ることは容易だろう。その意思によって、自身が刻んだ亀裂を縫い合わせ、新たな安住の地を創造せんとする。

まだ見ぬ楽園を目指して力強い歩みを進める悠歌。だからこそその写真は、鮮烈な印象を残す。個展は3月8日から。(沙)

★悠歌 写真展
「少女の向こう側」
2024年3月8日(金)～17日(日)
会期中無休
13:00～19:00 入場無料
場所／東京・神保町
神保町画廊
Tel.03-3295-1160
http://www.jinbochogarou.com/

失われし「楽園」を再発見する、母にして娘の「冒険」

ヨルゴス・ランティモス監督『哀れなるものたち』

◉文＝岡和田晃

夜。そして一九世紀末のロンドン。一人の貴婦人が橋より落下し、入水自殺を図る――そうした衝撃的な場面から開幕する本作『哀れなるものたち』。かのアンソニー・バージェスに「スコットランドが生んだウォルター・スコット以来で最高の小説家」と讃えられたアラスター・グレイの同名小説（原著一九九二年、高橋和久訳、早川書房二〇〇八年／ハヤカワ文庫epi二〇二三年）を原作とする。著者自身の手になる味わい深いイラストが添えられた同作は――解剖医ジョン・ハンターと（メアリー・シェリーが小説に書いた）フランケンシュタイン博士を融合させたがごとき腕前の――外科医ゴッドウィン・バクスターにまつわる奇天烈な逸話が、あたかも語られざる史実の一端であるがごとくに、重層的な構造をもって紹介されていく。

　曰く、ゴッドウィンの父親であるサー・コリンは、「肉体の生命を終わらせずに停止させる方法」、「呼吸器、循環器、消化器の活動は完全に中断するが、細胞の生命力は損なわれずに維持される方法」を発見したという。ゴッドウィンはその技法の精度を高めるべく、研究を怠らなかった。それが花開いたのは、自殺した女性の肉体を蘇生させることに成功したときである。

　女性は頭から川に飛び込み、しかも小石を詰め込んだ手提げ袋の紐を手首に巻くなど、覚悟のうえで自分をもはや永遠に存在しないものにしようと決めていたのは明らかだった。女性は二十五歳、妊娠九ヶ月。まだ母体には死後硬直が始まっていなかったが、脳に重篤な障害を残したまま助けるよりはと、ゴッドウィンは胎児の脳を母親に移植することで〝二人とも助ける〟ことにしたのである――彼女をベラと名付け、事故で両親を失った姪として育てていたのだ。

　かような真相は原作では早々に明かされるが、映画では中盤まで伏せられている。代わりに強調されるのは、成熟した大人の肉体と、無垢で未発達な幼児の内面を併せ持ち、見るもの聞くこと、ひいては体験のすべてを新鮮に受け止めるベラという存在、そのものだ。演じるエマ・ストーンは、そのアンバランスさを受け止めながら、強固な意思をもって未知の「冒険」を求めて邁進する様子を、体当たりで演じてみせる。

　ヨルゴス・ランティモス監督は、「全体として、女性の自由の物語」だという観点から、ベラの視点を中心に原作を再構成してみせた。ランティモスは、ベラが住む世界を単なるリアリズムではなく、「特定の時代をほのめかす要素を入れつつも、さらにおとぎ話や物事のメタファーとなるようなものを目指し」たとも語る。ゆえに作品世界はアナクロながらも、『フランケンシュタイン』（一八一八年）以来のSF、さらに言えば一九世紀の「科学ロマンス」を再解釈する形となっている。

なにせ、ベラが育てられるゴッドウィンの屋敷からして異様なのだ。ベラは「父」の実験台にされたキメラのごとき奇怪な動物が走り回る脇で育てられ――これはH・G・ウェルズの『モロー博士の島』（一八九六年）をも想起せる――彼が死体を解剖する現場にも立ち合う。彼女はゴッドウィンを「ゴッド＝神」と呼ぶが、メアリー・シェリーの父ウィリアム・ゴッドウィンにも引っ掛けられているのだろう。

そうした原風景としてのバクスター邸を、ランティモスはゴシック小説風の不気味さをもって演出していく。そこに登場するのは、ゴッドウィンの大学での教え子、マックス・マッキャンドレスである。彼はベラの成長過程を記録にとるよう命じられ、彼女に強く惹かれていく。他方のベラにとって、マッキャンドレスは初めて出会う成人男性だった。互いの想いを察したゴッドウィンは、二人を結婚させ屋敷に留めおこうとするが、女たらしの弁護士ダンカン・ウェダバーンが割って入り、彼女を外の世界での「冒険」へと連れ出す。ベラには見るものすべてが新しい。それは性の放埒とも背中合わせなのだが、彼女らはリスボン、さらには地中海での船旅にてアレクサンドリア、パリへと移動していく……。

全体の色調は、ランティモスのルーツであるギリシアの文学や映画の風景が少なからず踏襲されているようだ。テオ・アンゲロプロスの諸作というより、どちらかといえばニコス・カザンザキス原作／マイケル・カコヤニス監督の映画『その男ゾルバ』（一九六四年）を連想したが、アンソニー・クイン演じる朴訥で猥雑なギリシア人ゾルバのような存在は、セクシュアリティの社会性への考察を抜きに読み替えることはできないものでもある。その際に重要となるのが、ベラが船上で出会う自立した女性、マーサ・フォン・カーツロックだろう。

本作はゴッドウィンを演じるウィレム・デフォーをはじめ、俳優たちの演技が絶妙なのだが、ひときわ強烈な印象を残すのがマーサを演じるハンナ・シグラだ。彼女は置かれた現状を知性的に分析し、対等な友人としてベラを受け入れてみせる。それはハンナが主演した『リリー・マルレーン』（一九八一年）ほか、ライナー・ヴェルナー・ファスビンダー監督の諸作にまつわる映画的な記憶と、本作を取り結ぶことでもあるのだ。やがて行き着いたパリで、ベラは父ゴッドウィンの危篤を知らされ、失った原風景たる「楽園」の意味と自らの身体、さらには「母」の苦悩に、改めて対峙することになり……。構成力や批評性、何より美学的な新規さにおいて、近年稀に見る傑作だ。

★『哀れなるものたち』1月26日（金）より全国公開
公式サイト https://www.searchlightpictures.jp/movies/poorthings

★ウィレム・デフォーが演じるゴッドウィン

温度差が生む「結晶」——y個展

★右から《D1》《D31》《D5》いずれも2023年

★《曼》2022年

一枚のガラスで隔てられた内と外。それらの温度差によって「結露」が生じる。人形作家yは、個展のタイトルを「結露」と付けた。「思考と感情」「社会と自分」……yはそうしたものを例示し、それらの温度差が大きくなることで生じるものがその「結露」だと示唆する。それがyの作品となるのだろう。球体関節人形から、少々奇矯で思索的なオブジェまで、その表現は非常に幅広い。その世界は、あなたの心にもきっと何かを結晶させるにちがいない（沙）

★y 個展「結露」

2024年2月15日（木）〜19（月） 会期中無休
13:00〜18:30（最終日は〜17:00） 入場無料
音楽：Teruyuki Kurihara

場所／東京・曳舟 gallery hydrangea
Tel.03-3611-0336 https://gallery-hydrangea.shopinfo.jp/

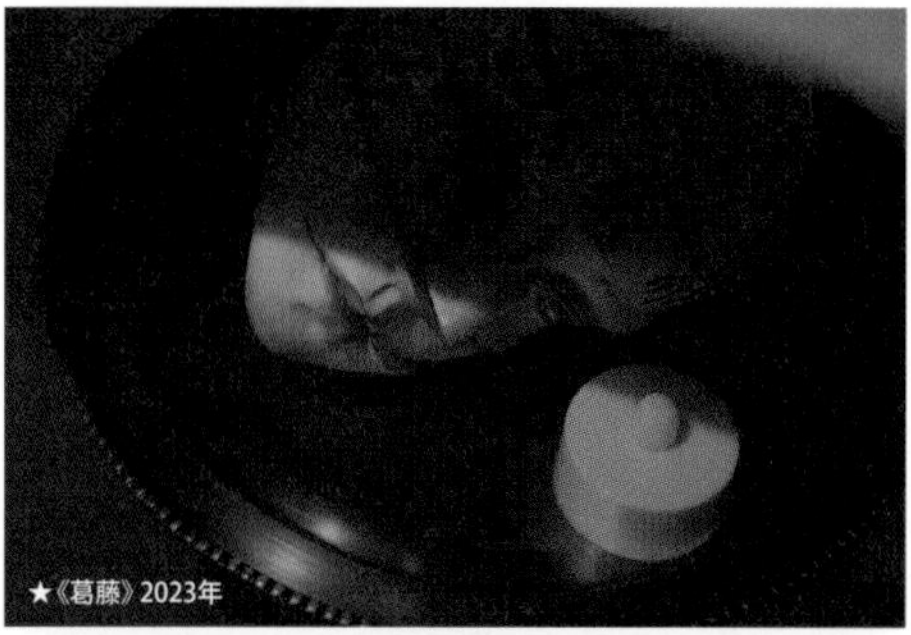

★《葛藤》2023年

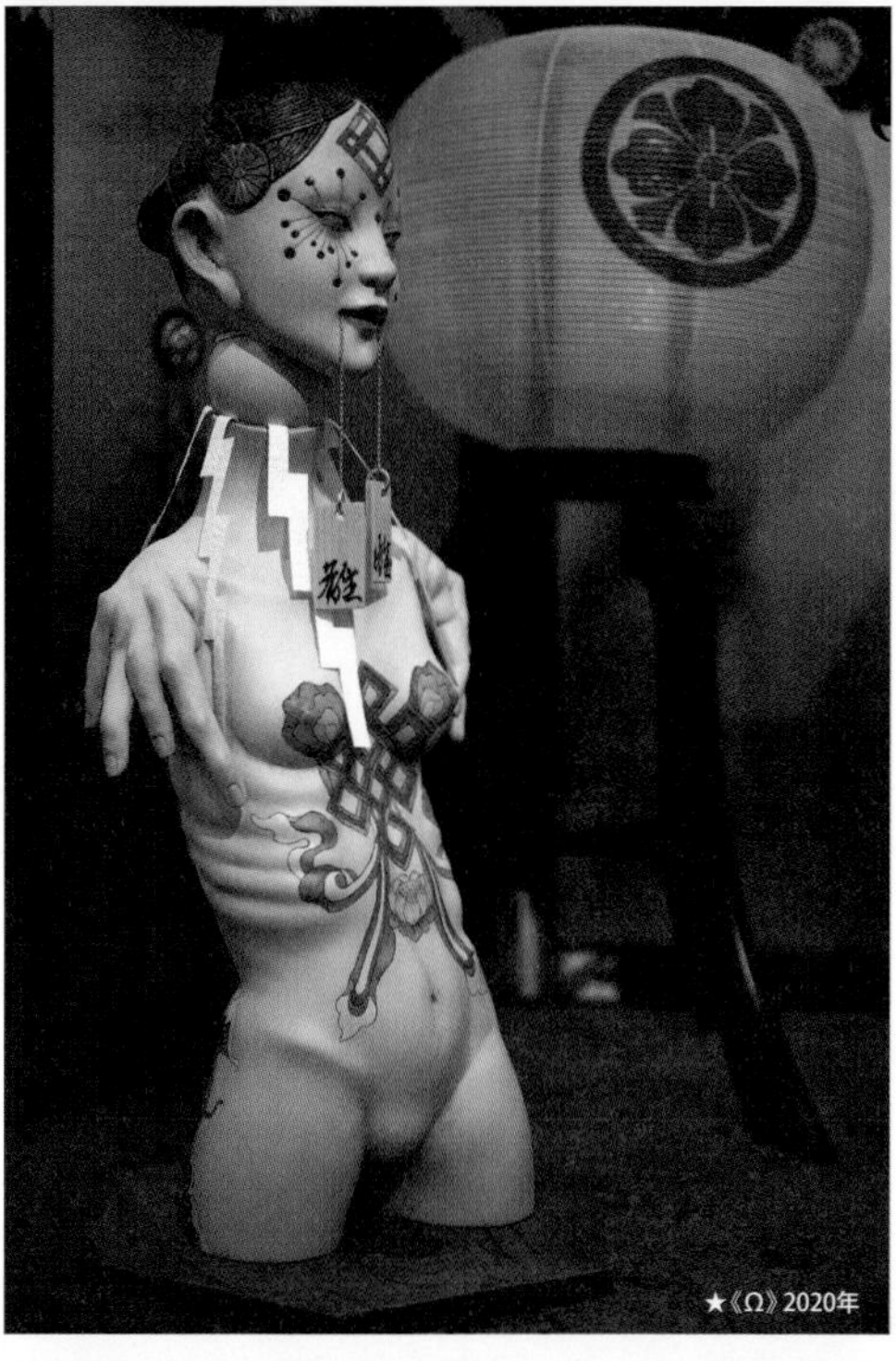

★《Ω》2020年

★《成》2023年

華美な装飾の祭壇に広がる世界

――青木瞳個展

青木瞳が描くのは、緻密で華美な模様に縁取られた奇妙な劇場。そこは豪奢な宮殿の中なのだろうか。ときに乳房を露出させた女性らが、奇妙な遊戯に耽っている。

青木は、「私にとって『描くこと』は、煩わしいもの、愛しいものを異形化し、祀るような、魔術的な作業」でもあるのだという。青木はまさに、縁取りで切り取られたその世界を、祭壇と称している。怪しい異形たちを祀る空間だ。

少々面白いのは、その祭壇の空間の向こうに空がうかがえるなど、広い奥行きを感じさせることだ。しかも窓などはなく、そのまま外界が奥に広がっている感じだ。もしかしたら、縁取りの向こうにはわれわれの側と同じく広大な宇宙があって、われわれの側と同じような物語が繰り広げられているのかもしれない――そんなことも思わせたりするのである。

（沙）

★青木瞳 個展「Inside the Palace」

2024年2月22日（木）～26日（月） 会期中無休
13:00～18:30（最終日は～17:00） 入場無料
音楽：yuriko imaoka

場所／東京・曳舟 gallery hydrangea
Tel.03-3611-0336
https://gallery-hydrangea.shopinfo.jp/

★（右頁）《接吻で覆う》2023年 （左頁右上）《人形あそび》2023年 （左頁左上）《ゆりかご鬼》2022年 （左頁下）《悪魔を呼び出すおまじない》2023年

三浦悦子の世界〈31〉

［深海の書物］

とあるお国の元兵役学生さんと友達になりました。
戦争になり武器や戦車をとられたら、自殺するよう教えられています。
ポケットに忍ばせているピストルで頭を貫くようにと。
全ては捕虜にならないために、彼は躊躇なくそうするでしょう。
考えない力……いつでもそれが、前進するための強さなのかもしれません。
広島原爆ドームへ行きました。
彼はそれを見ても、そういうものだと思うのでしょう。
世界は残酷、私と彼もきっと残酷にできている。

立体画家 はが いちようの世界《第43回》

ル・マタン・ブロン

本誌No.78で「DANONE」という作品を紹介したことがあった。この作品はその色違いである。両作ともに左下の写真を元に、前作はグリーンの店、本作は白い店として共に90年代に制作した。その後グリーンの店は何度も売れ、何度もつくり直したため徐々に進化していったのに対し、本作は最初に作ってから一度も売れず、ほとんど展示することもなく、ずっと倉庫に眠っていた。

要は駄作だったのだ。

中央の看板絵がよくなかったし、ショーウィンドウの演出もまずかった。二階の窓も、石畳も、とにかく全部がダメだった。そんな本作を、コロナ禍における余暇時間を利用して、すべてなおしてしまった。

ショーウィンドウに奥行感をもたせるため、作品を7センチ厚くし、二階の窓に明かりを点け、石畳を掘り直し、中央の看板絵を描き直した。

このページに掲載した写真は、そういったリフォームをすべて終えたあとの作品「ル・マタン・ブロン」(白い朝)である。制作1998年。縮尺12分の1。

本作は2月25日から有楽町交通会館B1Fで開催される「はがいちよう&渋谷クラフト倶楽部作品展」に展示いたします(3月2日迄)。

芳賀一洋(はが・いちよう) https://ichiyoh-haga.com/
1948年、東京に生まれる。1996年より作家活動を開始し、以後渋谷パルコ、新宿伊勢丹、銀座伊東屋などでの作品展開催や、各種イベントに参加するなど展示活動多数。著作に写真集「ICHIYOH」(ラトルズ刊)などがある。

辛しみと優しみ〈54〉

人形・文=与偶

doll & text by Yogu

時とともに、人の心は変わっていく、ただ私は変わらずここにいる。

誰も置いてきぼりにはしない。私を愛してくれた小さな命が私を見つけられなくなってしまわないようにずっと…。

風が吹けば飛んでく生命力だけど、爪が剥がれても、人生と言う、荒波が叩きつける断崖絶壁な壁に食い下がる。

撮影©サト・ノリユキ / SATOFOTO

淋しげに虚空を見つめる肖像

福山フキオは顔を描き続けている。笑うわけでも泣くわけでもなく、感情をほとんど露わにしない肖像だ。しかしどこか淋しげに虚空を見つめているように思えることもある。その作品の特質はマチエールにあるが、昨今はその絵肌の得体の知れない模様が画面を覆い尽くし、顔を埋めてしまうこともある。消えていくような儚げな感じがまた、観る者の情感を震わせる。(沙)

★福山フキオ個展
「paradoxxyribo パラドキシリボ」B室
2024年3月7日(木)～20日(水・祝) 会期中無休
12:00～19:00(土・日・祝は～17:00)
入場料／前売券(オンラインチケット)800円、当日券1000円
※前売券は2月29日(木)正午から発売
※A室・B室の両方を観覧可能
場所／東京・銀座 ヴァニラ画廊
Tel.03-5568-1233 http://www.vanilla-gallery.com/

★Shin3. 個展「Sylvan+」
2024年1月27日(土)〜2月11日(日) 月・火休
12:00〜19:00 入場無料
場所／東京・小伝馬町 みうらじろうギャラリー@5
Tel.03-6661-7687 https://jiromiuragallery.com/

異界に放たれたフェティッシュな女体美

Shin3.がフェティッシュ&ボンデージの世界を撮影し始めたのは、2000年のこと。02年に初個展を開催し、以降も一貫してそのテーマで作品を制作。小道具を自作し、縛りも自分でおこない、その美を追究し続けている。

そのShin3.が久しぶりとなる個展を開催。今回はCGによる加工を加えた作品を発表する。異界と化した画面で醸される女体美を堪能したい。(沙)

異形がうごめく摩訶不思議な世界

——光宗薫個展

2011年より独学でボールペン画を始め、昨今は、水彩、鉛筆、油彩、アクリルなどさまざまな技法にも取り組んでいる光宗薫。その世界は異形的で、ガズラーを始め、内から溢れ出る〝怪物〟を緻密な筆致で描き出してきた。

2年ぶりとなる今回の個展では、日本の昔話や伝説よりインスピレーションを得た新作シリーズを展示する。異形的な生き物や妖しい空気感を生むイマジネーションはさすが。摩訶不思議な世界に、ぜひ魅了されたい。（沙）

★光宗薫 個展「むかしむかし」 A&B室
2024年3月23日（土）～4月21日（日）会期中無休
12:00～19:00（土・日・祝は～17:00）
入場料／1000円（当日券のみ、ただし3月23日（土）・24日（日）はオンラインチケットのみ）
※オンラインチケットは3月16日（土）正午から発売
場所／東京・銀座 ヴァニラ画廊
Tel.03-5568-1233 http://www.vanilla-gallery.com/

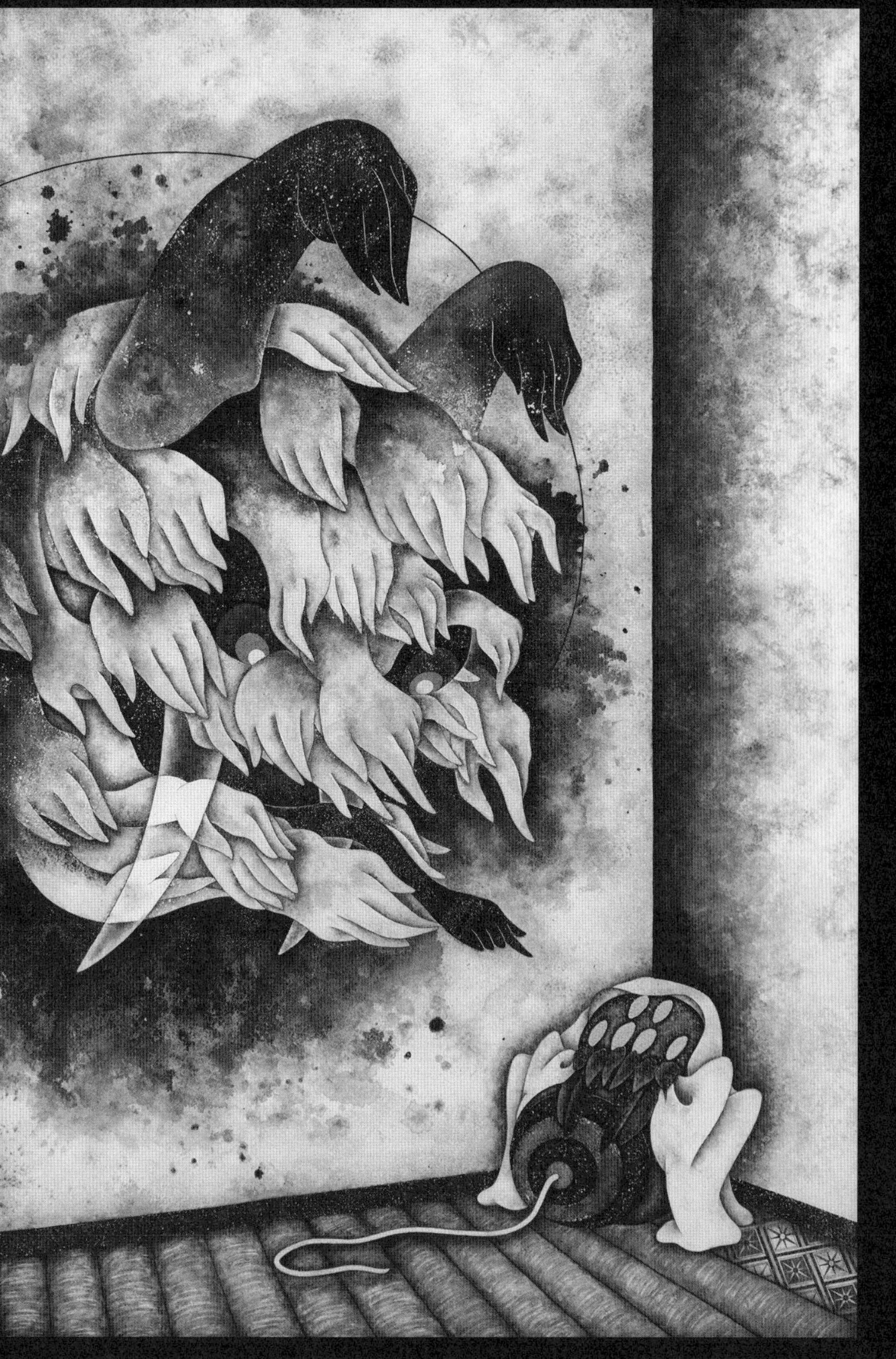

★H・R・ギーガー

★ティム・バートン

シリアル・キラー作品のコレクターとして知られるHN氏。そのコレクションを公開する「シリアル・キラー展」は、毎回多くの観客を集めている。そのHN氏のまた別のコレクションによる「ザ・ホーンテッド・コレクション」展が開催される。その内容は、ティム・バートン、フランク・ミラー、レイ・ハリーハウゼン、デヴィット・リンチなどから、水木しげる、花輪和一、つのだじろうなどなど、実に多彩。ダークで、ときには狂気を孕んだ奇妙な作品のオンパレードだ。サイドショー写真などのサーカスコレクションや、映画プロップコレクションも特別公開。驚異の世界を心して垣間見たい。(沙)

★「ザ・ホーンテッド・コレクション
—HNコレクション奇妙な書斎—」A&B室
2024年2月10日(土)~3月3日(日)
会期中無休
12:00~19:00(土・日・祝は~17:00)
入場料/1500円(当日券のみ)
場所/東京・銀座 ヴァニラ画廊
Tel.03-5568-1233
http://www.vanilla-gallery.com/

★呪物

★マシューフォーサイス

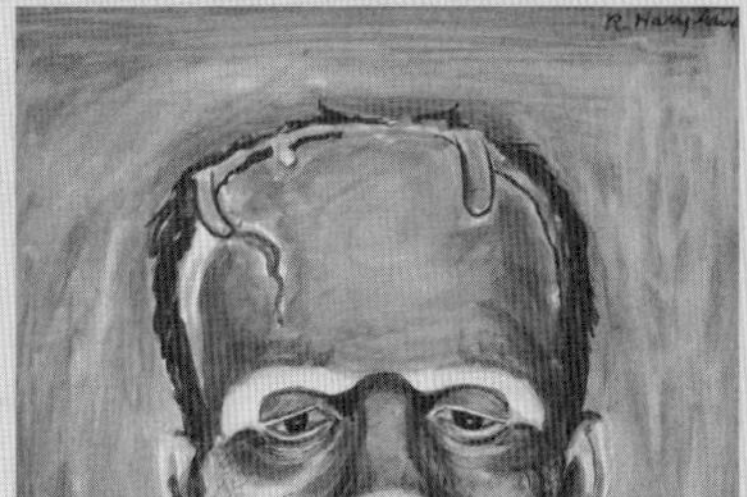

★レイ・ハリーハウゼン

神話的世界の普遍性を探求

この宇宙や世界の成り立ちについて思索を重ね、それが人々の共通認識となったとき、神話になる。いま、自身の無意識を探求していけば、やがてそれは、人類が古来から共通して携えてきた集合的無意識へと至るだろう。神話はそこにおいて、普遍的なものとして永く生き続けている。そしてその普遍性を図像化するために、さまざまな象徴物が用いられてきた。

そうした普遍性や、神話の源泉を求めて、宇宙を探求をし続ける4人の画家のグループ展。新たな神話が、そこに描き出される。（沙）

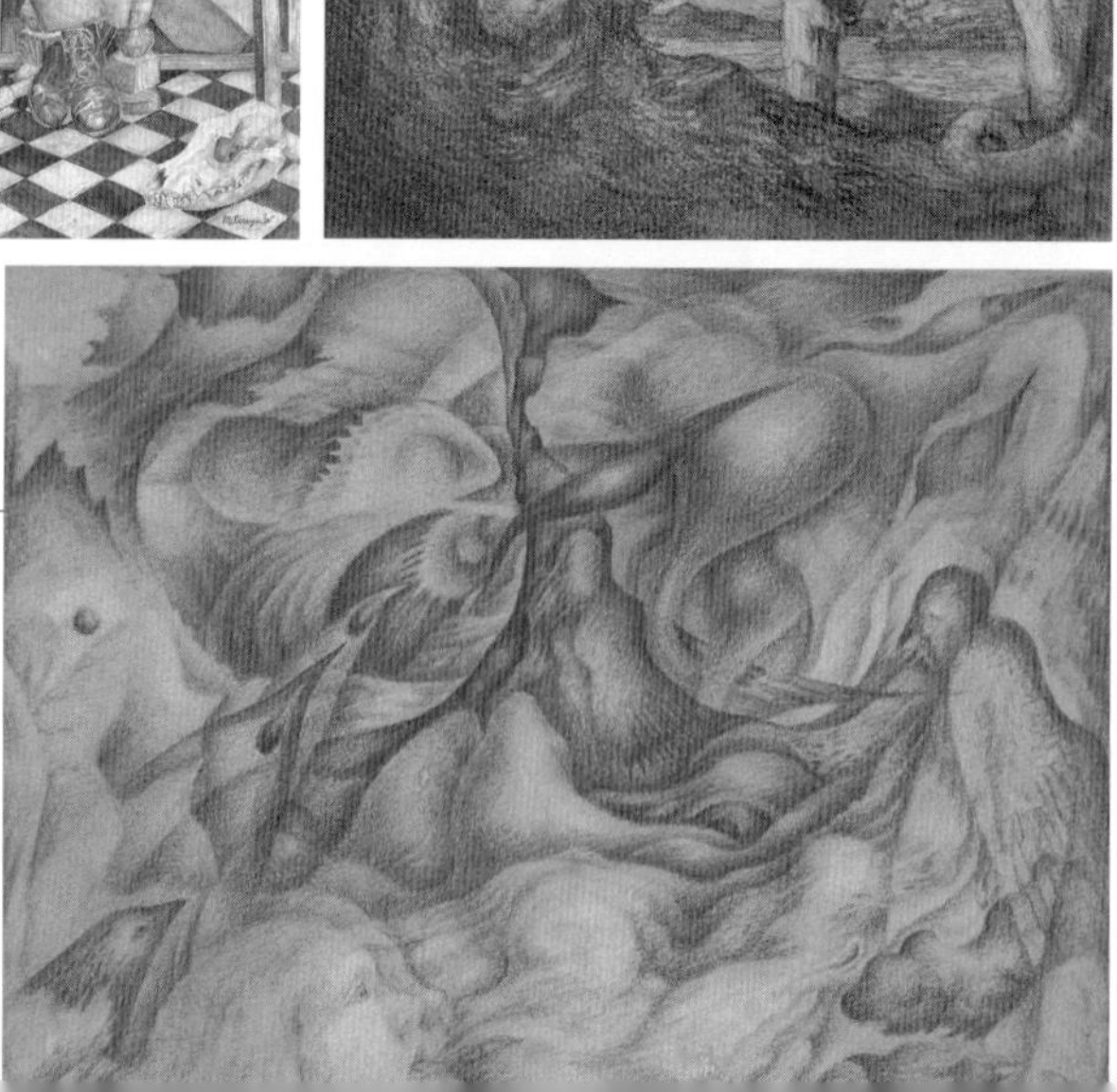

★（上）羅入
（中右）井関周
（中左）渡邊光也
（下）藤川汎正

★「象徴と神話展
──藤川汎正、井関周、渡邊光也、羅入──」
2024年4月18日（木）～23日（火）会期中無休
11:00～18:00（最終日は～16:00）入場無料
場所／東京・国立 ギャラリー国立
Tel.042-574-1211
https://www.gallery-kunitachi.com/

★「IL VOLO in 清水寺 京都世界遺産ライブ」より

清水寺に響きわたる圧巻のハーモニー

京都の音羽山 清水寺といえば、誰もが知る世界遺産。その清水寺で、2022年、イタリアの〝イル・ヴォーロ〟による、海外アーティスト初となる奉納ライブがおこなわれた。イル・ヴォーロは、人気オーディション番組出演を機に2009年に結成され、アメリカやヨーロッパ、南米など世界各地で公演を開催。圧巻の歌唱力と美しいハーモニーで幅広い層のファンを獲得している、三大テノールを継ぐ新世代のヴォーカル・ユニットだ。

そのイル・ヴォーロは、イタリア・フィレンツェのサンタクローチェ広場など、世界遺産でのライブを映像化。清水寺のライブも映像化のために行われたもので、1月12日より待望の劇場公開が始まっている。ライトアップされた夜の清水寺に、深い表現力のある歌声が響きわたるさまは、なんとも幻想的だ。

4月には、名古屋・大阪・東京・札幌で、来日コンサートも開かれる。圧巻のハーモニーを体感する貴重な機会。ぜひ注目したい。（沙）

★「IL VOLO in 清水寺 京都世界遺産ライブ」
全国順次公開中!
劇場など詳細→公式HP https://gaga.ne.jp/ilvolo/

★「イル・ヴォーロ ジャパン・ツアー2024 LIVE IN CONCERT」
2024年4月25日（木）名古屋・愛知県芸術劇場 大ホール
4月28日（日）大阪・ザ・シンフォニーホール
4月30日（火）東京・東京国際フォーラム ホールA
5月2日（木）札幌・札幌文化芸術劇場hitaru
料金・チケット予約など詳細は、テイト・コーポレーションのサイトなどを参照。
http://www.tate.jp/

西宮の気になる風景を切り取る

★市田響「西宮のキリトリセン®」
A5判・34頁・税込1200円
※浅尾典彦、上念省三らが寄稿
通販／花と寅 https://hanatotora.com/

兵庫県西宮。どうやらなんとなく頽廃的で奇妙なところらしい。徘徊写真家・市田響は、そんな光景を切り取って自費出版した。喫茶とお酒「花と寅」で企画された西宮しばりのゆるい展示への出品作からまとめたものだが、こうした風景もやがて消えてしまうのだと思うと、物悲しい。表紙の東京ハウス（なぜ西宮なのに東京？）も、もうないのだそうだ。（沙）

野外美術の全貌

村上誠、渡の兄弟と、山本裕司が協働で行った天《あま》地耕作《つちこうさく》。旧引佐郡（現・浜松市）を拠点に、1988年から2003年にかけ、野外に自然物を使った大掛かりな作品を制作したプロジェクトだ。その活動の全貌を振り返る展示が静岡県立美術館で開催。（沙）

★「天地耕作 初源への道行き」
2024年2月10日（土）～3月27日（水） 月曜休 10:00～17:30
料金／一般1,000円、70歳以上500円、大学生以下無料
（前売等詳細は下記HP参照）
場所／静岡県立美術館 https://spmoa.shizuoka.shizuoka.jp/

★BMXと同時期にベルリン・タトゥー・コンベンションも開催されていた。BMXのサスペンションチームのメンバーでもあるベト率いる「サンタ・サングレ」がメキシコ神話をボディサスペンションを用いて披露した。

ドイツ・ベルリン身体改造国際会議BMX・続報！

ピアスやサスペンションの民族起源や歴史の研究が進み、文化史に組み込まれる

◎文・写真＝ケロッピー前田

前号に続き、2023年9月7日から10日までの4日間、ドイツ・ベルリンにて開催された身体改造国際会議BMXについての報告をお送りする。

改めて簡単に復習しておくと、ここでいう身体改造とは、タトゥーやピアスを含む身体の加工＆装飾の総称で、1990年代から世界的な流行として広まり、日本でも若者のファッションのひとつとして社会的に認知された。とはいえ、日本のタトゥー人口は約2％と言われ、海外ほどタトゥーをしている人を日常的に見かける事は少ない。一方、欧米を中心に世界におけるタトゥー人口は40％程度と言われており、その普及の度合いはタトゥーをしているスポーツ選手やセレブの多さを見れば、納得してもらえるだろう。そんなピアッシングショップやタトゥースタジオのビジネス的な需要の高さに支えられ、そこから派生したフックを貫通して身体を吊り下げるボディサスペンション、マイクロチップや磁石、電

★4日間の会議会期中、中庭では希望者がボディサスペンションを体験できるようになっていた。

★珍しい石や化石といった素材のバリエーションや特殊な造形なども豊富なピアッシング・ジュエリーの新作見本市

★ファキール・ムサファーのサンダンス
（写真：チャールズ・ゲートウッド）

子機器などを体内に埋め込むボディハッキングなど新たな身体改造のジャンルも急成長を続けている。前号でみた通り、身体改造国際会議BMX（ボディ・モディフィケーション・エクスチェンジ）は、ピアスやタトゥーと言ったすでにビジネスとして確立された領域にとどまらず、そこから派生した様々なトピックスについて、世界中から専門家たちが集まって議論する場として機能しているのだ。

ファキール・ムサファーのモダン・プリミティブズ

2023年度の参加者は講師やスタッフを含めて約600人。レクチャーやディスカッションが中心なイベントで、ピアッシングやタトゥーの技術的なレクチャーやピアッシング・ジュエリーの見本市なども充実していたが、今回目立っていたのは、ピアスやサスペンションの民族起源や歴史の研究についてのレクチャーだった。文化史の中に身体改造を組み入れる試みがさらに進んでいると確信させられた。

ちなみに1990年代の世界的な身体改造の流行のきっかけに、89年に出版された『モダン・プリミティブズ』がある。その言葉の提唱者であるファキール・ムサファー（1930-2018）は、アメリカ先住民のサンダンスという儀式を現代的に再現して、身体にフックを貫通して吊り下げるボディサスペンションを実践してみせた。『モダン・プリミティブズ』の1ページ目には、ファキールが野外の大木から吊るされている写真が掲載されていた。また、ファキールはボディピアッシングの勃興にも大きく貢献しており、大富豪のピアス愛好者ダグ・マロイ（1915-79）の出資によりジム・ワード（1941-）が75年に世界最初のボディピアス専門店「ガーントレット」をオープンした際もサポートしている。現代の身体改造の歴史を振り返る際、70年代にダグ・マロイがファキールやジムを始めとする、当時としては非常に珍しかったピアス愛好者たちを引き合わせたことについて語られる。ほんの数人しか知られていなかった性器や耳以外のピアッシングの実践者たちが出会ったことから、のちにこれほどのカルチャームーブメントが生み出されてことが、BMXに世界中の専門家たちが結集する動機付けにもつながっている。

そしてもう一つ重要なことは、痛みの伴う身体改造行為は人類の太古の時代から存在し、世界各地にその痕跡が残るものである。「モダン・プリミティブズ」という言葉が意味するのは、そのような〝人間的な行為〟である身体改造をテクノロジーに支配されつつある現代においてこそ、取り戻さなければならないとしたのだ。だからこそ、現代の様々な部位に施されるボディピアッシングも民族起源があるものは多く、一時は廃れていたものが現代的に蘇ったものもある。さらにタトゥーに関しては、トライバルタトゥーの起源ともなった民族文化に根ざしたタトゥーのリバイバルやアカデミックな研究が進んでいる。ちなみに筆者が著した『縄文時代にタトゥーはあったのか』（国書刊行会）は、日本におけるタトゥーの研究に対しての実践的な問題提起であった。

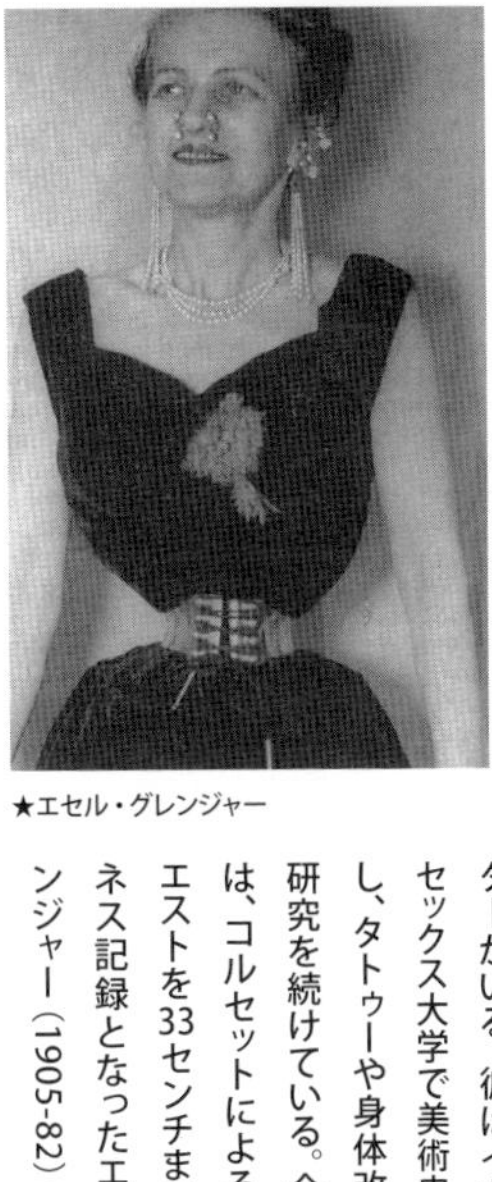

★エセル・グレンジャー

過去の実践者たちの重要性

BMXにおいて、アカデミックな研究者として登壇している人物にマット・ロダーがいる。彼はイギリスのエセックス大学で美術史を専門とし、タトゥーや身体改造の歴史研究を続けている。今回の講義は、コルセットによる修正でウエストを33センチまで絞ってギネス記録となったエセル・グレンジャー（1905-82）を軸に、20

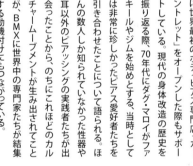

世紀前半期における身体改造事情を解説した。興味深いのは、エセルは高名な天文学者ウィリアム・アーノルド・グレンジャーの妻で、夫の性的フェティシズムに応えるためにコルセットによる身体修正を行い、鼻や頬、乳首などのピアッシングを施していたことであった。

　また、もう一人の重鎮としてサンフランシスコの人気ピアス店ゴールドスチールのオーナーであるポール・キングがいる。彼は、先にあげた世界最初のピアス店ガーントレットでピアスを学んだ人物で、長年に渡って業界を支えてきた。今回は、ファキールが現代的に再現したサンダンスの儀式に関して、アメリカ先住民たちは実際にどのように行われていたのかを資料調査をもとに報告した。ファキールは、ジョージ・カトリン（1794-1872）が描いたマンダン族のサンダンスの儀式を参考にしたが、実際の儀式は4日間に渡って行われるもので、その儀式のために特別なボディペインティングを施した参加者たちが、クライマックスに向けて歌や踊りで盛り上げていくものだったという。1970年に公開された映画『馬と呼ばれた男』では、主人公の白人男性が先住民の村に囚われ、最終的に儀式を体験させられることになって、ボディサスペンションが紹介されていた。その影響もあってか、70年代にはサンダンスの儀式を先住民たちが再現した事例もあったという。しかし、そこではサスペンションのような行為は行われなかったようだ。

　ベテラン2人の講義に次いで、大きく注目されたのはインド人のピアッサー、ジェイソン・ディソーザ（J'son D'souza）によるインドの身体改造の歴史であった。鼻のサイドに開けるピアッシング（ノストリル）はインド起源であることはよく知られている。大国インドには数々の部族がおり、それぞれで異なる形状のジュエリーなどで鼻や耳を飾っていた。また、4世紀のインドの性典『カーマ・スートラ』には、性器ピアッシングについての記述もあったという。また、現在はインドでは行われない、ボディサスペンションを伴うヒンズー教の苦行のお祭り、タイプーヤンについての貴重な報告もあった。

★インドでは古代からピアッシングが盛んで現在も民族的風習が残っている

　さらにイタリアのピアッサー2人の講義が人気を集めた。若手のナウエル・ブルゴス（Nahuel Burgos）は全人類史における民族的なものを多く含む、百科全書的な身体改造のバリエーションを総覧し、一方、マリオナ・フエルタス（Mariona Huertas）はピアッシングがメンストリームになるまでの歴史を19世紀末から現代に至る約100年間にフォーカスした。19世紀まで遡ると、見世物小屋やサイドショー、サーカスという世界でのピアスやタトゥーの実践者、あるいは痛みの伴う身体プレイのパフォーマーたちの歴史であった。当時脚光を浴びた改造人間にザ・グレイト・オミ（1882-1965）がいる。彼は、シマウマになりたいと顔面および全身を覆う縞模様のタトゥーを施し、のちにコンセプトトランスフォーメーションと呼ばれる全身改造の元祖となった。トカゲになりたいリザードマンやネコになりたいカッツェンなど、動物をコンセプトにした改造実践者たちが登場するきっかけになった。身体改造の歴史を振り返ることは、過去の実践者たちを手本にアップグレードされた現代の改造人間たちが生み出されるアイデアの源泉となっている点も面白い。ところで、先にあげたファキール・ムサファーにしても、その名前は12世紀に実在した痛みの伴う修行を行うスーフィーから取られたものであった。

★ザ・グレイト・オミ

23年度のBMXで目立った日本勢

　BMXと日本との関わりでいえば、ベルリン在住の日本人Cocoが縛りのレクチャーを長年担当しており、ステージショーではSanaと縛りのパフォーマンスを披露した。また、Cocoは脳波による

★Coco＆Sanaによる縛りショー

コンピュータインターフェイスの専門家である加畑将裕の協力を得て、縛られた人やボディサスペンションで吊られた人の脳波の変化を巨大スクリーンに投影した。今回はデモンストレーションであったが、パフォーマンスの際の脳波の変化をインタラクティブに映像や音楽と連動させることも可能だという。

またタトゥー研究者の大貫菜穂は「数々の講義やサスペンションの実演を通じて、知識や技術のレベルの高さが多くの人々に訴えかけるカルチャーを支えていることがよくわかった」と語り、ジュエリーデザイナーのTaro Hanabusaは「改造愛好者として、いろんな人と交流できたことが魅力で、身体改造の最新情報も入手できた」とコメントしてくれた。

★日本人の改造愛好者・愛はインバーティッドロータスに挑戦した

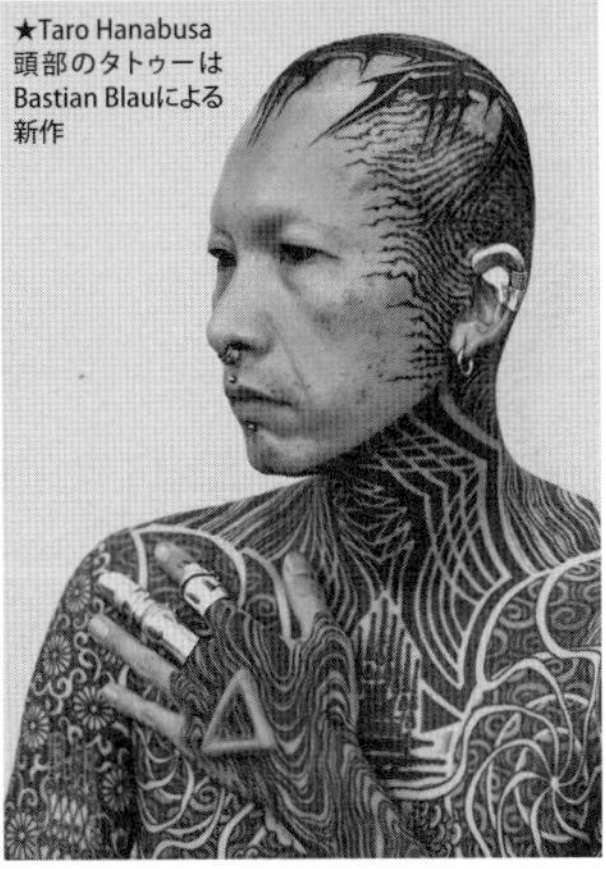

★Taro Hanabusa 頭部のタトゥーはBastian Blauによる新作

一方、BMXの主催者やスタッフにも話を聞いたが「若いネット世代は歴史的な文脈を理解していない」という話が多くあった。身体改造というカルチャーはどこで生まれ、どのように世界に広まったのか、そのことを若い世代に伝え、さらに発展させていくことこそ、BMXの使命というべきだろう。これから身体改造カルチャーはどこに向かっていくのか、未来を先取りしていくためにも過去振り返ることもまた重要であることを痛感させられた。

2024年度のBMXは、8月1日から4日までの4日間。身体改造シーンはすでに次なる会議に向けて、動き続けている。引き続き、驚愕の最新情報にご期待いただきたい。

陰翳逍遥《第53回》

志賀信夫

根源的な感覚を喚起する

▽蔡國強「宇宙遊―〈原初火球〉から始まる」
／国立新美術館、23年6月29日～8月21日

火の魅力

展覧会場で驚いた。若い男女や女性同士などでいっぱいだったからだ。六本木・乃木坂の国立新美術館。先般、東京都現代美術館でも感じたが、現代美術の展覧会を「オシャレ」「カッコイイ」という感覚で訪れる若者が増えているようだ。それは雑誌、テレビ、ネットなどメディアの広報の影響だろうが、単純に喜んでいいのか不思議な気持ちもする。

なかでも蔡國強《ツァイグオチャン》は、現在は受け入れやすい作家になってきたといえるかもしれない。蔡の作品の中心は火薬パフォーマンスである。企画から実施、設営などに多大な時間と手間がかかるが、パフォーマンスは一瞬、一分もかからない。見られるのもその場にいる者だけで、非常に限られたものだ。だが、火薬が燃えるというインパクトが人を惹きつける。それは、人間が火に惹かれるという、根源的な感覚に依っているからといえるだろう。

★（上）《胎動Ⅱ：外星人のためのプロジェクトNo.9》
ハン・ミュンデンの爆発イベント、1992年6月27日
（下）《胎動Ⅱ：外星人のためのプロジェクトNo.9》1991年

人間の文明文化は、火とともに発展したともいわれる。それは、火が多様な側面を持っているからだろう。火は一つには明かりである。停電で蝋燭を使うときや、夜のたき火でわかるように、火は光源である。太陽の照らさない夜、現在は電気が主流だが、元々は火だった。ランプ、蝋燭など、そしてガス灯はまさに火。つまり、電気の発明発展によって、光源が火から電気に取って代わられた。

そして火はものを焼く。自然発火も含めて、山火事、火事は、時には人を殺す。逆に、調理。自然発火を考えればわかるように、火は人間以前からあった。だが、それを起こし、活用するようになったのが、人間の文明文化である。焼くこと、調理することで、人間の生活は豊かになった。

また、火は熱を生み、空間を暖める。暖房や風呂を生み、冬でも快適に生活できるようになった。これも現代では、多くが電気に取って代わられた。そして、火は殺菌する。動物や人も殺すが、細菌、黴菌などを殺し、人間の衛生・健康を向上させた。さらに、火は感情に影響する。燃える火は人を不安にさせるが、逆にたき火などでは、人の心を落ち着かせる。これは、人間の感情を反映するといってもいい。

このように火には多様な要素があるために、火のパフォーマンスは、さまざまな点で人を惹きつけると考えられる。特に、照らし、燃え、燃やし、焼き、暖める感覚を直接、もしくは視覚で感じるために、五感に訴えるところもあるだろう。また、膨大な時間をかけて準備しようと、一瞬で終わるという儚さも魅力といえる。その儚さは、花火に通じる。

実際に、蔡のパフォーマンスは花火そのものを使うものもある。中国人である蔡は九年間、日本で生活したが、日本では花火を愛でる文化が取り立てて強い。中国由来の文化だろうが、日本の花火師とその技術は、海外でも高く評価されている。

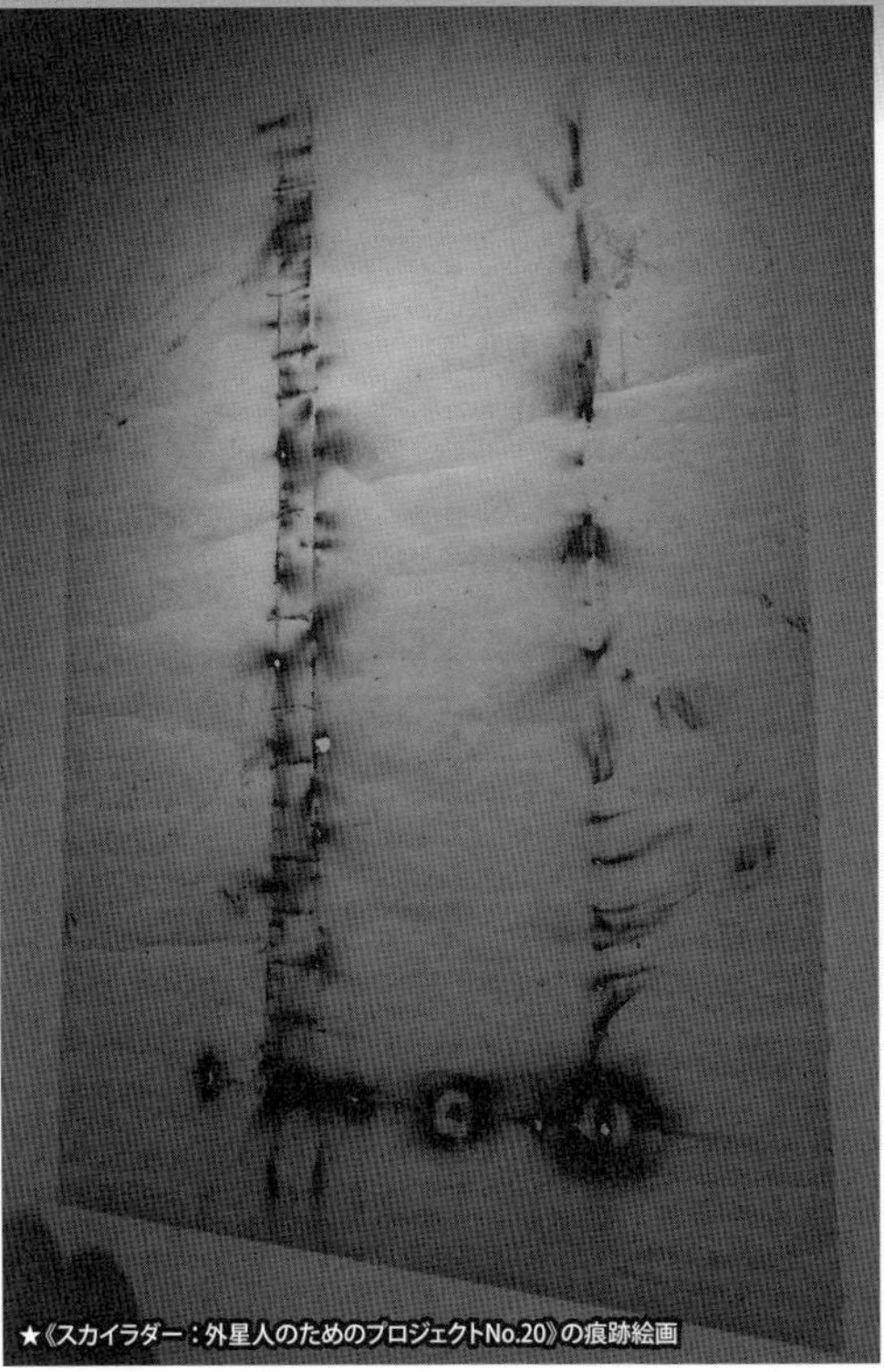
★《スカイラダー：外星人のためのプロジェクトNo.20》の痕跡絵画

★《龍がウィーンを観光する：外星人のためのプロジェクトNo.32》1999年

★《スカイラダー：外星人のためのプロジェクトNo.20》（1994年/2015年）の映像の蔡國強

コロナ以前のように、年間何十万人も花火大会に集まる国は、そうないだろう。
　そして、火のパフォーマンスは、その痕跡もアートになる。ニキ・ド・サンファルの射撃絵画など、爆発や火、火薬の痕跡は人為的、意図的に作りがたい形象を生む。それは「痕跡」である点も特徴だ。行為の痕跡はそれ自体でダイナミズムを内包する。

蔡國強といわき

蔡國強の作品は、何度か展示や映像を見てきたが、今回、改めて蔡の作品を見て、いわきとのつながりが深いことを知った。

　蔡は、一九五七年、福建省泉州市に生まれ、父は画家で、マッチ箱に描いた絵を覚えているという。早くから画家、美術家を志し、八一年～八五年まで上海演劇大学で舞台美術を学び、火薬絵画を描き始める。当時、中国は美術の自由な表現が制限されていた時代。艾未未《アイウェイウェイ》と同じ前衛芸術集団「星星画会」に参加する。そして八六年に来日、銀座の画廊を回るが相手にされない。そんなとき、美術評論家の鷹見明彦の紹介で、福島県のギャラリーいわきで個展を開催する。それが契機で福島のいわきの人々との交流が始まり、九五年まで日本に滞在する。いわきの人々との交流のキーマンは志賀忠重。破天荒な冒険家、実業家で、後には冒険家・大場満郎の支援も行い、北極にまで行っている。その志賀と蔡の出会いが、その後の作品づくりに大きく関わることになる。

　蔡國強の作品は、火薬パフォーマンスとそれによる火薬絵画。当初、蔡はお風呂場などで火薬を燃やして制作したそうだが、それが野外になって規模が大きくなっていく。そうなると土地だけでなく、スタッフなどの協力も必要になる。志賀忠重らは、美術に知識も関心も当初なかったというが、蔡の人柄に惹かれて協力することになった。

　蔡の有名な作品に、中国の万里の長城を一万メートル延長するという《Project for Extraterrestrials No.10》があるが、九三年、志賀らはそれにも協力するために中国に渡っている。蔡はこの年、いわきに移り住み、いわき市立美術館で個展「環太平洋より」を開く。そして、これに関連して九四年、海上に火を走らせる《地平線プロジェクト 環太平洋より：外星人のためのプロジェクトNo.14》が行われる。

　また、このときいわきの海の中から廃船を引き上げる。さらに、新たな廃船を引き上げ、海外に送って現地で設置する

★《歴史の足跡のためのドローイング》2008年

★《銀河で氷戯》2020年

に至る。それも当初は予算もなく、まったくのボランティアやカンパで行ったというから驚きである。二〇〇四年には米国のスミソニアン博物館、一〇年にはフランス・ニース、一二年にはデンマークのコペンハーゲンで展示され、この廃船のプロジェクトは火薬作品ではないインスタレーションだが、火薬作品は企画から協力そして実現のプロセスのみならず、火薬の燃焼の魅力もあるだろう。

二〇一一年三月、東日本大震災が起こると、蔡はそのとき米国だったが、大いに心配していた。その後、志賀忠重は、復興のために桜を植える「いわき万本桜」プロジェクトを始めた。これは、九万九千本の桜の木を植えるという壮大なもので、蔡もそれに協力する。さらに、蔡はいわきに美術館をつくることを企画する。それは、野外の「いわき回廊美術館」となって一三年に開館した。展示する回廊は、一六〇メートルに達し、蔡國強の廃船による《廻光—龍骨》と《再生の塔》《火炎の塔》も展示されている。機会があれば訪れたい場所だ。

そして、二三年六月二十六日、いわきで大規模な蔡の作品が発表された。それは、《満天の桜が咲く日》。海岸で四万発の昼花火「白天花火」を打ち上げる企画だ。これは一九九四年の《地平線プロジェ

★《満天の桜が咲く日》の「桜の絵巻」2023年

★《未知との遭遇》2023年

クト 環太平洋より：外星人のためのプロジェクトNo.14》と同じ四倉海岸。昼の花火は彩られた煙が特徴。多くの地元の子どもたちが見守るなか、「地平線—白い菊」「白い波」「黒い波」「記念碑」「満天の桜」「桜の絵巻」という六章の花火が打ち上げられた。幅四〇〇メートル、高さ一二〇メートル、三〇分に及ぶ大花火プロジェクトで、展覧会と同様、サンローランのサポートで実施された。

その「地平線—白い菊」は、東日本大震災への慰霊でもあるという。この映像を見ていて、蔡が一九九四年にいわきの人々に示した言葉が頭に浮かんだ。それは、「この土地で作品を育てる／ここから宇宙と対話する／ここの人と一緒に時代の物語をつくる」というものだった。

外星人のポップな展覧会

そして、二〇二三年六月～八月、国立新美術館で個展「蔡國強 宇宙遊—〈原初火球〉から始まる」が開催された。これは、サンローランと美術館の共催。

通常のように会場をパーテーションで分けずに一つの広い空間に大胆かつ編年体で展示し、蔡國強の全貌がわかるようにしている。壁では、時代を追って解説と映像と火薬画などが展示され、空間の中には大きい屏風上の火薬画が並ぶ。それが半分ほどを占めるが、残りはネオンによるインスタレーション《未知との遭遇》だ。ついたり消えたり色が変化するネオンでつくられているのは、蔡自身を示す宇宙人と宇宙船、そして出会った人々などさまざまだが、蔡國強の個人美術史を象徴している。そのため、美術館というよりもポップなイベント会場の様相を呈している。

だが、重要な火薬パフォーマンスのビデオ、写真と痕跡としての火薬画作品なども多々展示され、そして最後の小さい部屋が蔡國強といわきの人々との記録や《満天の桜が咲く日》の上映だ。ただ、巨大な壁面の裏側なので、注意深くない観客は素通りしてしまったかもしれない。小さい空間だが、びっしりと記録が展示され、《満天の桜が咲く日》の映像が大きいモニターで上映されている。これが圧巻で、初めて見ると衝撃が大きい。詳細は先述したが、何度見ても美しいこのパフォーマンスに至ったということが、蔡國強という美術家の魅力を見事に物語っている。

なお、蔡國強と志賀忠重、福島・いわきの人々との交流は、川内有緒『空をゆく巨人』（集英社）に詳しい。本稿も参考にさせていただいた。日本、そしていわきと深く結びついた蔡國強だが、彼がタイトルにつけている「外星人」というコンセプトも重要だ。おそらく彼は、社会と自分との関係、そこで感じる違和感から、自分を異星人のような「外星人」と位置づける。その視点があるからこそ、だれも思いつかない大胆なパフォーマンスがいくつもうまれたのだ。激動期の中国に生まれ、敵国でもあった日本と結びつき、世界で活躍する「外星人」蔡國強。その痕跡絵画ももちろん魅力的だが、やはり、パフォーマンスを生で見たい。そんな思いが募る展覧会だった。

戯画化した日本と世界の問題

▽太陽劇団「金夢島 L'ÎLE D'OR Kanemu-Jima」／東京芸術劇場、23年10月20日～26日

★東京芸術祭2023 芸劇オータムセレクション 太陽劇団『金夢島 L'ÎLE D'OR Kanemu-Jima』／写真：後藤敦司（左頁の写真も）

黄金の国ジパングの現実

黄金の国ジパング。欧州にとって、そのステレオタイプが重要なのだ。エキゾチズム、異文化の匂い。フジヤマ、ゲイシャ、ハラキリに代表される日本文化。それを現実とは異なると笑うのはたやすい。だが、アフリカ、インド、アジアに対して日本人の抱いているものも、実は大差ない。よく言われることだが、来日するアフリカ人の多くは、野生のライオンなど見たこともないのだ。太陽劇団（テアトル・デュ・ソレイユ）の代表、アリアーヌ・ムヌーシュキンは、これまで世界各地で公演をして、そのことを激しく実感しただろう。だからこそ「金夢島」なのだ。欧米の典型的な日本イメージをカリカチュライズした、どこにもない島国。

この『金夢島 L'ÎLE D'OR Kanemu-Jima』は、金夢島で開催される国際演劇祭に関わる人々と、開発のためにそれをつぶす企業家・政治家たちの物語だ。この演劇祭のためにいくつもの劇団が、それぞれの国の紛争などを抱えながら、オムニバス形式で登場する。日本はもちろん、イスラエルとパレスティナによる二人劇団、中国の劇団、ロシアなどから、さまざまな問題が浮かび上がり、元首や為政者に対しても容赦ない言葉が浴びせられる。だが「政治劇」ではない。戯画、カリカチュアは政治批判の手法でもありつつ、笑い飛ばす軽さを持つ。深刻に訴えれば、それはプロパガンダに堕しかねないからこそ、軽い笑いに転嫁されている。なおかつそれらは、舞台でベッドにいる老女コーネリアの夢、妄想なのだ。

芝居の構造はこのように複雑な入れ子状態だが、そう思わせない軽さと展開は、頻繁な舞台の解体・組立・解体・組立の繰り返しによって区切られ、加速される。車付き天板をいくつも組み合わせて、それが能舞台にも銭湯にもなる自由さだ。そして、この老女コーネリアには当然ながら、一九三九年生まれ、現在八〇代のアリアーヌ本人が投影される。この劇団の演出家、主宰者である彼女は、自分の未来も含めて、社会に対して大きな危惧を抱き、警鐘を鳴らしながらも、それらを俯瞰し客観化する。その手腕が見事なのだ。

多くの劇団は、社会的テーマを得ると、どうしてもプロパガンダ的になりがちで、声高に何かを唱えてしまう。それが、この舞台はテーマも複層的で、さまざまな国のさまざまな問題が次々と提示されることで、相対化される。だが、しっかりとカジノ問題、原発問題など、日本の直面している現実も示され、すべての国で国民を苦しめる権力に対するアンチテーゼとして機能する。

しかし苦しい現実を示すだけではない。物語の中心では、開発のために環境や芸術をつぶす企業家・政治家は敗北し、環境破壊によっていなくなった鶴たちが最後に登場し、人々は未来への賛歌を示す。物語はこうやって終わるが、もちろん直面している現実は残っている。

太陽劇団という集団

本作の演出はアリアーヌ・ムヌーシュキン、さらに創作アソシエイトとしてフランスの著名作家エレーヌ・シクスー、音楽はジャン＝ジャック・ルメートルがさまざまな民族楽器などで、自ら生演奏する。

太陽劇団は、一九六四年設立、フランス・パリ郊外のカルトゥーシュリ（旧弾薬庫）を活動拠点とし、「集団創作」で知られる多国籍・多民族の劇団である。現在、

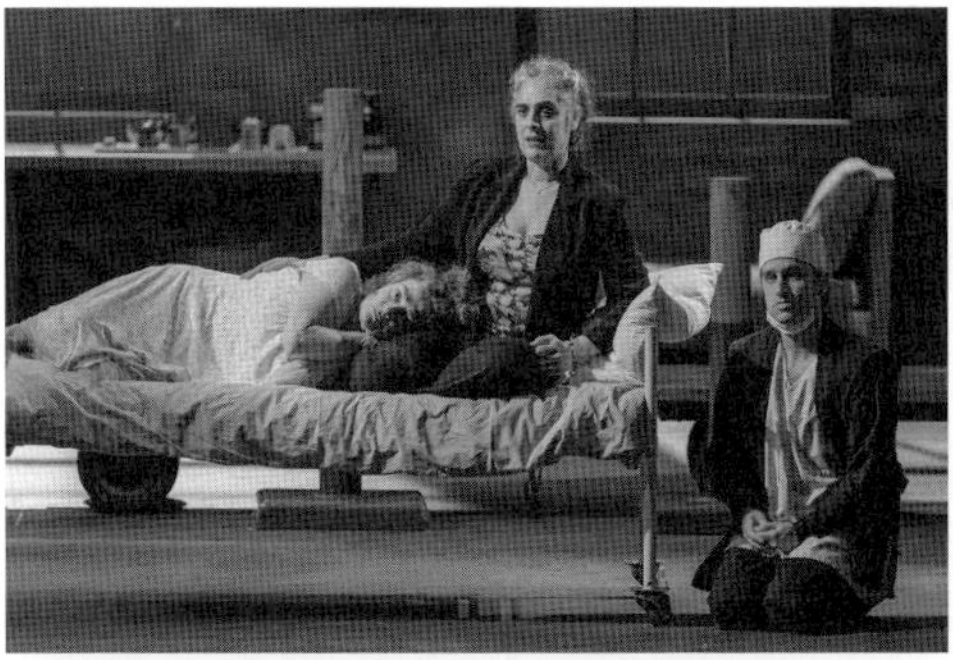

総勢一二〇名、二十五カ国以上、日本人メンバーもいる。七〇年、フランス革命を題材とした『一七八九』で世界に認められ、現代演劇のトップ劇団といえる。代表のアリアーヌはロシアからの難民の娘で、結成前の六三年に日本を旅して影響を受けるなど、アジアやヨーロッパ、世界のさまざまな伝統芸術などを取り入れている。その後も、シェイクスピア作品やギリシャ悲劇作品など、いずれも成功をおさめている。

二〇〇一年には、『堤防の上の鼓手』（新国立劇場）で初来日した。筆者は以前に『一七八九』の映像を見ており、この舞台も見たが、文楽をベースに人形を人間が演じるという倒錯させた構造など、眼を奪うものだった。またアリアーヌは、演劇をベースに映画も監督しており、『モリエール』（一九七八）は日本公開もされた。

生きるための喜び

この作品は「東京芸術祭２０２３」の「芸劇オータムセレクション」として上演され、筆者は十月二十五日に見た。その後、京都でも上演された。つまり、架空の日本の「金夢島」での演劇祭がテーマの作品が、東京の演劇祭で上演され、その中で実際の演劇祭のさまざまな国・地域や民族の芝居が上演されるという三

重の入れ子状態になっている。

　アリアーヌは、今回のフェスティバルディレクターであるSPACの芸術総監督、ク・ナウカ代表の宮城聰とのアフタートークで、「いまほど全体主義、独裁が手を組んでいる時代はないかもしれない」と分析するが、それとともに、「一方で絶望すべきではない。演劇、芸術は、この戦いのための道具であり、再び生きるための喜びを与える。そういった特権を持っている」と語った。そして「演劇はオアシスでなければならない。現実を否認するのではなく、世界に知恵を補給するものだ」として、「ドストエフスキーはいった。美が世界を救うだろう。平和を望んでいない人に美は平和をもたらさない。美を探求せずに作品はつくれない。美があれば十分というのではない。政治的な平和をもたらすわけではないが、美は人々を温和にさせる」と述べた。

澁澤龍彦「ドラコニア」への旅

▽「澁澤龍彦の文学世界―〝ドラコニア〟への航海―」／さいたま文学館、23年10月7日～12月3日

澁澤と埼玉と桶川と

　澁澤龍彦展をやっている、こんな情報で急ぎ最終日に、さいたま文学館へ向かった。県庁所在地である浦和市と大宮市などが合併して、さいたま市ができて久しいが、さいたま市の北に上尾市、そして桶川市があり、その桶川にさいたま文学館がある。行ってみると、あまり何もない桶川駅西口から少々歩いたところにある大きな公共建築で、「こんなに大きな文学館」と期待したら、桶川市民ホール、桶川図書館を含む施設だった。そこに「澁澤龍彦の文学世界―〝ドラコニア〟への航海―」展の表示がある。その現代的な建築は、柳澤孝彦（一九三五～二〇一七）によるもの。柳澤は、長く竹中工務店でＭＯＡ美術館、有楽町マリオンなどを手がけ、独立後も、東京都現代美術館、新国立劇場、東京オペラシティなど著名な大建築をいくつもてがけている。建物のアプローチには三つの高田洋一の動く彫刻《言葉を紡ぎ出すもの》が並び、その手前の西口公園には、セラミックで新聞などをつくる三島喜美代の大きな作品が設置されている。なお、三島の夫は具体美術の吉原治良に師事しており、喜美代は高校時代、その夫の薫陶を受けた。

★さいたま文学館と高田洋一の動く彫刻

★桶川西口公園の三島喜美代の作品

　さいたま文学館はその建物の右手。一階は埼玉ゆかりの作家の文学作品に関する映像を選んで見られるようになっている。約四〇点で、国木田独歩の『武蔵野』、三島由紀夫の『美しい星』、坪井栄の『母のない子と子のない母と』などや、秩父困民党に関するものなどがある。そして、地下が展示室だ。

　埼玉ゆかりの文学者として、田山花袋、武者小路実篤、中島敦、深沢七郎など十九人があげられている。武者小路の「新しき村」は、最初は宮崎だったが、その後、埼玉の入間郡毛呂山にも建設され、そちらが中心になった。深沢七郎のラブミー牧場は、久喜市にあった。桶川市に関係のある作家では演劇評論で知られる安藤鶴夫がいる。また、資料として貴重なのが、永井荷風である。古書店主、山田朝一コレクションの約一千点が収蔵されているのだ。

　澁澤龍彦は桶川に住んでいたことはないが、澁澤一族は、現在深谷市になっている血洗島の豪農で、周知のように、龍彦はその本家出身で、分家からあの実業家、澁澤栄一が出ている。小さいころ栄一との接点もあった。龍彦が生まれたのは、母・節子の実家の高輪だが、父・武が武州銀行（現・埼玉りそな銀行）に勤めたため、川越で幼少期を過ごし、その後、東京都北区滝野川を経て、旧制浦和高校に学んだ。そのときに、北浦和にあった浦和高校の武原寮に入り、その後、北浦和に下宿している。三〇代の終わりに鎌倉に転居し、鎌倉での美術家などとの交流などのエピソードが多く知られているため

★（4点とも）「澁澤龍彦の文学世界―〝ドラコニア〟への航海―」展の展示／撮影：加藤光男

に、鎌倉の文人の印象が強いが、深谷の血洗島から浦和高校を含めて、埼玉との縁も深い。ちなみに筆者は、旧制浦和高校から大学になった埼玉大学の大学院に学び、北浦和などに住んでいたことがある。

貴重な展示と詳細な図録

「澁澤龍彦の文学世界―〝ドラコニア〟への航海―」展の展示は、刊行されている書籍が大半であり、筆者が所有しているもの、見たことがあるものも多い。だが、韓国語など外国語訳本は、めったに見ることがないため、貴重なものだ。担当者に尋ねると、夫人の龍子さんから寄贈されたものだという。そのほか、澁澤の自筆原稿などが展示されていた。また、澁澤の小説をもとに唐十郎が書いた戯曲、『犬狼都市』の台本も貴重だろう。

訪れたのは最終日の十二月三日で、十月十四日には、礒崎純一の「旧制浦和高等学校時代の澁澤龍彦と海外での現在の人気」と題する講演会があったのだが、知るのが遅く残念だった。礒崎純一は後期の澁澤担当編集者で、二〇一九年に発表した大著『龍彦親王航海記　澁澤龍彦伝』で読売文学賞を受賞している。

展示自体は澁澤の著書などが並び壮観だったが、予想通りの静かな展示という印象だった。だが、その図録を見て驚いた。澁澤の生涯を六期に分けて、実に詳細に記述してある。そこでは、澁澤の著作からの引用もあり、また、埼玉ゆかりの地、三島由紀夫との交流、荒俣宏との関係という三つのコラムなど、充実している。

特に浦和時代は、旧制浦和高校の航空写真、戦前の建物の地図、現在の地図などが並べて比較されており、浦和高校から埼玉大学を経て、現在、埼玉県立近代美術館と小学校のある場所が明確にわかり、澁澤龍彦の地巡礼をする人がいれば、非常に有用な資料といえるだろう。これを作成したのが、前述の担当者、主任専門員の加藤光男氏である。加藤氏は十一月に「澁澤龍彦と三島由紀夫の交流」という講演会を行っていた。A４判カラー、二段組二十四頁にわたる図録は、本の書影も多く、前記の地図など、貴重な資料といえるだろう。今後もぜひ、さいたま文学館で、切り口を変えての澁澤龍彦展を期待したい。

表紙＝二階健

All pages designed by ST

CONTENTS

BENIKO INTERVIEW

色街写真家
紅子インタビュー

性産業を経て、写真家に――

遊郭など、失われゆく場に刻まれた「思い」を写真に写す

●取材・文＝志賀信夫（批評家・編集者）

※カラー図版→14ページ

二〇一三年十二月、写真集『紅子の色街探訪記』（OPTIC OPUS刊）を発表した紅子。まだ写真を始めて五年ほどだという。だが、その写真は鮮烈だ。遊郭や遊興地などとその跡地などを訪ね歩いて、日本各地で撮影した写真は、レトロという緩い言葉をはねつけるような強い力がある。それは、彼女がこういった場所の一員だった、そこで働いていた経験があることから来るのかもしれない。

この写真集はクラウドファンディングで誕生した。だが、彼女は著名人かというと、そうではない。三年前にInstagramでの写真、やがてYouTubeでの映像などによって、自分のセックスワーカーとしての体験や、これらの場所の写真と紀行を発表し始め、少しずつ知られるようになったのだ。

ただ、筆者は少し付き合いがある。九〇年代、アートパフォーマンスの舞台、日本国際パフォーマンス・アート・フェスティバル（NIPAF、通称ニパフ）で彼女を知った。そのパフォーマンスでは、性的なモティーフが目立つものも多かったが、観客参加型など、斬新かつ社会性のあるもので、注目していた。そして聞くと、八〇年代末から筆者が教えていた美術専門学校に在籍していた。いわば教え子の一人のようなものだ。そして彼女は、パフォーマンスで海外にも行ったりしていたが、その

★かつての売春島「渡鹿野島」

後、活動を停止していた。
　それからしばらくして、女性向けのアダルトグッズの店員となったようで、そのころ、かつてセックスワーカーであったことを知った。
　そして、いまから四、五年ほど前に、映画上映会で再会、その後も舞台などで遭遇し、SNSでつながったことで、その後の活動を知ることになる。今回、その彼女にインタビューをお願いした。

いじめと性の妄想

――今回、写真集を発表されました。以前に、美術の専門学校に通われ、その後、美術パフォーマンスも行っていらっしゃいました。美術を志したきっかけや、それに関連して、子どものころのエピソードなどあればお願いします。

紅子◉私は子どものころ、周囲から「キチガイ」といわれるほどに嫌われていて、どこにも居場所がありませんでした。学校に行くと、鉛筆で刺されたり、トイレの水をかけられたり、デッキブラシで擦られるなどといじめられるので、学校は休みがちとなりました。
　そんななか、小学校四年生のとき、妹たちが通っていた公民館のお絵描き教室に私も通うことになり、その場では自由に表現できるので、油絵を描きはじめました。そして、毎週、その教室に通うことが私の楽しみとなったのです。

――中学、高校などで惹かれた美術家などはいらっしゃいますか。

紅子◉中学校のときは何の情報もない環境だったので、テレビアニメの『フランダースの犬』に出てくるルーベンスの絵画に心惹かれて、上野の西洋美術館に見に行ったりしていました。また、中学三年生のとき、夏休みに模写の課題が出て、そのころ好きだったダリの『最後の晩餐』を描いたことを覚えています。
　高校生のときは、鴨居玲が描く、どん底で生きる人間の姿や、松本竣介が描く橋や煙突の寂しげな作品に心惹かれていました。

――子どものころ、人になじめず、さらに家庭の事情などでいじめられていたということですが、なじめなかったのは、どうしてだと思われますか。

紅子◉私は幼少期、親戚から「アンタはダメな子」といわれて育ちました。保育園でも、子どもたちからのイジメがあり、先生からは、いわれたことが理解できず、寒い冬の日に、力づくで部屋から出されたりすることもありました。このようなことから、すっかり自信を失い、生きる意味もわからなくなっていました。
　また、声が低くて気持ち悪いと言われ、言葉を発することが怖くなってしまったのです。そのため、小学校に上がることは恐怖でしかなく、一言も言葉を発せず、給食もひと口も食べられない。痩せ細って本当に気味の悪い子どもでしたし、勉強もまったく理解できませんでした。

私自身は、人と関わりたかったけど、どうしていいか、まったくわかりませんでした。みんな、陰湿な私に近寄りたくなかったのだと思います。

――子どものころ、女性の裸などを描いていたそうですが、その最初のきっかけは?

紅子●七〇年代、テレビはいまよりも過激で、女性のヌードが当たり前のようにブラウン管に映し出されていました。また、公園裏の藪には、ポルノ雑誌が捨てられており、私はまだ四歳か五歳でしたが、女性の裸を見て興奮しました。それは、男たちが女の裸を好むことを知っていたからだと思います。

　家は駄菓子屋で、両親は仕事に出ており、雨戸の閉まった暗いゴミ屋敷状態の部屋で、一日五〜六時間、女性が男性に犯されるという性的妄想に浸っていました。そして、「私もいつか大人になり、裸になったら、人から好きになってもらえるのでは?」そんな思いで、小学三年生ころまで、エロティックな絵を描いていました。キャンディ・キャンディとか『銀河鉄道999』のメーテルが犯される姿を妄想していました。

　かつて、東京のお茶の水に、一九二一(大正十)年に西村伊作と与謝野晶子・鉄幹、石井柏亭らが創立した専門学校、文化学院があった。芥川龍之介、竹久夢二も講師だった学校で、戦時中も独立を貫き、戦後も多くのアーティストなどを輩出した。

　そして埼玉県の庄和町には、その分校のような存在として文化学院芸術専門学校があった。『クレヨンしんちゃん』で有名な春日部から東武線で東に二駅、のどかなところ。元々、陶芸科を母体に生まれ、陶芸をやるための窯などがあった。筆者は一九八〇年代終わりにそこで教え始め、数年間、非常勤講師をつとめ、その後も年に数回、十年以上、特別講座などで呼ばれて教えていた。

　その文化学院芸術専門学校に、紅子も通っていた。

アートの世界に

――文化学院芸術専門学校を選んだのは、どうしてですか。どうやって見つけたのでしょう。また、学生時代の思い出などもあれば。

紅子●人間関係から女子高を半年で中退し、これからどうやって生きていくか途方に暮れていたころ、中三のときに目にした、美術学校のパンフレットを思い出しました。それがその専門学校です。もともと美術の世界に強い憧れがあったので、翌年受験しました。試験は面接と作文だけだったので、無事合格しました。ちょうど昭和から平成へと変わった年でした。

　当時はバンドブームで、テレビ番組の『イカ天』(イカすバンド天国)が流行っていた時代。なぜか美術を志す生徒はごくわずかで、みんなバンドに夢中で、絵を描いていると真面目だねと言われる始末。先生までもが、パンクな服装に髪は金髪。それだけみんながとても自由な学校でした。

　この文化学院芸術専門学校は、当初、高等科のみで、各地の高校をドロップアウトした子どもたちが集まっていた。親も画家やアーティスト、学者やマスコミ関係などが多かった。ヤンキーもわずかにいたが、アートや音楽志向の学生が多数を占めていた。そして数年後、卒業後の受け皿としてか専門課程ができ、教師も学生も増え、テニスコートがあり、校庭にはヤギがいるなど、自由な雰囲気の専門学校だった。いま活躍している美術家、五木田智央はここの卒業生だ。

　だが、少子化もあって、庄和町のこの学校は二〇〇八年になくなり、本校である文化学院も、創業者の西村一族は経営を他者に委ねたが、その後二〇一八年に閉校し、お茶の水には門などが遺構として残っている。ちなみに、文化学院は多くのデザイナー、アーティストを輩出しており、ファッションデザイナーの菊池武男、稲葉賀恵、作家の金原ひとみ、萩原葉子、アニメの久里

★吉原ソープ嬢時代・28歳ごろ

裸になれば、こんな私でも受け入れてもらえるかも……

洋二、俳優の寺尾聡、梅宮アンナ、バレエの酒井はな、染色の志村ふくみなどがいる。

ピンサロ、そして吉原へ

――紅子さんは、学費を払うために、知らずにアルバイトしたのがピンクサロン（ピンサロ）で、そこから吉原までいくのですが、その過程はどういうものだったのでしょう。また、そのときは、その仕事をどう考えていましたか。

紅子◉文化学院の学費はとても高く、学費だけではなく当然、画材代もかかりました。そのため、学校に行っている以外の時間のほとんどを、調理場などでのバイトに費やしていました。そんな生活に疲れ切っていた十九歳の冬、「高収入フロアレディ募集」の記事を新聞チラシで見つけました。西川口にあるその店に電話をかけ、行ってみると、その実態はピンサロでした。

私はもともと、子どものころから裸になって働くことを漠然と夢見ていましたが、それは、「大人になって裸になれば、こんな私でも受け入れてもらえるかも」という、そんなあわい期待があったからでした。でも現実は、そんな甘いものではありませんでした。私は、男性のアソコをどう扱ってよいかわからず、店長からも客からも怒られ、ピンサロの仕事でも挫折し、一週間も続かず辞めてしまったのです。

ですが、やはりお金はどうしても必要なので、また半年も経たないうちに、今度は池袋、新宿、渋谷のピンサロやヘルスを転々とするようになっていました。でも、ガングロブームの時代、地味な私は都心にはまったくなじめず、そんなときに、渋谷センター街のピンサロで、お客から「吉原」という場所があることを教えてもらいました。

その客は、世間知らずの私に、「吉原なんかに行ったら、人生終わるからな」と説教をはじめました。でも、何をやってもダメで、人生を終わらせたかった私は、翌週には吉原で面接を受け、働きはじめることになったのです。

パフォーマンスという表現

――パフォーマンスアートを始めたきっかけをお話しください。

紅子◉私は、作品制作に対して、「孤独」な思いを感じるようになっていました。もっと人と関わって何かをやりたい、そんな思いから、アングラ演劇や暗黒舞踏などを観るようになり、その世界に憧れました。でも、舞台で演じることはどこか違う……、また、舞踏のように身体を使うこともまた違う……、そのようななかで出会ったのが、パフォーマンスアートでした。

美術をやっている人たちが、別の手段で舞台上で表現をする。それは演じることでもなく、ダンス的な要素もまったくない。ドキュメンタリーにも近いその表現を観て、私がやりたいことはこれだと思い、始めました。

パフォーマンスを行ったのは、一九九六年から二〇〇〇年ころまでです。そのころの私は、吉原や川崎などのソープ街で働いていました。はじめはアートと風俗はまったく別物と考え、風俗嬢であることを恥とし、ふせていましたが、もともと私がパフォーマンスアートに惹かれたのは、それがドキュメンタリーであると感じたからでした。そのことを改めて考え、

セックスワーカーである自分をカミングアウトし、舞台上で表現をするようになりました。

――そのパフォーマンスには、観客参加型といえるものが多かったように思いますが、それはどうしてでしょうか。

紅子◉もともと、人との関わりやつながりを求めてはじめた表現でした。そのことから、必然的に観客参加型となっていきました。

――パフォーマンスをやめた理由は?

紅子◉子どものころから、「人から受け入れられたい」という強い思いがありました。ですが、パフォーマンスをやることで当然批判もあり、人とのつながりを求めてはじめたパフォーマンスが批判され、人が離れていく。そんな辛さにたえられなくなったこと、そして私がやりたいことが見えなくなってしまったことから、やめてしまいました。

紅子も参加したNIPAF(ニパフ、日本国際パフォーマンス・アート・フェスティバル)は、一九九三年から国内のアーティストや学生などが中心となって始まった、パフォーマンスアートの国際芸術祭。これまでに五〇カ国以上、四〇〇名以上のアーティストを招聘し、国内のアーティストとともに、国内各地で開催し、海外のニパフツアーも行った。東京では、以前は主に明大前のキッド・アイラック・アート・ホール、近年は、アー

遊廓の歴史を文化として伝えていきたい

★（上）山梨県富士吉田・赤線跡地（下）青森三戸「桐萩遊廓」跡地

★吉原プリンセス

ト千代田などで開催されている。主催は美術家の霜田誠二で、ゼロ次元の加藤好弘、さらに白川昌生や嶋田美子などの美術家、研究者も参加してきた。二〇二〇年には第二十五回が東京、京都、大阪、長野で開催された。

統一教会と妹

――双子の妹さんが統一教会に入っていて、その後、脱会されたそうですが、そのことについて、お話しできることがあればお願いします。

紅子◉妹は十九歳のとき、大学の帰り道に声をかけられ、統一教会とは知らずにのめり込んで、洗脳され、寮にまで入ってしまいました。教祖のために、珍味まで売り歩くようになり、アメ一つ食べるにも許可がいるなど、ろくに食べることも許されず、痩せ細っていったのです。

そんな異変に両親が気づきました。私は、妹が関わる団体が「海底トンネルを掘っている」と話しており、何か夢が見つかったと思っていたのですが。そして、ラジオで紹介していた、「統一教会から我が子を救う会」に問い合わせたところ、そこはキリスト教の教会でした。私たち家族は、統一教会から救うためのプロセスを勉強し、その準備を整えていきました。そして、私たちは、ウィークリーマンションを借りて、妹に嘘をついて連れ出し、マンショ

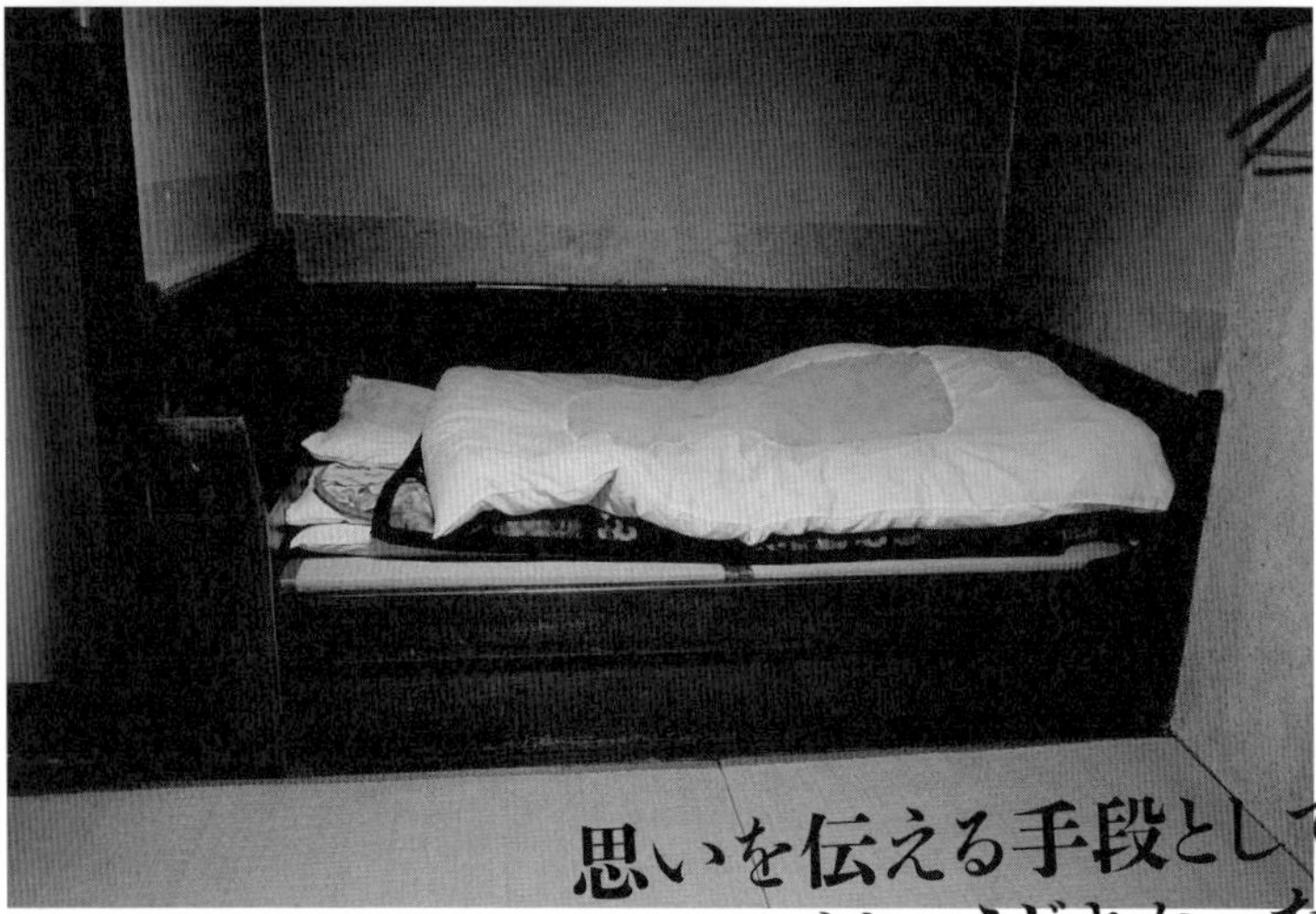

★（上）京都・橋本遊廓「旧第二友栄楼」サック自販機
（下）広島・東遊廓跡地「一楽旅館」ばらの間のベッド

ンの扉に内鍵をかけ、出られないようにしたのです。そして、二週間ほど昼夜問わず妹を説得しました。

最後は牧師さんが、早朝四時までかかって、キリスト教の聖書と統一教会の教えの違いを解いてくれました。妹の洗脳は、その後少しずつとけていきました。

ですが、最後に妹は、「母親から愛されたかった」と寂しい幼少期のことを話しはじめました。妹もまた私と同じように、愛情に飢え乾いていたことを、そのとき初めて知ったのです。統一教会に入信した一番の理由は、育った過程で得ることのできなかった、愛情のようなものを求めていたようでした。

思いを伝える手段として、カメラがちょうどよかった

――妹さんがクリスチャンになったことがきっかけで、紅子さんも洗礼を受けたそうですが、それによって考えや行動などに変化はありましたか。

紅子◉私は、離婚して、まだ二歳の子どもと二人だけとなり、そんなときに、妹のすすめで吉祥寺の教会に通うことになりました。牧師の導きで洗礼を受けて、十年ほど教会に通い、子どもも、みんなからとても可愛がってもらいました。ですが、その教会に集う人たちは裕福な人が多く、考え方も育った環境も大きく違い、最後はやはり人間関係につまずいて、教会を離れることになったのです。妹や教会に集う人々のように、聖書を第一に考え、行動することは、私にはできませんでした。

再び表現の道へ

――なるほど。それはよくわかります。それから再び活動を始めたきっかけと、そのときの気持ちなどをお教えください。

紅子◉離婚後十年ほどは、事務のパート仕事と子育てで、自分の時間はほとんどありませんでした。ですが子どもが中学生になったころから、少しずつ自分の時間が持てるようになり、以前のように街をひとりで歩いたり、アートの世界にもまた少しずつふれる機会ができてきました。そうしているうちに、私もまた何かやりたいそんな気持ちが湧いて

★(上)小倉「成人映画館」
(下)青森・現役の青線「第三新興街」

きたのです。

——その結果、カメラを選んだのはどうしてでしょうか。

紅子◉何かをカタチにしたい、自分の生きた証しのようなものを残したいという思いが湧いてきて、四十七歳の六月から、Instagramに、毎日ひとつ投稿すると決めました。はじめは、昭和な風景をコラージュしたような、一分ほどの動画を作ってアップしていましたが、動画を毎日投稿するのは時間的にも難しく、そんなときに、街で気になった場所の写真をアップするようになりました。その場所を後で調べると、そこが遊廓や赤線の跡地であることがわかってきたのです。

だから、カメラを本格的にやろうということは、まったく考えていませんでした。スマホの時代、ましてやカメラの基礎もろくに知らない四十代後半の私が、いまさらカメラなど持ち歩いたら、恥ずかしいとさえ思っていました。

ですが、撮りはじめて一年ほど経ったとき、記録としてしっかり残すには、スマホでは不十分と感じるようになり、カメラを始めたのです。四十八歳のときでした。始めは、カメラをやりたかったというわけではなく、思いを伝える手段として、カメラがちょうどよかったという感じです。

「負の遺産」を撮る意味

——性産業の跡地などは、どのような思いで撮影されてますか。また、その産業や従事していた体験、働く人への思いなどもお願いします。

紅子◉風俗で働くことは、孤独との隣り合わせのような日々でしかありませんでした。そんな孤独な過去を、後悔したまま人生を終わらせたくない、という思いがあります。だからこそ、自分が働いていた場所がどのような歴史をたどったのかを知り、現在の姿を記録しています。

「負の遺産」といわれる遊廓・赤線の建物や「いかがわしい」とされる現代の風俗街ですが、そこには必死に生きてきた人々がいて、日

常があります。遊廓の時代、二十代前半で命を落とす遊女も多くいたと聞きます。その死をなかったことにはしたくない、遊廓の歴史を文化として伝えていきたいです。

綺麗な写真ではなく、その土地や建物に刻み込まれた「思い」を写真に写しこみたい、そのような思いを胸に、日本各地の色街を撮影しています。

――それを今回、写真集にまとめられました。

紅子◉幼いころから、自分の不器用さゆえに、挫折続きの孤独な人生でした。四十七歳のときに、もし今度生まれ変わったら、自分が伝えたいことを自由に表現できる、そんな人生を歩みたいと願いました。現在五十一歳、写真集を刊行したことで、その思いがカタチとなり叶ったように思います。

――今後、どのような活動をしていきたいと思っていらっしゃいますか。

紅子◉まだ撮影できてない、行きたい場所もたくさんあります。不要なものとして次々に取り壊されるなか、時間との勝負かもしれません。また、今回の写真集に載せられなかった写真も、たくさんあります。また第二弾、第三弾と刊行できたらいいなと願っています。

このまま写真を撮り続けることができたら幸せです。

ようやく見つけた私の人生だから。

BENIKO INTERVIEW

自分が伝えたいことを
自由に表現できる、
そんな人生を歩みたい

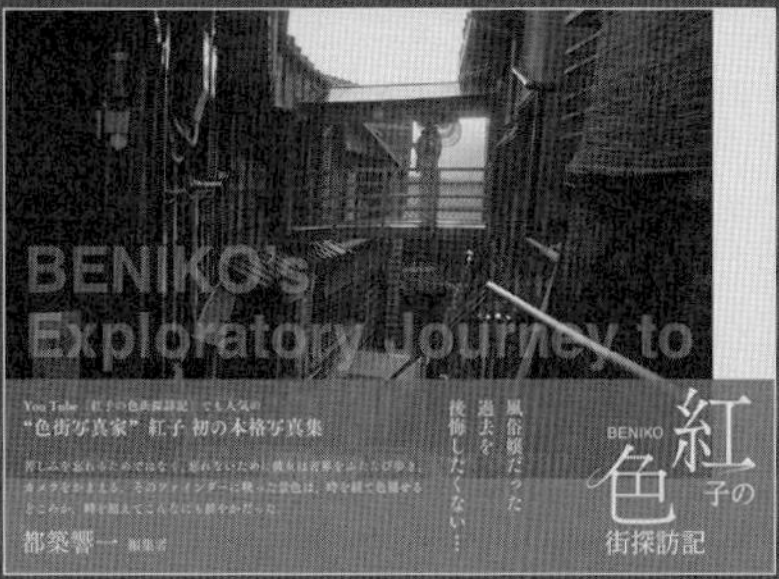

★『紅子の色街探訪記』
A4判ヨコ・カバー装・160頁・定価税別3800円・発行：OPTIC OPUS

※「紅子の色街探訪記」出版記念個展 vol.1
2024年1月23日（火）〜2月4日（日） 月曜休 13：00〜20：00
入場料／500円（限定プレゼント付）
場所／東京・台東区 モアレホテル吉原（1階ラウンジ全体と202号室）
https://moire.co.jp/access/
詳細は、紅子X https://twitter.com/benicoirmachi

紅子YouTubeチャンネル https://www.youtube.com/@beniko.iromachi

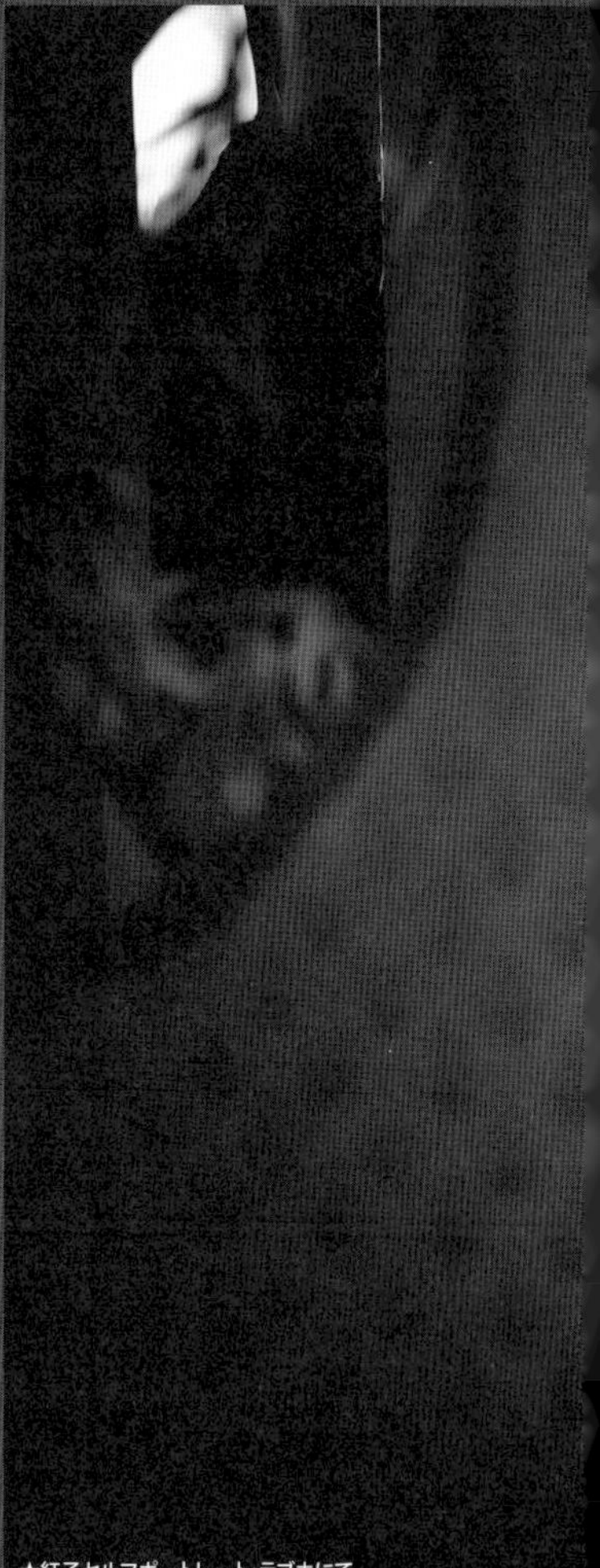

★紅子セルフポートレート・ラブホにて

YouTubeのチャンネル登録者、三・六万人（！）。「元吉原ソープ嬢 紅子の色街探訪記」というタイトルに惹かれて、いわば、エロを求めて覗いてみた人も多いかもしれない。だが、実際に見てみると、きわめて淡々と自分の体験や事実を語っており、煽情的なところはまったくなく、むしろ、その人生に惹きつけられる。登録者の多さは、その魅力の証明だろう。

当初、彼女が働いていたピンサロやファッションヘルスでは、一人一〜一・五万円。それが、吉原にうつり、そこで高級ソープ『ピカソ』では、一人八万円、貸し切りで三十万ということもあったらしい。そして、「気品のある女性に」という店の方針で、衣装代など月に百万を使っていたそうだ。

ソープでは通算十年ほど働いたが、そこをやめて、バイブのほこり拭きからはじめた大人のおもちゃ屋のバイトは時給九〇〇円台。その後、風俗業界から身を引き、一般の会社に就職。そしてInstagramやYouTubeなどSNSがきっかけで、写真家や雑誌ライターとしての仕事をするようになっている。彼女は現在、『デラべっぴんR』サイトに連載コラムを掲載、また、現役風俗嬢などからの依頼で写真を撮影するなど、プロとして活動している。

写真家というのは、通常、外部からの眼でものを見ることが多いが、彼女が色街を撮るときには、そこにいた人々たちの思いを感じながら撮っており、いわば内部からの眼といえるかもしれない。そして、書く文章、映像で語る言葉も、丁寧かつ明解で、非常に理性的だ。

性産業は、時には必要悪のように語られ、陰に隠されることが多いが、DMMがアダルトビデオから証券会社に至ったように、社会の一部として機能していることも事実だ。セックスワーカーに対する差別や搾取が、完全になくなることは、まずないかもしれないが、それでもセックスワークを必要とする人が、現実に多く存在する。

これらについて考えるときにも、彼女のような、体験に基づいて、自らの仕事を振り返って、発信する存在は、非常に貴重であり、かつ重要だ。

今後もさらに、発信を続けて、さらに深めていってほしいと思う。

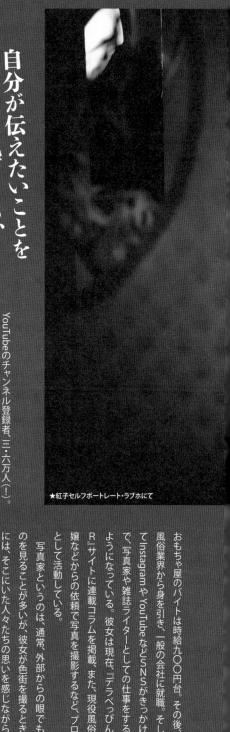

あらかじめ失われた楽園を求めて
——種村季弘『失楽園測量地図』と映画『あらかじめ失われた恋人たちよ』の時代

◎文＝浦野玲子（ライター）

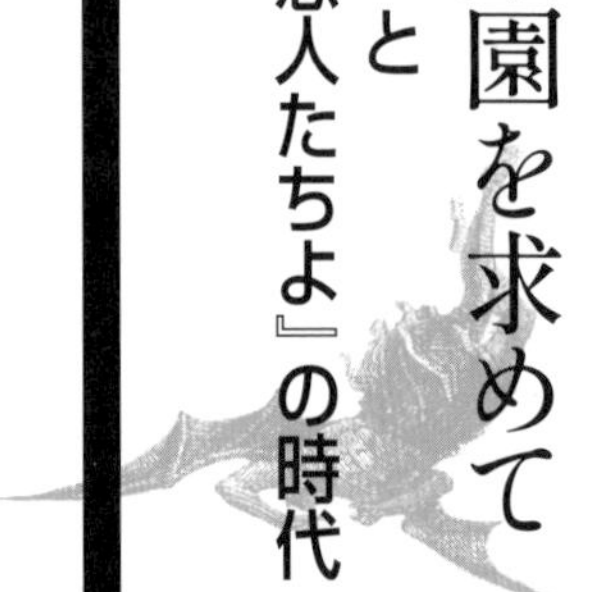

LOST PARADISE

★種村季弘『失楽園測量地図』
（イザラ書房＝絶版、現在は
青土社版があり）

失楽園測量地図のアルフレッド・クービン

２０２４年８月に没後20年を迎えるドイツ文学者、評論家の種村季弘の作品に『失楽園測量地図』がある。１９７４年にイザラ書房から発行された単行本の書名だが、もとはアルフレッド・クービンについて書かれた短文のタイトルで、１９７１年に『海』という文芸誌に掲載された（イザラ書房版の初出一覧より）。

アルフレッド・クービン（アルフレート・クービン、アルフレート・クビーンとも表記される）は、オーストリアの素描家、挿絵画家、水彩画家、著作家。彼の作品は、日本ではあまりなじみがないが、１９６０年前後には紹介されていたようで、シュルレアリスムの先駆者とされている。

じっさい、その作風はシュールで不気味、そして、どす黒いエロスを感じさせるものが多い。さもありなん、彼はオディロン・ルドン、ムンク、マックス・クリンガー、ゴヤなどから多大な影響を受けているという。

たとえば、極端に胴長の母犬（？）の乳首を何匹もの子犬が吸っている絵をはじめ、この世に存在しないような奇妙な形態の動物、骸骨の女性たちの行進等々の作品を見ると、暗鬱で胸を締めつけられるような恐怖を感じる。

また、エドガー・アラン・ポーの作品の挿絵を手掛けていたこともあり、大猿が裸の女性を羽交い絞めにして頭からかじりついたり、勃起した巨大な男根がうら若き女性めがけてビューンと伸びていたり、一昔前の精神分析の幼児期の性的トラウマやコンプレックス、ミソジニーといった言説が思い浮かぶような作品が多い。

種村は、クービンの作風について、幼少時の母の死や父親との確執などの生い立ちを紹介しつつ、その失楽園感覚を縷々論じている。

いわく「一人の芸術家にとって、彼の作品とは時代の神話と個人的神話の交叉する接点である。アルフレッド・クービンにとっても時代の神話と個人的神話とは一つのいちじるしいモチーフによって交合していた。すなわち、死のモチーフである」（種村『没落のパラダイス』より）。

種村は、クービン作品の「死のモチーフ」は、母の死をはじめ近親者の相次ぐ死（突然死に近い）、そして史上まれにみる文化の爛熟を示

★アルフレッド・クービン《Black Mass》1905年
※タイトルは英訳のもの＝以下同

★アルフレッド・クービン《The Brood》1903年頃

★アルフレッド・クービン《The Ape》1903年頃

★アルフレッド・クービン（タイトル不詳）

★アルフレッド・クービン《The Egg》1901年頃

★アルフレッド・クービン《Adoration》1900年

★アルフレッド・クービン《Epidemic》1900年

したオーストリア＝ハンガリー帝国（ドナウ君主制）の解体と没落であるという。

クービン作品は２０００年秋に国立西洋美術館で開催された『死の舞踏　中世末期から現代まで』展でも、何点か展示されていた。死の舞踏というテーマ通り、骸骨を描いたものが多かった。

なかでも第一次世界大戦の恐怖を描いたであろう『失われた都市』という石版画（右図）は、種村のいう時代の神話としての「クービンの失楽園」にふさわしい作品と思う。

★アルフレッド・クービン
《The abandoned city》1916年

クービンの作品もさることながら、わたしは『失楽園測量地図』や『没落のパラダイス』というタイトルに魅かれた。なんて美しくキャッチー、かつ意味深でアンビバレントな言葉だろう。

失われた楽園のはかりしれない幸福感、ピュアな美しさと同時に、幸福や楽園という概念のはかなさ、虚しさを想起させるタイトルではないか。クービン作品の特徴である不気味さの源泉は、喪失の哀しみと恐怖であると暗示しているようではないか。

半世紀前の失楽園と自分探しの旅

「親ガチャ」という言葉が一時期はやった。子どもは生まれてくるとき親を選べない。どんな家庭に生まれるかは「ガチャポン」のように運次第。親の学歴や収入、行動によって人生が決まってしまうと感じる若者が多いのだという。

そのせいか、筆者の周囲にいる若者たちも妙に醒めていて、高望みをしない。人間を学歴やルックスや経済力などの「スペック」で判断する傾向が強い。一定以上のスペックを持たない人間は一生うだつがあがらない。本人たちはそれでもまあいいかと思っているようだが、これは「あらかじめ失われた」人たちとでもいうのだろうか？

いまから半世紀以上前の１９７０年、大阪万博が開催された。雑誌『anan』が創刊された。旧国鉄の旅行キャンペーン『ディスカバー・ジャパン』が展開された。その副題は「美しい日本と私」。これは、ノーベル文学賞を受賞した川端康成の「美しい日本の私」のもじり。同じくノーベル文学賞受賞者である大江健三郎の「あいまいな日本の私」は川端のもじりだ。

また、71年には『anan』よりちょっと保守的な層（？）に向けて『non-no』が創刊された。この二つの雑誌は当時の十代から二十代の女性のファッションシーン、ライフスタイルを変えたといっても過言ではないだろう。

★「ディスカバー・ジャパン」のポスター（1971年）

いわゆる「アンノン族」の若い女性たちがわがもの顔で田舎を闊歩し、日本の伝統的な美しさ、原風景を〝映える〟と見立てた初期現象だったかもしれない。彼女たちはそんな日本の原風景をディスカバーするイケてるオンナであることを確認しているようでもあった。

71年のATG作品『あらかじめ失われた恋人たちよ』は、こんな風潮を揶揄し、冷や水を浴びせるような作品だった。

劇作家・清水邦夫とテレビ・ディレクター田原総一朗との共同脚本・共同監督。田原総一朗は、あの『朝まで生テレビ』の〝ブチギレ〟扇動的司会者として90歳の今なお現役だ。

『あらかじめ…』のあらすじは、棒高跳びの元オリンピック候補だった青年、哮（石橋蓮司）

★『あらかじめ失われた恋人たちよ』

が、かっぱらいを次のスポーツに選び、口八丁手八丁の旅に出た。その旅先で出会った聾唖どうしの若い男女カップルとの事の次第を描く。今風に言えばロードムービーのような作品だ。

カップルを演じるのは、当時気鋭のカメラマンだった加納典明と、無名の新人、桃井かおり。加納典明は『anan』のグラビア撮影を担当し、イケメンのカメラマンとしてちょい話題になっていた。

カップルは身過ぎ世過ぎのために、スーパーの客寄せとして金粉ショーをやっている。その姿に興味を惹かれた哮は彼らと行動を共にするようになる。

余談だが、金粉ショーは当時、暗黒舞踏の土方巽が弟子たちをキャバレーに派遣し、アルバイトとしてやらせていたことで有名だった。

男女三人の道中、カップルが交わす愛の行為はさながらアダムとイヴのよう。ピュアで美しく、哮のちょっかいや嫌がらせなどは全く意に介さない。

ある日、哮は生活費を稼ぐため、カップルに安宿で白黒ショーをさせることを思いつく。白黒ショーとは、男女の性行為を客の前で実演するもの。昔は地方の温泉宿などでけっこう行われていたようだ。ナマ春画をみるような覗き趣味、お座敷芸や宴会芸の一種だったのかもしれない。

さて、本作で「あらかじめ失われた」のは、カップルの聴覚や言語能力ということだったのか。それとも情報過多の時代、現代人が失ってしまった根源的な生命、身体感覚、そして性の喜びだったのだろうか?

カップルの言葉を介さない無垢な愛の交歓を見るうち、哮は彼らから離れられなくなり、次第に彼自身の言葉を捨て去っていく……。

この『あらかじめ失われた恋人たちよ』以降、ロードムービー的映画が相次いで作られた。

たとえば、72年の『赤い鳥逃げた?』(藤田敏八監督)。

なんだか『あらかじめ…』によく似たストーリーで、石橋蓮司がやった役が原田芳雄に変わっただけというような感じだ。こちらにも白黒ショーの場面がある。

ただし、本作での桃井は『あらかじめ…』のイノセントな少女とはうってかわり、家出中のヒッピー的ブルジョア娘(死語!)という役だった。

ちなみに、藤田敏八と種村季弘は東京大学の同期で、脚本家の石堂淑郎らとともに(映画関連の)盟友でもあった。

斎藤耕一監督、高橋洋子主演の『旅の重さ』も、家出した少女が日本の原風景をたどるロードムービー的作品。今風に言えば「自分探しの旅」のようなものか。

こちらはアンノン族とは違い、少女は白装束

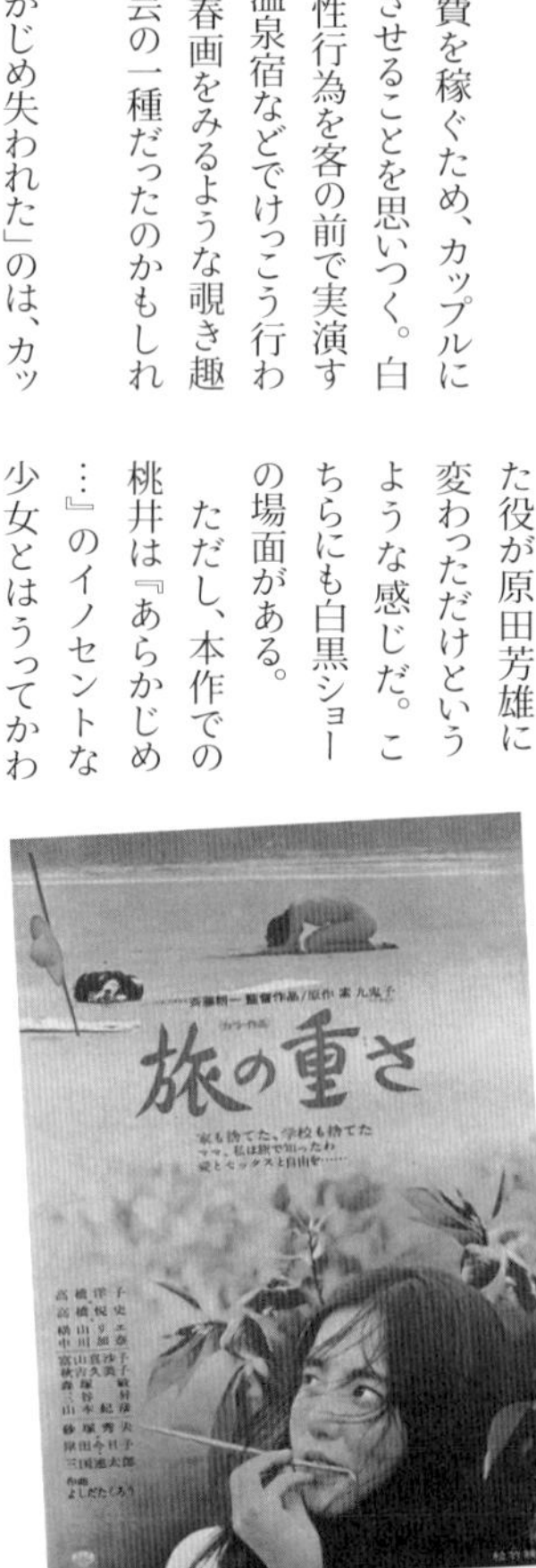

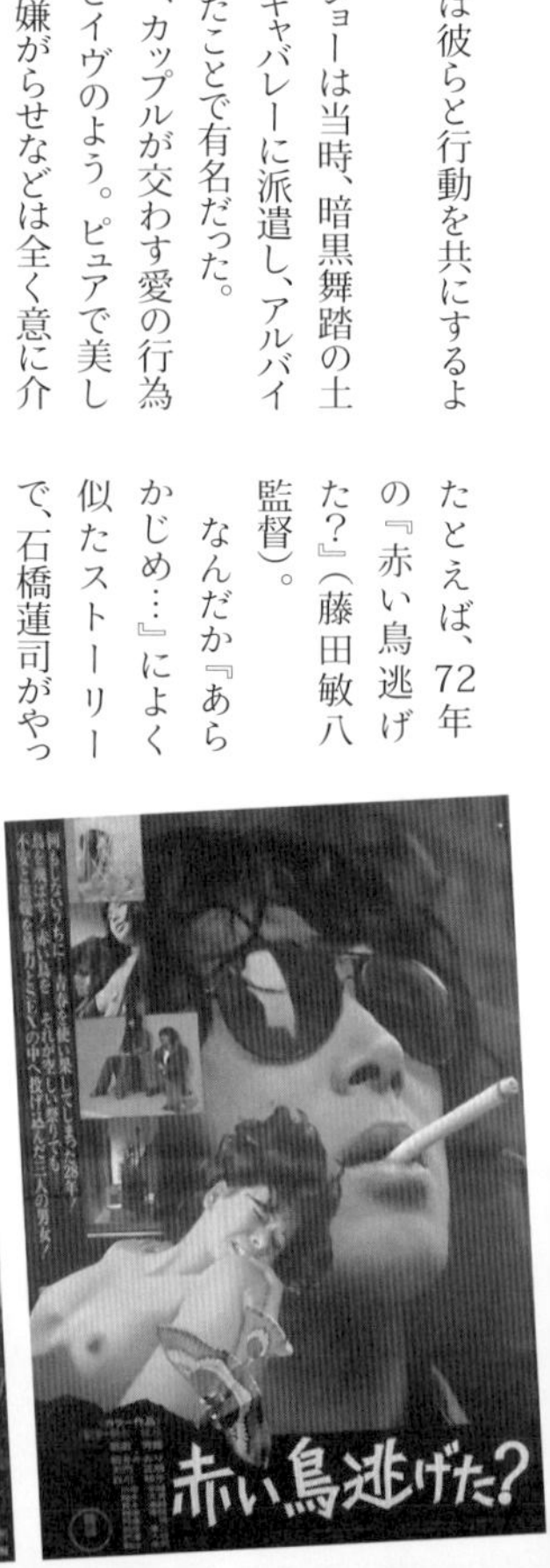

に身を包み四国遍路をする。主題歌は「♪わたしは今日まで生きてみました…」で始まる吉田拓郎の『今日までそして明日から』。ヒットソングだったが、当時のわたしには若者迎合的に聞えた。しょせん、松竹の文芸映画のような気がした（原作は素久鬼子の同名小説）。

ただ、本作には当時ウーマンリブやゲイカルチャーの影響で少しずつ認知されるようになっていたレズビアンの描写も出てくる。いまはやりの「クィア映画」でもあった。

サバイバーズ・ギルトとしての失楽園

70年代前後の若者の間ではジローズというバンドの『戦争を知らない子供たち』という反戦歌がはやっていた。

精神科医の北山修（当時は医学生であり、ザ・フォーククルセーダーズのメンバー）が作詞した「♪戦争が終わって僕らは生まれた、戦争を知らずに僕らは育った…」云々という歌詞には、一種の「サバイバーズ・ギルト」にも似た贖罪感があったような気がする。

サバイバーズ・ギルトとは、大災害や戦争や事故、事件などに遭遇しながら、偶然か奇跡か、自分だけが生き残ったという負い目や罪悪感のこと。

つい二十数年前まで「お国のために」「勝ってくるぞと勇ましく」、一銭五厘の赤紙1枚で徴兵され、戦病死したり、負傷したり、あるいは旧大日本帝国の植民地だった満州や朝鮮からの引揚者、そして空襲や戦後の飢餓に苦しんだ経験をもつ人が多分どこの家族や隣近所にいたはず。半世紀前の若者たちは、戦争や敗戦国の悲惨さを当時の大人たちからさんざん聞かされた世代だ。

日本人全員が、大日本帝国の幻影から醒め、一億総懺悔をしていた時代があった。それは、アルフレッド・クービンの境遇、多くの人の死に接し、かつ栄耀栄華を極めたオーストリア＝プロイセン帝国の崩壊を目の当たりにした経験にも似ているのかもしれない。

★全日本アマチュア・フォーク・シンガーズ「戦争を知らない子供たち」（1970年、大阪万博でのコンサートライブ盤）／翌年、ジローズによるシングルが発売され、ヒットした。

失われた楽園とは、死者の山の上に築かれた幻想の帝国——いや、存在すらしなかったのかもしれない。

それはすなわち、多感な少年時代に日本の敗戦を経験した種村季弘の境遇にも通ずるものだったのではないか。種村は幼少時、陸軍幼年学校入学を希望していたと本人から聞いたことがある。当時の学業成績優秀な少年少女ほど、愛国・軍国的な人が多かったのだ。

失われた楽園、それはおびただしい「死のモチーフ」、死者の山の上に築かれた幻想の帝国であり、あらかじめ失われていたどころか、存在すらしなかったのではないか!?

この失われた楽園の広さや地形を測量するには、種村好みの「山師」のダウジング、あるいはものごとがさかしまに映る望遠鏡＝覗きからくりが必要なのかもしれない。

マッチ擦るつかのま海に霧深し
身捨つるほどの祖国はありや
寺山修司

ここは楽園、瓶詰の地獄

◉文＝馬場紀衣（文筆家）

なにせ記録が残されていないのでくわしい背景は知らないのだけれど、1800年より前だか後だかに、ある船乗りが飲み終わった酒瓶を見つめて、長い航海の暇つぶしになる心愉しい遊びを思いついた。船乗りは、船内をうろついて使えそうなものをかき集めると、空き瓶のなかに小さな船の模型を造るという趣味をみつけたのである。赤ら顔の手先の器用な船乗りが瓶のなかに作ったものは、おそらく彼が乗っていた船のミニチュアだろうと私は勝手に想像するのだけれど、それはさておき、ボトルシップは私の思いつく限りもっとも密閉された、保存性の高いもうひとつの世界だ。ボトルシップにしろ、手づくりのジャムにしろ、アリスの薬瓶にしろ、瓶のなかには小分けにされた現実が詰められている。作りものとはいえ、それが瓶のなかで組み直された現実の断片であることが、どうしようもなく私を惹きつけるのだ。

★第二次世界大戦前にドイツで作られたボトルシップ（Wikipediaより）

この目で見たことはないけれど、もし楽園と呼べるような場所があるのなら、きっと現世とよく似た場所にちがいない、と、私は思っている。天国や地獄を、あるいは理想郷を、人が知性の手の届く範囲でしか創造しえないように、楽園もまた、現世の映し鏡のような場所という気がする。

あるいは楽園は、現実の畸形のようなものかもしれない。少しばかり捻られ、歪められた、現実と同じ性質をもつ場所。そこでは朝と昼と夜とに分割されていて、土を蹴れば埃が舞い、靴底を汚し、音と匂いがあり、肌と肌がぴたりと重なり合う、というところは現実と同じなのに、痺れるような悦びだけが途切れない。トマス・モアが「どこでもない（ユートピア）」と呼んだ場所とちがうのはまさにこの点で、些細なきっかけさえあれば、たとえばマンションの一室、花壇、学校の屋上、スーパーマーケットの駐車場、どこだって楽園になり得るのだ。

だから千夜一夜譚で語られた、ある夜の話も、私には楽園に思える。

その昔、ある国の王子が女を連れて墓場へ向かい、地下へと続く階段を降りて行った。ふたりは兄と妹で、そして、恋人同士だった。近親婚が許されないために、墓穴で暮らそうとしたが、しかし地下の寝台で神の怒りに触れてしまい、抱き合ったまま灰になっているのが見つかった。

もし二人を発見したのが私だったなら、灰の最後の一粒まできれいにすくいあげて、瓶にしまっておいてあげるのに。もちろん、誰かが間違ってあけてしまわないように、硬く、硬く閉めておくことも忘れない。

壁面に孤独の貼りついた、死を予感させる墓穴であっても、生きたまま、世界の果てまで走って行けたのなら、そこはきっと恋人たちの楽園になるのだろう。薬瓶をあおって死を偽装したジュリエットがロミオと目指していたのも、日常の外側、現実の外側にでること、この世のどこかにあることが想像できるような楽園だったのではないだろうか。

楽園と向かい合うように配置されているのは、現実ではなくて、おそらく地獄だろう。しかも楽園は、まるで服をひっくり返すみたいに、いとも簡単にくるりと地獄に裏返ってしまう。

夢野久作の『瓶詰の地獄』はまさに、そんな物語だ。これは絶海の孤島に漂着した兄妹の相姦を描いた物語で、ふたりが辿りついた場所というのが、見たことも聞いたこともない華麗な蝶の舞う、美味しいヤシの実だの、パイナプルだの、バナナだの、赤と紫の大きな花だの、香気の良い草だの、大きい、小さい鳥の卵だのが一年中どこかにある、鳥も魚も棒でつつけばいくらでも獲れるという夢のような島なのである。照る太陽、唄う鸚鵡、舞う極楽鳥、花の色、草の芳香、海も、雲も、風も、虹もすべてが美しい憧憬に満ちた楽園。ここが楽園でなかったら、いったい何処を楽園と呼べばいいのだろう。

外界から隔絶された島で、兄と妹の禁じられた快楽が育っていくのだけれど、考えてみたら、ずいぶんおかしい。禁じられた快楽、だなんて。だって、楽園ではたとえ近親相姦の甘美な夢に身を任せても現実のように罪に問われたりしないはずなのだ。ここでは、欲と業が、夢と秘密が、まるでハチミツとミルクのように甘く溶けあい、現実の罪なんてものは温めたミルクの表面に張ったたんぱく質の薄膜のようにぺらぺらとしたものにすぎない。爪先でひょいとつまんで、ぺろりと飲みこんでしまえるほど、たわいもない代物になり下がる。

この島が楽園ならば、地獄は、きっと瓶のなかにでも詰めて海へと流されてしまったのだろう。あるとき兄は、心のうちを瓶に詰めて、海へ流す。自分たちを探しているだろう親のもとへ届くように祈って。

"message in a bottle"といえば瓶のなかに手紙を封じて流したもので、これははっきりと目に見えて時間を詰めている。蓋を開ければもちろん、誰かへ向けたメッセージが入っていて、手紙を書いた人物がいるはずだ。瓶の内容にロマンを抱いているなら、中を開けてはいけない。一度開けてしまったら、瓶のなかにはひしゃげた現実しか残らないだろうから。それはほとんど、地獄と呼んでいい。

妹と二人きりで暮らすうちに兄は、まるで島の木の実でも見つけるように、妹の表面にエロティックな象徴を発見していく。「アヤ子の、まぶしい姿や、息苦しい肌の香とゴッチャになって、グルグルグルグルと渦巻き輝やきながら、四方八方から私を包み殺そうとして、襲いかかって来るように思われるのです」「アヤ子のなやましい瞳が、神様のような悲しみと悪魔のようなホホエミとを別々に籠めて、いつまでもいつまでも私を、ジイッと見つめているのです」。そして兄は両親へ向けて書いた手紙の最後にこう書き添えるのだ。「ああ。何という恐ろしい責め苦でしょう。この美しい、楽しい島はスッカリ地獄です」。

他人の墓場が恋人にとっての楽園だったり、誰かにとっての地獄が楽園になったり。あるいは楽園なんてものは、目を開けて見る、ひとときの夢にすぎないのだろうか。

「この美しい、楽しい島はスッカリ地獄です」

★夢野久作『瓶詰の地獄』(角川文庫)

◎文＝阿澄森羅（小説家・シナリオライター）

虚ろなる夢幻の果ての理想郷

――パノラマ島・ジロ娯楽園・民主カンプチア

LOST PARADISE

1

　まともな収入がない無職同然の三文文士で、知識や好奇心はあるが何かを専門的に学んだことはなく、厭世主義に囚われながら夢想に耽って日々を過ごし、時々は小説も書くけれど全然売れず、普段は下請けのライター仕事や御伽噺で糊口をしのいでいる――まるで私の自己紹介のようだが、これは江戸川乱歩の中編『パノラマ島奇談』（雑誌初出時は『パノラマ島奇譚』）の主人公である人見広介のプロフィールだ。

　少年時代から理想郷や桃源郷を描いた物語を愛好し、ピラミッドや万里の長城を建造した権力者たちの心理に共感する広介は、自然や生命を神の如き視座から改変し美化する方法によって、壮麗無比な地上の楽園を生み出す夢を追い求めている。

　しかし、彼には楽園を造る資金も能力もないので、いつも「使いきれぬほどの大金を手に入れることができたらばなあ」と愚痴るばかりで、夢の楽園を小説の題材にしては編集からボツを食らい、貧乏暮らしから抜け出せずにいた。

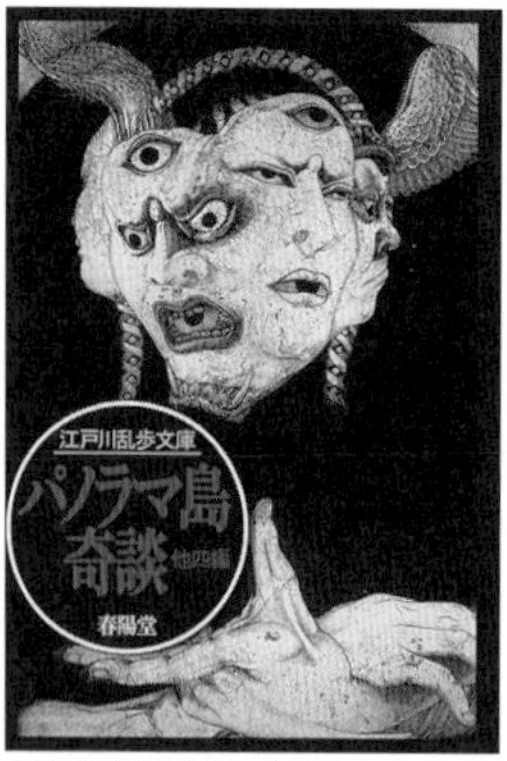

★江戸川乱歩『パノラマ島奇談』（春陽堂書店・江戸川乱歩文庫）

　ただ夢想に浸っているだけなら無害だし、個人が財力や根性を駆使して夢想を具現化した例も、世間には間々ある。有名なところでは、有り余る熱意だけで三十三年かけて自宅の庭に『理想宮』を建造した、フランスの郵便配達員フェルディナン・シュヴァルがいる。彼の行動は周囲からは狂気の沙汰と思われ、完成させた宮殿も粗大ゴミのような扱いをされたが、後にアンドレ・ブルトンやピカソらの称賛を受けたこともあり、現在ではフランスの文化財にも指定された観光名所となっている。

　だが、これが多数の人間を巻き込んだり、犯罪的手段を用いたりになると、少々事情は変わってくる。広介は、自分と瓜二つの外見を持つ旧友の大富豪・菰田源三郎の死に乗じ、偽装自殺と同時に「早すぎた埋葬」を演出

★シュヴァルの理想宮

することで菰田の人生と財産を我が物とし、無人島を大改造しての理想郷建設に邁進した。ちなみに、パノラマというのは明治期の日本で流行した見世物で、円形の劇場を一周する巨大な絵を展示し、その内容に合わせた人形や小物を配置して、歴史上の名場面や海外旅行などを疑似体験させる、というもの。広介はこのシステムを利用して、小さな島を新世界へと改変したのだ。

広介の暴挙と暴走はフィクションだが、現実で理想郷を創ろうとした末に惨劇に至ったケースも数多い。中でも被害規模が莫大なのは、クメール・ルージュ（カンボジア共産党≒ポル・ポト派）政権によってカンボジアが統治されていた、75〜79年の『民主カンプチア』時代だろう。

2

カンボジアが革命に至る流れは複雑怪奇なのだが、極力シンプルに言えばフランスの植民地支配とシアヌーク国王の失政、そしてベトナム戦争が主な原因だ。第二次大戦後、フランスからの独立を実現したノロドム・シアヌークは、圧倒的人気を背景に『王制社会主義』とでも呼ぶべき奇怪な統治を展開。綱渡り的な外交と場当たり的な内政に批判は高まったが、自身に権力を集中することで政権を維持する。しかし、ベトナム戦争に端を発する諸問題への対応に失敗を重ね、政情が極端に不安定化。各地で暴動が頻発する状況を打破するため、左派は武装闘争を開始し、右派はシアヌークの追放に向けて動き出す。この左派を代表するのが、ポル・ポト（サロット・サル）率いるクメール・ルージュだ。

右派のクーデター、ベトナムやアメリカの介入、泥沼の内戦などの紆余曲折を経て革命政権を樹立したクメール・ルージュは、未だ国民人気の高いシアヌークの協力もあって、大多数の国民から歓呼の声で迎えられた。

腐敗した政府は倒れ、かつての英雄と手を組んだ新たな英雄が、荒廃した国の再建を開始する——ここで終われば完璧な大団円だが、物語は唐突におかしな方向へと捻じ曲がっていく。『パノラマ島奇談』では、菰田源三郎として夢の王国を築き上げた人見広介は、いくつかの失敗で正体を疑われ、破滅への道を歩み始めた。一方、ポル・ポトの民主カンプチア（カンプチアはカンボジアの現地風の読み）は、出発時から派手な迷走を繰り広げる。権力を掌握した彼らが真っ先に行ったのは、首都に住む市民を地方へと追放し、その全てを農民にすることだった。

この奇手は当然ながら混乱を招くが、その後も新政府は意味不明な施策を連発して大混乱を発生させる。貨幣の廃止、家族の解体、恋愛の規制、教育の軽視、知識層の粛清、宗教の否定、娯楽の禁止、市場経済の破壊、西洋文化の追放、現代文明の放棄。更には、革命以前の知識や習慣に染まった大人たちを害悪と見做し、十代前半までの子供たちを社会の中心に据えようとした結果、あらゆる制度が機能不全に。

当人が詳細を語らなかったので、ポル・ポトが何を夢見ていたかは不明瞭なのだが、おそらくは原始共産制をベースに毛沢東の思想や政策を取り入れた、極端な農本思想の国を建設することだったと思われる。皆が平等に農作業に従事して、飢えも憂いもなく日々を送る暮らしは古の桃花源を彷彿とさせ、実現されていれば真の理想郷と呼ばれたかもしれない——が、そうはならなかった。

当時のカンボジアは、長期間の内戦で農業生産が著しく低下し、他国の食糧援助に頼らねば飢饉が起きかねない状況だった。なので都市住民を地方での農作業に従事させ、大規模開墾による食糧増産で問題の解決を試みたのだが、計画はスタートから破綻していた。食料を増産する人々を養うための食料が足りなかったのだ。一事が万事そんな調子なので、民主カンプチアは瞬く間に破綻寸前の状況になってしまう。

行き詰ったポル・ポトは、その原因を自身の無能や失策ではなく、スパイ・裏切り者・反革命分子の仕業だと主張。これによって、果てしない粛清と虐殺が幕を開ける。人口の激減が数年続いた後、ベトナムの支援を受けた反政府勢力の攻撃が始まると、僅か二週間で首都プノンペンは陥落、民主カンプチアは完全に崩壊した。

★フィリップ・ショート『ポル・ポト ある悪夢の歴史』（白水社）

生を楽しまず、利害も欲望もないただ食って働いて死ぬだけの理想郷

3

理想郷がキリング・フィールドに転じる物語といえば、乱歩の中編『地獄風景』を彷彿とさせる。億万長者の青年・喜多川治良右衛門が巨額の資金と三年の月日を費やして完成させた巨大遊園地『ジロ娯楽園』で起きる連続殺人と、それに続く大量虐殺を描いた作品で、一応は推理小説の体裁になっているが、ジャンルとしてはホラーに近い。

パノラマ島と似通った設計思想の娯楽園と、破滅を回避した人見広介のような人物造形の治良右衛門の存在が、この作品に『パノラマ島奇談』のパラレルな続編というか、別ルートめいた味わいを纏わせている。美しい恋人と共に娯楽園で自由気侭な毎日を送る治良右衛門は、まさに人見が憧れ続けた理想郷の住人だ。

しかし、貧しく退屈な日々に飽き果てていた人見と同じく、治良右衛門も変化のない生活に飽き果てている。刺激も興奮もいずれは慣れ、欲望も執着もいずれは醒める——そして訪れる倦怠とどう向き合うか、という段で治良右衛門は全てを破壊する。

大虐殺の末に理想郷を崩壊させた喜多川治良右衛門は、恋人と共に気球で飛び去って二度と姿を現さなかった。しかし、それに万倍する殺戮の果てに理想郷を崩壊させたポル・ポトは密林へと逃げ去り、その後二十年に渡り武装勢力を率いての抵抗を続ける。最後はかつての部下によって拘束され、裁きの場に罪人として引き出される直前、病によって世を去ったとされている。

あまりにも現実味がないポル・ポトの治世については、様々な研究や分析がなされているが、今に至るも「ワケがわからない」の域を出ない。個人を深く掘り下げた『ポル・ポト ある悪夢の歴史』（フィリップ・ショート、白水社）、クメール・ルージュの誕生から壊滅までを追う『ポル・ポト〈革命〉史』（山田寛、講談社）などを読めば、「何が起きたか」は大体わかるのだが「何故そうなった」かは結局わからない。政権中枢にいたポル・ポト派幹部へのインタビューも多数存在しているが、誰もが責任回避と自己保身の発言に終始し、全ては曖昧なままだ。

ただ、ポル・ポトが目指した理想郷は『華胥の国』に通じるものがある。『列子・黄帝篇』の記述によれば、そこには権力者がおらず、生を楽しまず、死を恐れず、愛憎もなく、利害もなく、欲望もない人々が住んでいる。夢で華胥の国を訪れた黄帝（古代中国の伝説上の皇帝）は、これぞ理想郷だと感動して国造りの参考にし、黄帝の世は大いに栄えた——のだそうだ。これは為政者の気配を消して『組織《オンカー》』が全てを指導し決定する体制を築き、個人の感情や欲求を徹底して排除し、人間はただ食って働いて死ぬだけの社会を創出しようとした、民主カンプチアの在り方に極めて近い。

パノラマ島やジロ娯楽園は、明治大正期に流行した「博覧会」をベースにしている。これは博物館と遊園地を合わせたようなイベントで、生活の場とはなり得ない。シュバルの造り上げた宮殿もまた、居住のための機能は用意されていない。理想郷で暮らすためには、まず人であるのをやめねばならないようだ。

とらおむの樹01 by eat

ピーヒョロロ
コンコンコン
諦めて帰るか
テンテテン
ピーヒョロロ
コッココッコッ
テンテテン
トトントトン
ピ〜ロリ〜ロ
トントン
!
おお!? やっぱり
お祭りやってるんじゃ!?
あ… あの!
お祭りはどこでやっていますか?
……
あっち
ほう
ありがとうございます!
だっ
しかし またしても
お祭り会場は見つかりませんでした

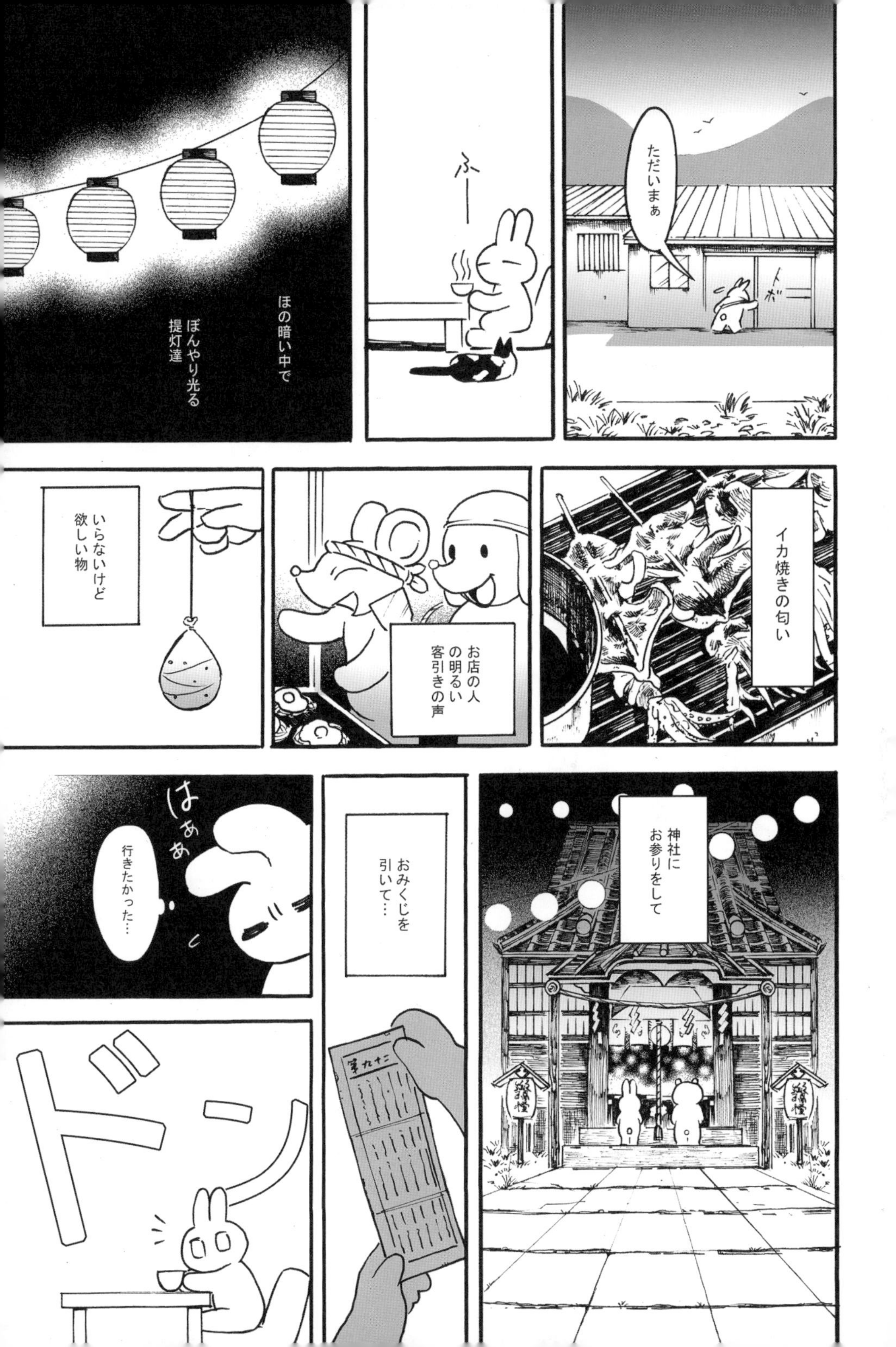
ただいまぁ
トボ
ふー
ほの暗い中で
ぼんやり光る提灯達
イカ焼きの匂い
お店の人の明るい客引きの声
いらないけど欲しい物
神社にお参りをして
おみくじを引いて…
はぁぁ
行きたかった…
ドーン

花火の音…
ドン
ドドン
パラパラパラ
見えない…
まるで真上で上がってる
みたいな音なのに
ドドン
ドン
きっと
このお祭りは
人間が行けない
お祭りなんだ
楽しんでいるのは
いったい
どんな者
なのだろうか
ーツあめ

性善説で作られたシャングリラ
——映画『失はれた地平線』

◎文＝浅尾典彦（作家・プロデューサー・夢人塔代表・治療家）

平和と安全が約束され、幸福のみが存在する未知の世界。誰もが望む素晴らしい環境だ。人はそれを「楽園」と呼んだ。「楽園」は人種・宗派を問わずどこにでも存在する概念らしく、「楽園」以外にも多くの呼び方で呼ばれている。シャングリア、アルカディア、ユートピア、フェアリーランド、ネバーランド、パラダイス、エデン、パーフェクトワールド、アヴァロン、アガルタ、エル・ドラード、極楽、天国、若さの泉、ガンダーラ、隠れ里、桃源郷、蓬莱、常世の国、仙郷、マーベルランド、竜宮城、マグ・メルなどなど。

およそアダムとイブの「エデンの園」の頃から、人は「楽園」に憧れ、この広い現実世界に本物の「楽園」理想郷を探し求めた。未知の大陸アフリカや南米や極点、ハワイやバリなど南国、異教に心をはせてはエジプトやインカ帝国、チベット・中国など、果ては黄金の国ジパングとして日本にまで理想の国を求めてわざわざやって来たのである。

この「楽園」探しの行動は、冒険旅行を生み、その体験談は尾ひれがついて冒険小説となり、ストーリーにある種の「雛型《パターン》」を生み出した。「楽園」を追い求め冒険をするという「雛型」はやがて映画化され、アドベンチャー映画というジャンルを生み出す。そうした映画の中から、最も有名な「楽園」作品を紹介してみよう。

LOST PARADISE

それは、1937年に製作された古典的SF作品『失はれた地平線』である。ジェームズ・ヒルトンのベストセラー小説（池央耿訳『失われた地平線』河出書房新社ほか）の映画化で、監督・製作はアメリカを代表する映画人フランク・キャプラ。彼の代表作『素晴らしき哉、人生！』（1946）は、アメリカ人（特に白人）の良心を描いたファンタジー作品として永く歴史に名を刻んでいる。アメリカなどの英語圏では、クリスマスシーズンにこの『素晴らしき〜』をテレビで流す事が文化として定着しているほどだ。

そのキャプラ監督が、「楽園」をテーマに、人間の幸せを求めるそれぞれの心のありようを描いたのが本作だ。「理想郷（シャングリラ）」という言葉が初めて使われた映画としても知られる。原作を愛読したルーズベルト大統領は、大統領専用の公設別荘に〝シャングリラ〟と名付けたことでも当時の話題をさらった。シャングリラは、サンスクリット語のシャンバラー（幸福を続ける、また幸福が続く伝説の国）が語源だという。

1935年3月10日夜、イギリスの外交官のロバート・コンウェイは中国バスクルで起こった動乱から逃れるため、船で脱出する計画を立てる。上海の港へ向かうために飛行機をチャーターし、暴動の中数名の英国人だけを乗せて飛び立った。乗客は、彼と弟のジョージ・コンウェイ、古生物

学の教授アレキサンダー・ラベット、詐欺まがいのビジネスマンヘンリー・バーナード、そして余命半年の娼婦グロリア・ストーン。翌朝、目を覚ますと飛行機は、上海とは真逆のチベットのある東方の奥地へ向かっていた。飛行機のコックピットは謎の現地人によりハイジャックされていたのだ。外は見たこともない雪深い山麓が続いている。

どうする事も出来ず、燃料は底をつき遂に飛行機は猛吹雪のヒマラヤ山中に不時着。パイロットは死亡。生き残ったコンウェイたちは、飢餓と凍死の恐怖にさいなまれながら、あてもなくさまようが、偶然出会ったラマ教寺院の僧侶チャンの案内で未開の集落へとたどり着く。そこは周りと違い何故か春の景観が広がる不思議な土地。山間に隠された桃源郷〝シャングリラ〟だったのだ。

一行は現地人たちの歓待を受けて徐々に健康を回復してゆく。シャングリラは常春で、争いも飢餓もない幸せの場所だった。開祖は250歳になるという老いたラマ高僧で、今なお生き続け、彼を中心にして、みな穏やかでやさしさに満ちあふれ、助けあって生きている。完璧な秩序を保ち誰もが幸福に暮らすという、まさに理想社会なのである。

コンウェイはシャングリラのありように大いに魅了され、村に住む女性ソンドラ・ビゼーに恋心さえ覚えていた。そして、遂にこの社会を創ったという謎の老僧に面会することになったが、死期を悟った僧から何と、後継者としてシャングリラに留まりずっと守ってほしいと頼まれる。一度は、ここに骨をうずめる気になったコンウェイだったが、弟はシャングリラに全くなじめずロンドンを懐かしみ、帰国を強く希望し、ここで出会った若い白人女性マリアと共に出てゆくと主張。弟を見捨てられないコンウェイは仕方なく一緒に帰国することにした。

しかし、旅の途中で、同行のシェルパ隊は雪崩に飲まれて絶滅し、弟を慕ったマリアはシャングリラを離れるとたちまち老婆と化してしまった。これを見て気が狂った弟は崖から転落死してしまう。すべてを失ったコンウェイはひとり雪山を歩き、何とか外界へ到達する。

コンウェイ発見のニュースを聞いて同僚のゲインズフォード卿が迎えに行くが、コンウェイはシャングリラへ戻ってしまう。深い雪山をひとり歩く影が見える。コンウェイの姿だ。そしてシャングリラに指導者の再訪を歓迎するかのような鐘の音が鳴り響くのであった。

第10回アカデミー賞で美術賞、編集賞を受賞しており、特撮シーンやセットの規模が凄く、ドキュメンタリーの山岳風景や雪崩シーンなども挿入されて画に迫力がある。ストーリーは丁寧に描かれているのでゆっくりとしたテンポだ。冒険旅行、不時着、理想郷、新しい指導者、ラブロマンス、別れ、土地を離れた女の急激な老死、外の危険などなど、構成や表現、その手法などは、のちのSF・ホラー・

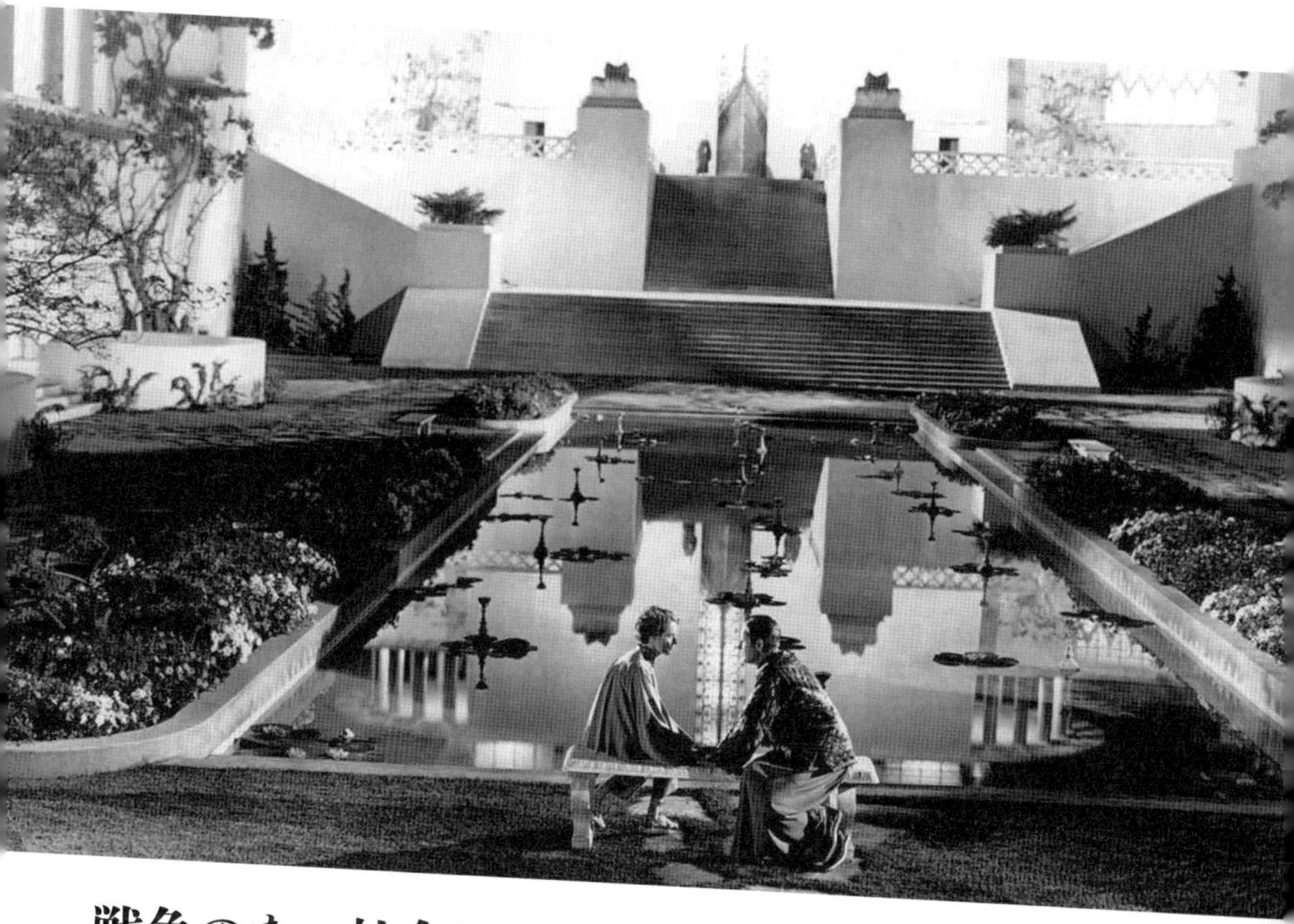

戦争のない社会という理念がシャングリラに導いた

アドベンチャー映像作品に多大な影響を与えている。

1973年には、コロンビア映画で正統派ミュージカルのリメイク版『失われた地平線』が製作されたが、興行は失敗、批評も悪く「ミュージカル映画の時代は完全に終わった」と剋された(実際は『ジーザス・クライスト・スーパースター』など、ロック・ミュージカル黄金時代の幕開けだったのだが)。

オリジナル版『失はれた地平線』は歴史的大ヒットだったが、その後数奇な運命をたどった。元は132分だったのだが、政治的理由(敵国の脅威を日本と名指して差し替え)で再編集されたり、共産主義批判を目的にして短くカットされるなど、時代の意向に振り回され哀れにも切り刻まれての再上映が繰り返された。その結果、フィルムの一部は損失。後世になってからこの映画の文化的な価値が再認識され、失われたシーンを世界中から集めて修復作業が進んだ。まさに映画人の「理想郷(シャングリラ)」を求めるかのように。その末、2016年に現存する音と映像を繋いだ125分版が再現され、映像の見つからない音声トラックに静止画を乗せた132分が現在最長版になっている。

映画の中で、主人公コンウェイには外交官・政治家としての理念があり、「どんな人間でもその一生の中で永遠を垣間見る瞬間がある」と著書に書き記して、戦争のない社会を作ろうとしていた。それがシャングリラへの誘いに繋がった。フランク・キャプラ監督は「人は性善説に生きる」という哲学で映画作りに挑んだ。あちこちで戦争があり、人々の暮らしも心もすさみつつある現代の世の中にあって、コンウェイのような心から善良な指導者こそが必要なのだと思う。人のこころの安住を保つ「楽園」とは何なのか? 幸せとは? 『失はれた地平線』は、もう一度それを考える機会となる作品なのである。

昨今のドキュメンタリー映画にみるたどり着けぬ楽園への旅

——山形国際ドキュメンタリー映画祭二〇二三

◎文＝高槻真樹（SF評論・映画研究者）

LOST PARADISE

はや一八回目となる山形国際ドキュメンタリー映画祭は、二〇二三年一〇月五日から一二日まで、四年ぶりに現地でのリアル開催が実現した。前回はコロナ禍のためオンライン開催を余儀なくされたこともあり、当方も久しぶりに再会した友人・知人が多かった。映画に関わる様々な人々が集まり、ファンと同じ目線で語り合う。独自の映画祭文化を三〇年以上積み上げてきた山形という場の魅力が、再発見された回だった。

今回の上映作ではコロナ禍を取り上げた事例は意外に少なく、「たどり着けぬ楽園」を探し求める作品が目立った。お互いを遠ざけるコロナ禍を経たからこそ、人々が集うコミュニティとしての楽園が希求され、到達する困難さも明らかになっていったということではないだろうか。

★「訪問、秘密の庭」（監督：イレーネ・M・ボレゴ／2022）

インターナショナル・コンペティション部門で山形市長賞を得たスペイン映画**「訪問、秘密の庭」**は、忘れられた女性抽象画家イサベル・サンタロの生涯に迫る作品。かつてフランコ独裁政権下で高い人気を誇りながらも、今はひっそりと孤独に生きる老女。イレーネ・M・ボレゴ監督は画家の姪であるという特権を生かし、生活に密着するが、老女に迫るほどに作品世界の真実は遠のいてしまう。

フランコ時代は、ピカソやミロが弾圧されたイメージが強いが、前衛芸術が死滅したわけではないらしい。だが、国際的に孤立した当時の状況は知られず、「フランコ体制以降は過去のアートとみなされ、顧みられなかった」（仏情報誌OVNI―ニュースレター二〇一八年一二月三日号）という。

画家の手元に残る作品は、ほとんどないそうで、映画内ではまったく登場しない。その当時を知る人々へのインタビューからは熱気が垣間見えるが、彼らが熱く語れば語るほど、失われた絵画への渇望だけが高まる。老女はうつろに窓の外を眺めるだけで黙して語らない。だが最後に根負けしたように、紙や木片を使って即興的な抽象作品をカメラの前で組み立ててみせる。年齢を感じさせない手つきの鮮やかさには驚かされるが、作品の主体であった油彩画とは別物だろう。

老女にとって本作品は、古傷をえぐる迷惑な存在でしかなかったのかもしれない。実際、映画はかつて存在した「楽園」の存在は突き止めたものの、その姿を明らかにすることには失敗している。だがここでは、「知りたい」という思いを観客と共有するだけで十分だったようだ。監督によれば、映画の公開後、イサベル・サンタロの作品が次々と発見されているということである。

コンペ作品における「楽園」の探索は、他にも数多い。搾取されていた移民労働者らが母国マリに戻り築いた農業共同体の歩みを描いた**「交差する声」**、レバノンの政情不安の中にあって穏やかな暮らしを描いた**「紫の家の物語」**などだ。中国山間部の村を描き続ける連作の最新作**「自画像：47KM2020」**では、人々の温かい交歓が描かれつつも急激な近代化による崩壊の予感も積み重なっていく。

戦時下のウクライナからも、二本の作品が届いた。**「三人の女たち」**は、西部の国境の村で暮らす女性たちを描いた詩情豊かな作品。郵便局員、生物学者、農家とそれぞれに自立した個性的な暮らしぶりが興味深い。映画は彼女たちとともにクマの糞を探し、牛を追い、食事し生活を重ねていく。特に農家のハンナは撮影スタッフを警戒し悪態をつき続けるが、いつの間にか心を許し、別れの場面では涙を流す。撮影終了直後に侵攻が始まり、映画は失われた平和へのオマージュとなってしまった。

「東部戦線」は、ボランティアの救護隊員として飛び込んだ映画チームの半年の体験を描く。撮影していたスタッフが突然撃たれ、別の者にカメラを渡して、担架に乗せて運ばれる映像を「撮れ」と命じる。どこから弾が飛んでくるか分からない、恐怖感と緊迫感がすさまじい。ぬかるみにはまった牛の群れをどうしても救出できず途方に暮れる場面など、戦闘以外でも、無力感を覚える場面が数多い。だが地獄を見てきたはずの監督は、満杯の観客との質疑応答で、不思議なほどの笑顔。心の明るさだけは絶対に手放すまいとする、固い信念が感じられた。

★（上から）「三人の女たち」（監督：マキシム・メルニク／2022）
「東部戦線」（監督：ヴィタリー・マンスキー、イェウヘン・ティタレンコ／2023）
「ニッツ・アイランド」
（監督：エキエム・バルビエ、ギレム・コース、カンタン・レルグアルク／2023）

審査員特別賞を得た**「ニッツ・アイランド」**は、まさにアイデアの勝利。オンラインゲーム「DayZ」に潜入し、プレイ画面上で敵行したユーザーへのインタビューだけで作品とした。運営サイドも実写映像も登場しない、異色のドキュメンタリーだ。

「.hack」や「ソードアート・オンライン」など、オンラインゲームを扱ったフィクションで描かれてきたようなゴーグルを被って完全に没入するオンラインゲームはまだまれで、この作品でもインタビューに答えるプレイヤーの声の背後からは、現実の生活をうかがわせる環境音が漏れ聞こえてくる。

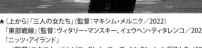

撮影チームはそこに焦点を当て、現実と虚構が交じり合ったプレイヤーたちの世界に切り込んでいく。ゲームのバグを逆手にとって、地中に潜ったり空を飛んだり、開発者が想定しない未知の世界を目指す人々もいる。求めた楽園ではないかもしれないが、そこには新しい現実を発見する可能性が秘められている。

連日八会場に分かれて膨大な本数が上映されているので、何を見るか

★（上から）「負け戦でも」（監督：匿名／2023）
「声なき証人」
（監督：ヘロニモ・アテオルトゥア・オルテアガ、ルイス・オスピナ／2023）
「若き映画」（監督：イヴ＝マリー・マエ／2023）

は常に悩みの種。選び方次第で映画祭の顔つきは大きく異なる。もう一方の顔である「アジア千波万波」も数本を見ることができたにとどまった。

そんな中にあって、アジア部門の最高賞である小川紳介賞を獲得したミャンマー映画**「負け戦でも」**を見ることができたのは幸運だった。わずか二三分の短編で、監督は匿名。軍事クーデターで八カ月にわたって収監された青年がようやく自宅に戻ってみると、国全体が大きな監獄になっていることに気付く。多くの画面は窓から見える光景を撮影しているだけだが、画面からあふれ出る絶望感が、どんなニュースフィルムよりも雄弁にミャンマーの現実を物語る。民主主義という「楽園」が失われた無念を、これほど肌身に感じた映像はない。

コンペ外で最も多くの時間を費やしたプログラムは、メタフィクション的な映画を集めた「Double Shadows／二重の影」だった。過去にも本誌にて取り上げたことのある、SFファンには見逃せないプログラムだ。今回で、はや3回目。

失われたコロンビア初期映画の断片を組み合わせて架空の一本の映画に仕立てあげてしまった**「声なき証人」**は、激動の時代と映画初期の熱気を同時に描き出す。恋と復讐の織り成すメロドラマとして始まった作品は、ジャングル奥地へと分け入り、南部農民の武装反乱へと至る。制作を手掛けた二人の監督は「この映画は映像をユートピア的な手法で扱っている」と証言している。創世期のコロンビア映画が果たせなかった約束が、新しい命を吹き込まれることで、現在にも響く新しい政治的意味を持つことになるのだという（映画祭「二重の影」パンフ収録）。

ヌーヴェルヴァーグ期にフランス映画界を席巻した南仏イエール映画祭の歩みを記録した**「若き映画」**は、まさに楽園の記録だろう。スタートは政治の季節真っただ中の一九六五年。カンヌを頂点とする商業映画のマーケットと一線を画し、政治的・性的・前衛的表現の先鋭化を進めたが、あまりに尖りすぎて観客から遠ざかり、開催地の行政ともたびたび衝突。新しい理念を模索するが果たせず、一九八三年、唐突に姿を消した。

フィリップ・ガレル、シャンタル・アケルマン、レオス・カラックスなどキラ星のような才能を次々と輩出した映画祭の歩みを、アーカイブ映像を再構成してたどっていく。マルグリット・デュラスやヴェルナー・シュレーターなど、登場する映画人の豪華さは茫然とするほど。

理想を追い求めたからこそ、理解できる観客は減っていき、上映が維持できなくなった段階で瓦解した。破綻は運命づけられていたが、一瞬のきらめきがあまりにもまぶしい。

自由を謳歌したフランス映画に対し、何かと制約の多いイラン映画は対

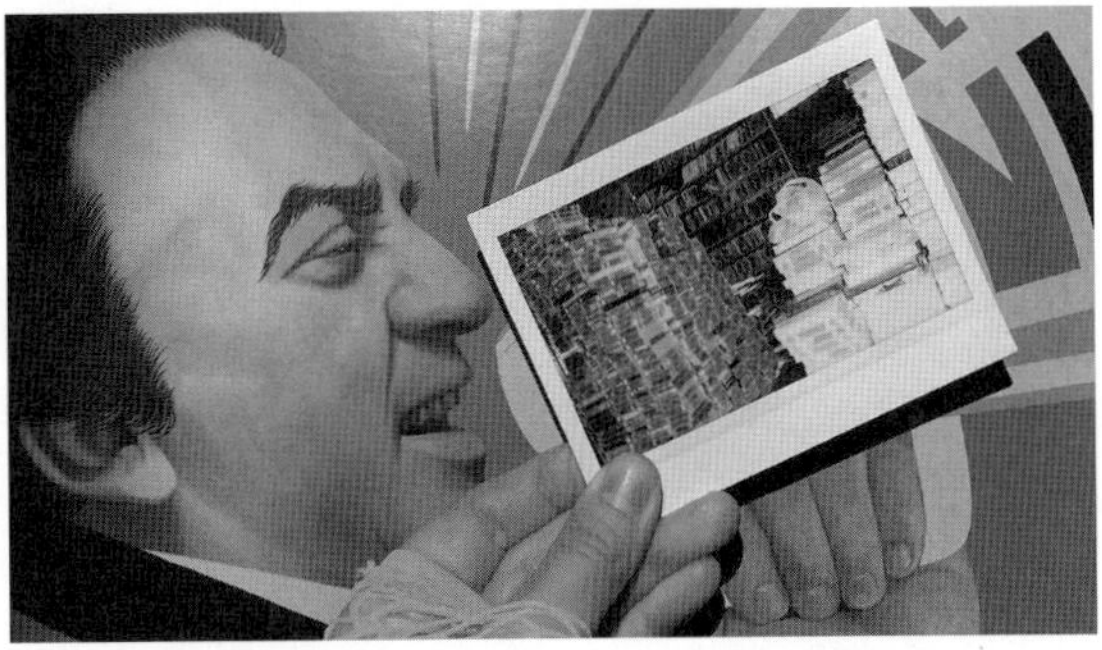
★「キムズ・ビデオ」（監督・デイヴィッド・レッドモン、アシュレイ・セイビン／2022）

極の存在と考えられがちだが、それでもアッバス・キアスタロミやモフセン・マフマルバフなど世界的な傑作・佳作を生み出してきた。まさに独自のスタイルで自由を追い求めたのが、**「イーストウッド」**だろう。ある日新聞写真の中に見つけた、米俳優クリント・イーストウッドにそっくりの男の姿。誰だこれは？　好奇心を募らせた監督は、何のあてもないままに南東部の町シルジャンへと旅立つ。外国映画の上映がほぼ禁じられた中で募る、アメリカ映画へのアンビバレントな憧れを、なんとも屈折した形で、しかしユーモラスに描き出していく。

見果てぬ理想とたどり着けぬ現実を描くドキュメンタリー映画

　本企画の上映作品を見比べてみると、アプローチはさまざまだが、ドキュメンタリー映画には、見果てぬ理想とたどり着けぬ現実を描く独特の表現としての側面があることに気付く。楽園を追い求めつつも、たどり着くことができない哀しみに、胸が締め付けられる。

　だが、そんななかにあって、映画に群がる黒い欲望に振り回されつつも、最後に映画を愛する側からの一撃を加えた**「キムズ・ビデオ」**は、楽園への道のりを示した確かな希望となるかもしれない。

　かつて米ニューヨークのイーストビレッジにあったレンタル店「キムズ・ビデオ」は、映画ファンあこがれの地だった。通常は商業ルートで流通しないマイナー作品・前衛作品・海外作品までかき集め、取り扱った本数はなんと五万五千本。ハリウッド映画人の会員も多かったという。だがオンライン配信の拡大とともに市場は衰退。二〇〇九年には店を閉じた。当然、多くのアーカイブが膨大なコレクションに注目し引き取りを申し出たが、貴重な作品に限ってというものだった。社長のキムはあくまで全点まるごとでの保存を望み、地域おこしをもくろむイタリア・シチリア島のサレーミ市が名乗りを上げる。

　だが鳴り物入りで移送されたビデオコレクションはその後ぷっつりと続報が途絶え、アーカイブ設立はいつまで待っても報じられることがなかった。そこで本作品の監督たちはイタリアで突撃取材を敢行。コレクションは雨漏りのする倉庫に棚ざらしになっており、文化振興の補助金をかすめ取るためにマフィアが関与した、詐欺行為である可能性が浮かび上がってきた。

　監督たちはキム社長とともに再びシチリアに向かうが、のらりくらりとかわすサレーミ市側にキムは失望した表情で「もういい」とつぶやく。普通のドキュメンタリーならば、ここで話は終わるだろう。だが監督たちはあきらめない。映画撮影を口実に唖然とするような離れ業を行い、奇跡を実現してしまうのだ。

　報告を受けたキムはあきれつつも、「まったく君たちには負ける」と涙を浮かべながら、監督たちを抱擁する。キムもまた映画を深く愛していたことが分かる印象的な場面だ。映画を撮るという行為は、対象を客体的に記録することだと思いがちだが、積極的に関与することもできる。一歩踏み出したとき、楽園を手に入れることはできるのかもしれない。

　今回の映画祭でも、監督・研究者・評論家などさまざまな映画人が集い語り合うトーク企画「〇〇ナイト」に力が入れられていた。映画を観て、語り合うという行為自体に、楽園をたぐり寄せる力があるのかもしれない。そんな手ごたえを感じさせる八日間だった。

提供：山形国際ドキュメンタリー映画祭

大小島真木『千鹿頭 CHIKATO』
原初からの生態系を探求し人間をみつめ直す

◉文＝ケロッピー前田(身体改造ジャーナリスト)
※カラー図版↓16ページ

縄文から続く最も古い儀式や信仰の形を残す諏訪にて、リサーチと滞在制作を行ったアートユニット大小島真木の『千鹿頭 CHIKATO』が開催された。これはアートコモンズ「対話と創造の森」(長野県茅野市)の2022年の滞在アーティストとして制作したもので、調布市文化会館たづくりによる「共生」をテーマとする「調布×架ける×アート」の第一弾としての展示だ。

大小島真木といえば、2017年にTara Océan(タラオセアン)財団が主催する太平洋プロジェクトにアーティストとして選出され、海洋環境調査船「タラ号」に約2ヶ月滞在したことからから生まれた「鯨の目」シリーズがよく知られている。彼女は、生命の循環と共生といった大きな生態系の中で人間のあり方をみつめるスタイルで、人新世の時代のアートを先取りする存在として注目されてきた。2023年にかねてより制作に関わっていた編集者・辻陽介との本格的な協働制作体制に入り、名称をそのままにアートユニットとして活動している。

そして今回、大小島の新作は、長野県茅野市を含む、諏訪と呼ばれる土地と文化にフォーカスした。なぜ、諏訪なのか？大小島は「呼ばれちゃったんですよ」とストレートな一言を返してきたが、実際、「対話と創造の森」

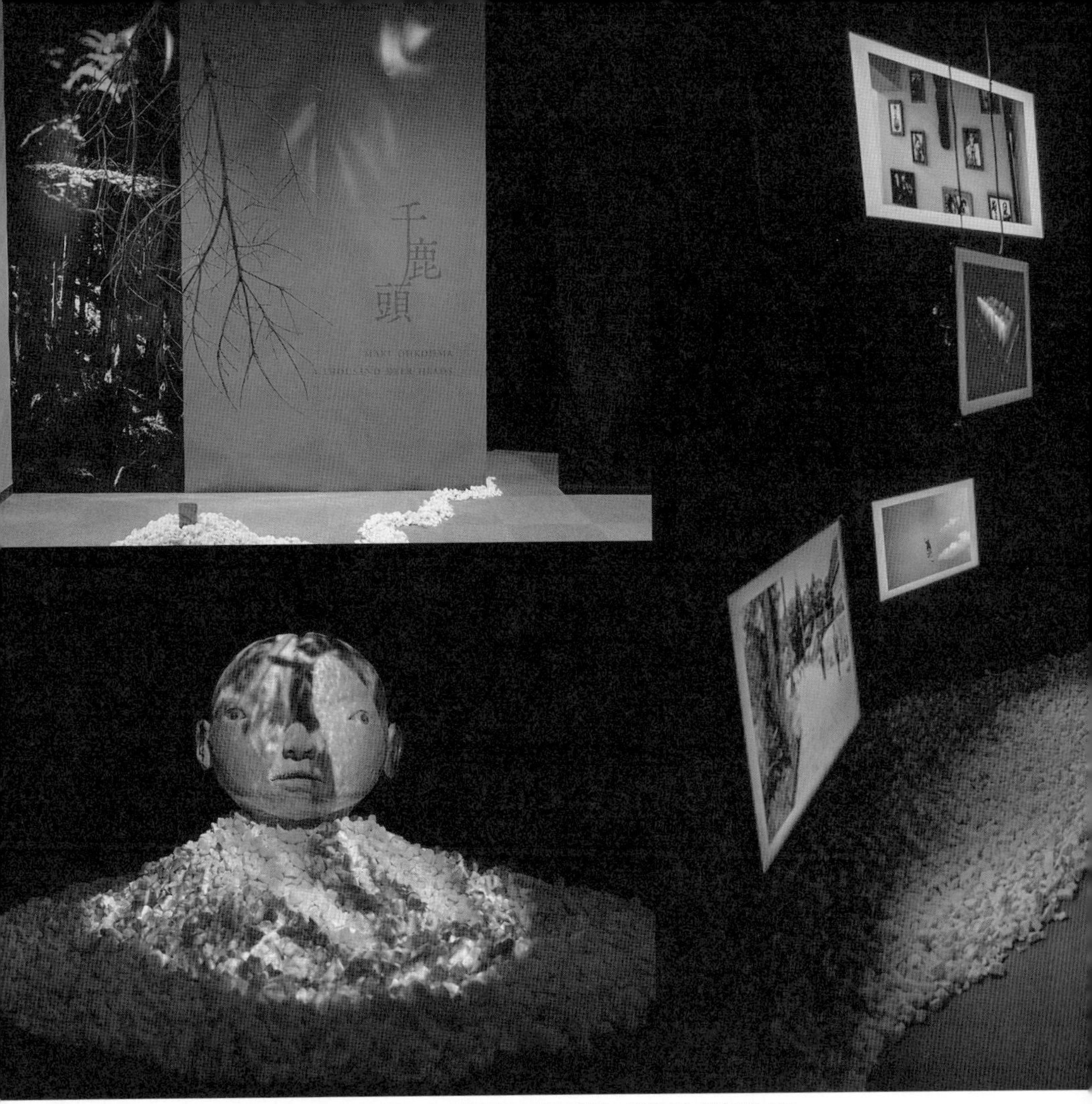

★(3点とも)『千鹿頭 CHIKATO』展(調布市文化会館たづくり)より＝(左上)《境界》2023(左下)《ドグラマグラ》2023／写真：Akimi Ota

のアートディレクターの四方幸子から直々に声がかかったのだという。それは、諏訪・八ヶ岳地域が持つ、中央構造線とフォッサマグナの糸静線が十字に交差している特異な地形と、そこから生まれた自然信仰や文化が連綿と守られてきたという特殊な歴史から、日本文化そのものの根底を探究していこうという企画である。

そのような念入りなリサーチとそれを活かした制作とのつながりを反映するように、本展は入口から一番奥の部屋で上映されている映像作品まで、洞窟あるいは体内もしくは子宮のような暗がりにどんどんとわけ入っていくような構成になっている。

具体的には、入口には天井から大きな樹木が逆さに吊るされ、ヒスイの石を天辺に据え付けた小石の山からは臍の緒のように延長された小石の道がカーテン内の闇の世界に続いている。続く《根源的不能性》と題されたインスタレーション空間では5つの映像作品、その向かいに大きな絵画作品や立体作品が配置され、その奥の空間では床中央に大きな胎児の頭部を模った陶器に胎児の夢を連想させる万物の歴史のイメージが投影されていく《ドグラマグラ》という作品や、母の像とされる絵画作品、鹿の罠猟を捉えた連作写真が並ぶ。その次の空間には正五角形で構築された

★（右頁と左頁上）『千鹿頭 CHIKATO』展（調布市文化会館たづくり）より／写真：ケロッピー前田
＝（右上）《御贄ノ王国ニテ鹿ヲ仕留メタルコト》2023（右下）《根源的不能性 Radical impotency》2023（左上）《SHUKU》2023

正十二面球の中に鏡とLEDで作られた子宮と胎児をモチーフとする作品《SHUKU》があり、その奥で37分に渡る叙事詩的な映像作品《千鹿頭 CHIKATO》を観ることとなる。

諏訪での滞在制作については、パートナーの辻も重要な役割を担ったことを強調する。「諏訪の話が来た時、ちょうど北村皆雄監督の『チロンヌプカムイ イオマンテ』という映画の宣伝に関わっていて、北村さんたち古部族研究会の諏訪研究三部作『日本原初考』を知っていました。運命的に次のバトンを渡された気持ちで取り組みました」。そして、「ドルメンと会うといいよ」と北村に言われて、紹介されたのが本展のビジュアルイメージになっている顔を赤く塗った森の住人を思わせる老人、民俗学者にして図像学者の田中基《もとい》であった。最初の対面のときから田中と意気投合した2人は、田中が長年探究し続けていた諏訪研究の成果である「胞衣《えな》と胎児」というテーマを引き継ぎ、メインの映像作品や本展の作品インスタレーションを組み上げたのだ。ここでいう「胞衣」とは、子宮の羊膜のことである。

もうひとつ、辻が関わったことで鑑賞者の目を惹く要素となったのがタトゥーだ。入口付近の映像作品は日本列島の原初の傷について解説しているが、そのひとつでは辻は頭

にタトゥーを彫ってもらっている。辻曰く、「フォッサマグナという地質的な原初の傷が塞がることで日本列島ができたように、人間は頭蓋骨の原初の傷である大泉門が閉じていくことで大人になっていく。今回、タトゥーによってその傷を見える形で再び自分に刻みたいと思った」といい、帽子を脱いで頭の細い墨のラインを見せた。同時に彼は、筆者も関わる彫師・大島托の縄文族プロジェクトのモデルの一人として、他の縄文族たちとともに映像作品では全身に施された古代の文様を晒した。

　本展を理解するためのキーとして、同時期に原宿 HARUKAITO by Island で開催されたもう一つの個展『私ではなく、私ではなくもなく"not〈I〉, not not〈I〉"』(2023年9月30日〜10月22日)があった。大小島は「ギャラリーの展示では絵画作品も多く、メディウムが違うと違って見えるけど、作品に込められた思いは地続きです」という。本展がある意味、諏訪という地形や生態系を俯瞰で眺めているとするなら、原宿の展示は作家自身の視点から見える生態系の変幻自在な姿だ。「自分とは生物たちの絡まり合いで作られている」という彼女の言葉に現れているように、これまでの境界線を取り払い、ぼんやりとした視界の中に新しい美を見つけていこうという姿勢が新鮮だ。それはある種、大自然の中で耳を澄ましたときに聞こえる音のように、人間が存在する以前からあった美しさの世界でもあり、人間がいなくなったあとにも存在し続けるものかもしれない。

　次回作は、メキシコでの滞在制作が決定している。今年3月から一年間、文化庁海外派遣制度による新たなリサーチと冒険の旅が始まるというのだ。メキシコでどんな新しいものが生まれるのか、これからの生命のあり方を問い続ける大小島真木のさらなる飛躍に期待が高まる。

★『私ではなく、私ではなくもなく"not〈I〉, not not〈I〉"』展(HARUKAITO by island)より
写真:Naoki Takehisa

大小島真木(おおこじま・まき)
東京を拠点に活動するアーティストおよびアートユニット。「絡まり、もつれ、ほころびながら、いびつに循環していく生命」をテーマに制作活動を行う。インド、ポーランド、中国、メキシコ、フランスなどで滞在制作。2017年にはTara Ocean財団が率いる科学探査船タラ号太平洋プロジェクトに参加。近年は美術館、ギャラリーなどにおける展示の他、舞台美術なども手掛ける。2023年より、かねてより制作に関わっていた編集者・辻陽介との本格的な協働制作体制に入り、以降、名称をそのままに、アートユニットとして活動している。
公式HP https://ohkojima.com/

※大小島真木「千鹿頭 CHIKATO」は、2023年10月7日〜2024年1月14日に、東京・調布の調布市文化会館たづくり・展示室にて開催された。

近代化によって失われたものを愛した責め絵師

伊藤晴雨

※カラー図版↓8ページ

伊藤晴雨。明治15年に生まれ、巧みな技術で迫真の責め絵を描いた、その筋の大家だ。責めを好むとはどういうことか、責めの種類にはどのようなものがあるかなど、真摯に研究した名著『責《せめ》の話』なども著している。

その晴雨は、責めによって、責められる側の顔や身体の表情、または心情がどのように移ろうか、写真に撮ることにも興味を示し、指示して写真家に撮らせたり、好事家たちの撮影会に赴いたりしていたようである。一般人は写真撮影などできない時代の話だ。

その写真がどのようなものであったか、東京・飯田橋にある、日本で唯一のSM・フェティシズム専門図書館（会員制）・風俗資料館の所蔵写真からそれを垣間見ることができる。その中から厳選した写真をまとめたのが『伊藤晴雨の世界1［秘蔵写真集］責めの美学の研究』だ。さまざまなパターンを試みようとする様子が、まるでドキュメンタリーのように生々しく写真におさめられている。

また風俗資料館は、伊藤晴雨の原画やラフスケッチも所蔵しているが、その原画の中には、好事家が自分のために晴雨に依頼して描かせたものもあるという（カラー8頁の作品など）。好事家は晴雨の絵の中に、自分が夢見た理想郷を具現化しようとしたのだろう。なにしろ迫真の場面を描き出す技量を持つ晴雨である。好事家はさぞご満悦だったにちがいない。

さてその晴雨は、一方で、幽霊画の傑作も多く残したほか、江戸の市井風俗をこよなく愛し、江戸風俗にまつわる書籍も著した。明治・

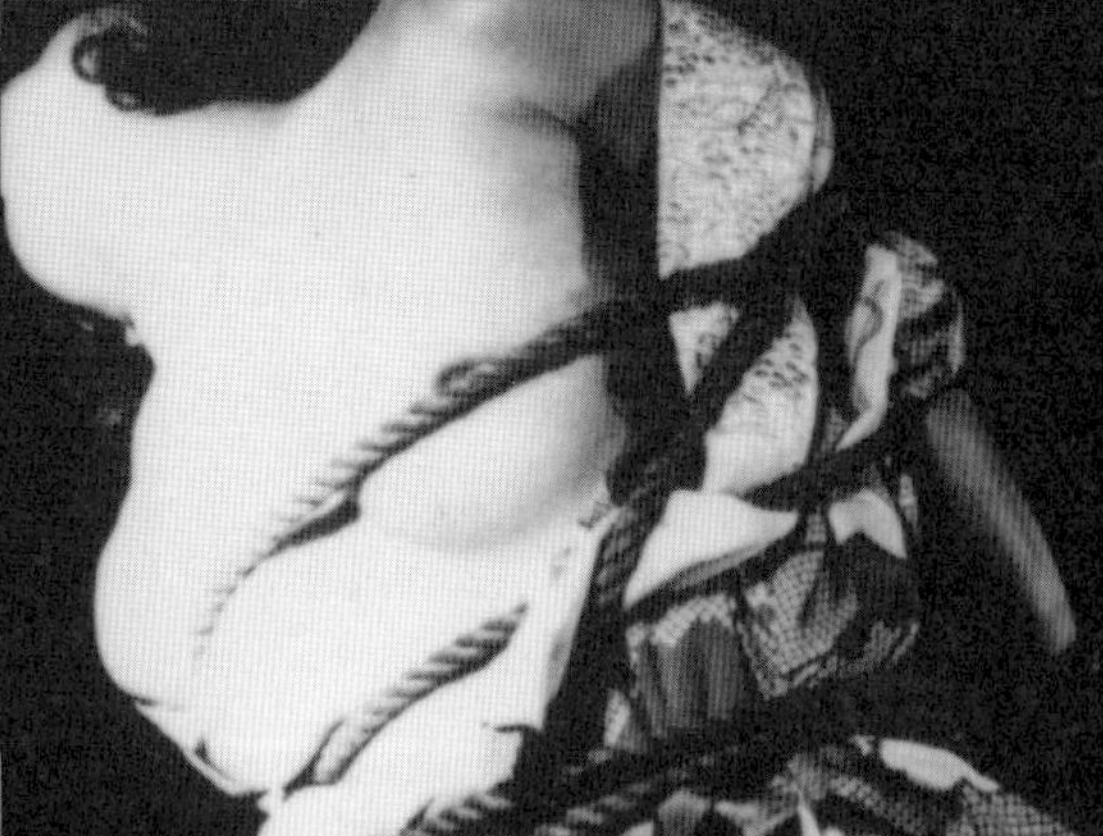

大正と急速に近代化されていく日本において、晴雨は、江戸風俗や幽霊など、失われゆくものをこよなく愛していたのだ。
　晴雨はもしかして、責めについても、同じ思いだったのかもしれない。近代化によって漂白されていく人々の情念を、責めによって再び浮き出させ甦らせようとしたのではないかと。それは邪推だが、しかし、いまなお晴雨の絵を見れば、その情念のほとばしりに圧倒されてしまうのである。（沙）

★「伊藤晴雨の世界1［秘蔵写真集］
責めの美学の研究
～風俗資料館 資料選集」
A5判変型・カバー装・128頁・定価税別2000円
発行・アトリエサード／発売・書苑新社
好評発売中!

★「伊藤晴雨の世界2・風俗資料館秘蔵画集」（仮題）
2024年2月発売予定!

※右頁は「伊藤晴雨の世界2」より。左頁は「伊藤晴雨の世界1」より。

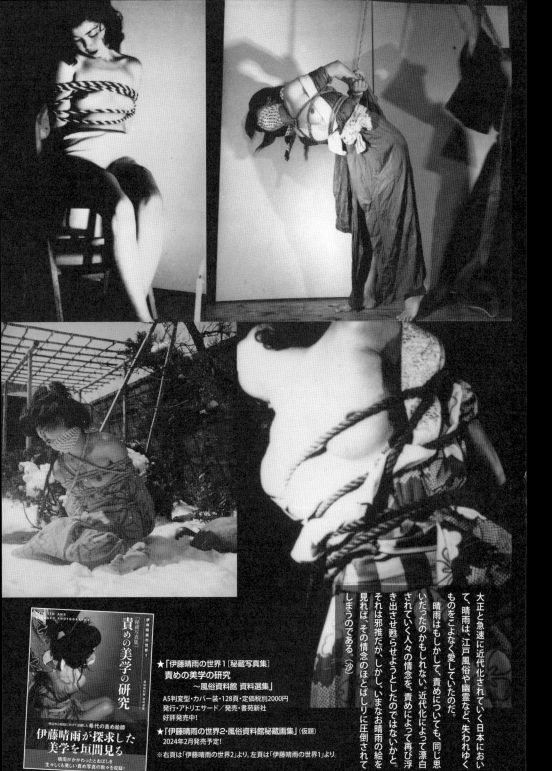

布団のなかの素敵な世界

◉文＝日原雄一（精神科医）

LOST PARADISE

さいきん家ではずっと布団のなかにいる。さむいしだるいしねむい。だから横になって石になっている。そのうち石になって砂になって、どろどろと溶けてしまいたい気持ちだが、世の中おもうようにはいかない。

梅崎春生『ウスバカ談義』収録の『寝ぐせ』には、こんな文章もある。「寒くなると、蒲団が恋しくなる。一旦蒲団に入れば、そこから出るのがいやになる。いやになるから、朝眼を覚ましても這い出さない。朝飯を枕もとに運んで貰い、横臥したままひとりで摂取する。昼飯時になると、昼飯もまた枕もとに持って来させる。事情が許せば、そのまま夕方まで寝ているが、たいていの日は事情が許さない」。

私の場合も事情が許さない。具体的に言うと、枕元に朝食や昼食を置くスペースがない。積んである本やDVDで占拠されている。

飲みものは麦茶とコーラのコップをなんとか置けているが、うっかりねがえりを打った拍子にひっくりかえしたりするから油断できない。そろりそろりと気をつけながら、ピノにやけによく似たまいばすけっとのミニチョコアイスを食べていたりする。あとおせんべやカップ麺も食べれる。寝酒も込みで、アルコールも摂取したりする。あれ、けっこう食欲も満たせているのである。

欲求すべて満たせるところ

人間の三大欲求の、睡眠欲と食欲も満喫できるオフトンのなか。のこるは性欲だけれど、もちろん、性行為も布団やベッドのなかでおこなわれるものである。朝、めざめたくないけれどめがさめてしまうと、先にペニスだけおきていたりする。ずいぶんあつく硬くなっているから、そのまま自慰行為に至る朝もある。スマホでXビデオやFANZAやメンズラッシュの動画をひらいたりして、ずいぶん便利なのである。さいきんは廉価なアダルト動画でも、美少年や美少女たちががんばってくれているから、こっちの行為もはかどるのである。メンズラッシュの『ゆるふわ系男子とキリっとしたイケメンが今度はお風呂でイチャコラSEX☆』なんてのが、一九五〇円で買える。このトーキングヘッズ叢書よりかちょっと高いが、可愛い美少年やイケメンさんたちの交合が、こんな値段で楽しめる。食品も物品も何もかも値上がりしてるせちがらい世界情勢のなか、日本のアダルト動画はこんなに安い。横になっていながらにして、三大欲求すべて満たせる。このようなありがたい空間を、楽園と言わずしてなんと言おうか。

そういえば寝具の西川の広告を、羽生結弦さんがやっている。羽生くんの可憐さ、愛しさに、よく似合ったブランドである。その羽生くんが、マスコミの追っかけやストーカー被害で離婚しなければいけないなんて、本当にひどい世の中だ。羽生くんにはガチでしあわせになってもらわないといけないし、オフトンのなかでも優勝してもらわないといけないのに。きょう下ネタ率高くてキショいですけど大丈夫ですかダメですね。

蒲団のそとの世界は寒い

けれどもこの楽園に、ずっと居るわけにはいかない。梅崎春夫もいうように、仕事やら何がしかで「たいていの日は事情が許さない」。やむなく布団から這い出ることとなる。

打首獄門同好会の『布団の中から出たくない』は、ＭＶアニメもYouTubeで公開されているが、布団の中からちょっとでも出ようとしたとたん、そこは極寒の地なのである。でも、尿意もでてきたりするから、「不本意ではあるが 誠に遺憾だが 愛しの布団を去って トイレに行かなくちゃ」いけない。

尿意を済ませたら、もう仕事に行く時間が迫っていたりする。こんなに寒い世界に、布団というパラダイスから去って出ていかなければいけないのは、ほんとうに不本意だし遺憾なことだ。どこかに抗議したい気分だけれど、どこに抗議したらいいのかわからないから、とりあえず岸田さんが悪いことにしておく。

総理公邸のオフトンは、どんな具合なのであろうか。とりあえずうちの病院の当直室のベッドは、わりと硬くて困るのですが。なおさら家のオフトンが恋しくなる。

家の布団は、もちろん万年床だけれど、フカフカだしあったかい。寝酒用に、アルコールももちろんある。ただ寝ていると時おり、本やCDの山がくずれてくるからたいへんだ。本といっしょに、上に座ってもらってるアザラシのゴマちゃんのぬいぐるみもなだれこんできたりする。

シロイ、シロイ死にざま

宮崎駿監督『千と千尋の神隠し』では、湯婆婆の子・坊は、大量の巨大なぬいぐるみのなかで眠ってる。そして、千尋をぬいぐるみの山のなかにひきずりこむ。坊はもちろん神木くんで、千尋は柊瑠美です。おお、けっこうなおねショタですね。蒲団ではないけど寝床としては、これはこれで楽園な感じがあります。その坊も、あとで銭婆婆にネズミに変えられてしまうのだが。こんどはケモショタになるわけですね。

田山花袋の『蒲団』はまさに、もうそこにない楽園のひとを想った作品だ。主人公の作家・竹中時雄はちょうど私とおなじ歳ごろ、三十四で、弟子の女学生・芳子を書生として家に置くが、自分のものにならず破門する。そして、芳子が用いていた萌黄唐草の敷布団と、寝間着をとりだすと、「女のなつかしい油の匂いと汗の匂いとが言いも知らず時雄の胸をときめかした。夜着の襟の天鵞絨の際立って汚れているのに顔を押附けて、心のゆくばかりなつかしい女の匂いを嗅いだ」。

嗅ぐのである。当然である。きょうホント下ネタが過ぎますね。このあと、「性慾と悲哀と絶望とが忽ち時雄の胸を襲った。時雄はその布団を敷き、夜着をかけ、冷めたい汚れた天鵞絨の襟に顔を埋めて泣いた」。

わかる、とおもうのだ。田山花袋は『少女病』もすごくて、杉田古城という三十七の文学者は、「どうも若い女に憧れるという悪い癖がある。若い美しい女を見ると、平生は割合に鋭い観察眼もすっかり権威を失ってしまう」。それがために、「ついにはこの男と少女ということが文壇の笑い草の種になって、書く小説も文章も皆笑い声の中に忘却されてしまった」。それだけでなく、美少女の姿に見とれて、ついには命も落とす羽目になる。

蒲団のなかに居ればよかったのに、とおもう。布団のなかでぬくぬくと、FANZA動画の『街で見かけた超絶可愛い女子校生は竿あり玉ありのニューハーフちゃん。』でも観ていれば死なずとも済んだのに。

けれどもこうもかんがえる。美少女の姿を見ながら死ねたのは、実にいい死にざまではないかと。

谷川ニコの『海浜秀学院のシロイハル』は、よりよいオナニーを追及するため、研究を重ねる叶くんたちの物語だ。三本立ちの体位や、カップラーメンオナニーやら、授業中にペニスを露出させていたりする。ここでひとつざんねんなのは、東海林さだおの漫画でよく描かれるような、布団のなかでのいわゆる「自家発電」がえがかれてないことだ。布団のなかでそうして、そのまま眠る快感はとてつもないものがある。そのまま死んでしまっても、テクノブレイクと呼ばれるのだろうか。

時とともに消えていく何かを感じながら、今も布団にいる

布団とともに消えていく

事後のぼんやりした意識のなか、しとしとと降る雨の音が聞こえる。冬の雨だ。からだはほてっているが、外はきっととても寒いのだろう。なおさら布団からでたくなくなる。天野忠『余韻の中』の、『時の流れ』にはこうある。

「風邪をひいて三日続けて勤めを休んだ。

その間中、雨が降ったりやんだりした。こちらもねたり起きたりした。もうすぐ退職の手前で、ずるけ休みのように思われるのが癪と思うが、どうも躰のほうで無理せんでもええやないかと調子を下げているようでもある。

それに甘えた恰好に、ねたりおきたりのこのだらけ方にも、どこか痒いところへスーッと指の先が触れていくような気持よさがちょっとある。

こんなに悠長な構えで、曇った空や、ビタビタ降る雨の音や、時たまキッキッと鳴いてとんでくる小鳥の声やを、見たり聞いたりしたことがない。時間というものは手にとれないが、眼や耳で、時間を背負うて歌ったり飛んでいったり降ってきたりするものの在り方を、とらえることができるような気がする。

時の流れとか、時の移り方とかよくいうが、それがどこか自分を外に置いて流れていくもの、移りゆくものとしてとらえられるのが普通のようである。自分に何の責任もないという感じである。

ところが今の自分には、それこそ他人事でない感覚で、躰のこまかい細胞の一きれ一きれみたいなものが、ふっとはがれて、ひらひら風に舞うようにして、虚空に散っていくような感じである。

年をとるとこんなことで、時間について元気なものになるらしい。太宰治ではないが、この世の真実は一つ、すべては過ぎ去るということ、それである。キッキッと鋭く叫ぶようにして、時おり家の小さな庭の上をとぶ小鳥の、その神経にひびくような叫び方にも、目方にしたら何グラムというような時の重さをのせて消えていく何かを感じるのである」

名文だからつい長々と引用してしまったが、まったくそのとおりだ。去っていく時間の重さを感じながら、今も私も布団にいる。からだの言うとおり、私もずっと布団に居たいけれど、やっぱり事情が許さない。愛しの布団を去りながら、かなしみに暮れている。愛しの布団とともに消えていきたい気持ちを胸に、髪に寝ぐせもついたまま病院の外来診療がはじまる。診察室には消毒用のアルコールもあって、今夜の寝酒はなににしようかと、ぼんやり考えるのである。ヴァレリーの『失はれた美酒』を思い出す。虚無にささげる供物のために、私はアルコールをちょっと噴出してみる。まわりがちょっと消毒されたりする。

REVIEW

絵／村祖俊一「楽園への帰還」

桃源の仙境での、一期一会の美女との歓楽

張文成　遊仙窟

今村与志雄訳、岩波文庫

★明治二〇年代から本格化した言文一致運動の端緒のひとつが二葉亭四迷によるツルゲーネフ「あひゞき」の翻訳であったように、日本近代文学は西洋語からの翻訳による旧態の刷新を契機に成立したといっても過言ではない。

いっぽう近代以前の古典文学を串のごとくに貫き通すのが、〝色好み〟を肯定的に見る情趣のありようだ。古くは平安前期の『伊勢物語』から井原西鶴の好色物、江戸後期の洒落本にいたるまで、男女の恋愛と交情は、日本文学の主要テーマでありつづけ、花鳥風月や四季の移ろいにもののあはれを重ね見る価値観とともに、日本の文学風土を特徴づけてきた。そして、そこにおいて明治期の翻訳にも比すべき大きな外的影響を及ぼしたのが、『遊仙窟』という中国初唐の伝奇小説なのである。

話の筋は単純で、旅の役人が神仙境に迷い込み、ふたりの美女と邂逅して、豪奢絢爛たる屋敷で歓楽の夜を過ごすうちにその片方と情を通じ、朝を迎えて名残惜しく別れるというもの。高楼がそびえ立ち装飾の凝らされた屋敷の結構は浦島太郎伝説の竜宮城さながらであり、玉手箱を開けた主人公が白髪の老人と化すというような結末の大きな落差こそないものの、楽園がもはや再訪のかなわぬ幻境となる点で今号の特集テーマとも響き合う。

これを日本に持ち帰ったのが奈良時代の遣唐使のひとり（山上憶良という説もある）とされ、中国から日本に伝わった最初の小説に位置づけられる。性交描写のある小説として中国で二番目に古く、遊里での体験の再話であることも半ば明らかで、その艶笑的な要素が低く見られてか本国では早くに散逸してしまったが、日本では対照的に重んじられ、万葉集で大伴家持や山上憶良が詠んだ歌にその影響が顕著であるほか、『和漢朗詠集』、『源平盛衰記』、『南総里見八犬伝』、さらに明治の『佳人之奇遇』に至るまでに波及が見られるという。

その理由は恐らく、日本古来の歌垣の風習だ。若い未婚の男女が歌を詠み交わして求婚をする。『遊仙窟』も主人公の役人と十娘という仙女が詩を贈り合って少しずつ距離を縮めるという展開で、まさしく歌垣さながらだし、神仙境と遊里が二重写しになるような筆致も共感を呼んだと思われるのだ。

岩波文庫の訳書は、詳細や訳注や写本の影印も含めた資料性の高いものだが、四六駢儷体という華美な対句様式が難解で、そのまま読んでも楽しむまでは難しかろう。

そこでお薦めなのが、この分野の権威である土屋英明氏によるわかりやすい新訳を収録した『中国艶妖譚』である。もはや新刊の入手は難しいかもしれないが、古書が多く出回っている。（待兼音二郎）

人生で味わった辛苦が多いほど胸に迫る言葉の数々

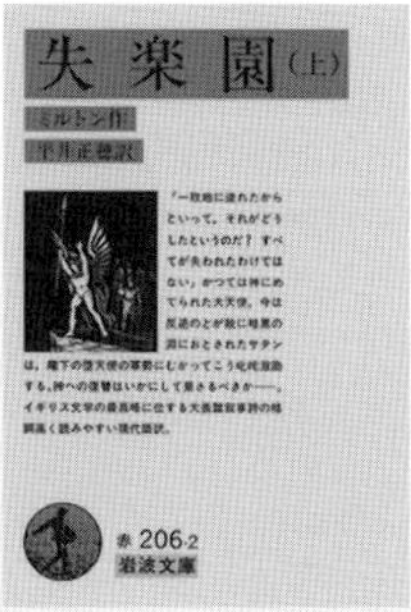

ミルトン
失楽園

平井正穂訳、岩波文庫（上下巻）、各1160円

★失楽園とは、アダムとイヴが神に食すことを禁じられていた木の実を口にしたことで人類最初の罪が生まれ、楽園を喪失することである。が、それ以前に天使ルシファーも神に反逆したことで天国を追われ、堕天使サタンになっている。十七世紀イギリスの詩人ジョン・ミルトンによる宗教叙事詩『失楽園』においては、このサタンの存在感が極めて大きい。冒頭で詩神への呼びかけが歌われた後、最初に口を開くのはサタンだ。

サタンの弁舌は巧みで、失墜した己の逆境からの再起を図り、反逆天使の仲間たちを鼓舞する言葉は力強く勇猛である。ただ、絶対的存在である神の力によって天国から駆逐された境遇にあって、「希望があればその希望から、どのような再起の力をかちとることができるか、そしてもし、それが不可能ならば、どのような決意を絶望からえられるか」（十七頁）を仲間と相談するサタンに不撓不屈の精神を読み取り、励まされるのは誤読であろう。サタンの謀略は全て神に見透かされているのだから。

しかし、そんなサタンの言葉に人間的魅力を感じてしまう描写が多いのも確かである。悔しさや悲しさが生々しく描かれているのだ。宗教叙事詩とはいえ、音楽に例えればルネサンス時代のポリフォニー音楽のような静謐さではなく、金管楽器や打楽器を加えたオーケストラに大合唱を加えた、後期バロックの華やかなアンセムを彷彿とさせるところさえある。特に、神に従う天使の軍勢が、サタンとその仲間たちに対峙しようとする場面では、天上に響く喇叭を聞き、「今や、神の如く凛然たる二人の指揮者の指揮下に属し、神のために、また神の定め給うた救世主のために、危険をものともせず勇往邁進しようとしていた彼らの心は、この楽の音によって一段と鼓舞された」（二七八頁）と、音楽の力を示す描写もある。両軍勢の戦闘場面は迫力に満ちている。

サタンは武力で勝利できないが、蛇の身を借りてイヴに甘言を弄し、禁断の木の実を食べるように促す。イヴとは一心同体のアダムもこれを食べ、原罪を犯してしまう。たちまち二人は情欲に駆られ、その後裸であることを恥じる。最初の人間が犯した罪は、子々孫々まで続くことになり、生に伴う様々な苦痛が与えられ、絶望し、楽園を追われる。ただ、『失楽園』最後に歌われるのは、マサッチョがフレスコ画に描いたような哀切極まるアダムとイヴの姿ではない。大天使ミカエルは、カインとアベル、ノアの箱舟などの旧約のエピソード、さらにその後のキリストによる贖罪、そして長い歳月を経た後に現出する地上の楽園について語り、アダムに希望を与える。そして、アダムはイヴと共に手を繋いで歩みだすのだ。

学生時代、『失楽園』を原文で読む授業に出ていたが、難解な英文の構造や意味を把握することで精一杯だった。しかし、後になって読み直すと、キリスト教徒であろうとなかろうと、人生で味わう苦しみや悲しみが多ければ多いほど、『失楽園』には胸に迫る言葉が多いと感じる。（市川純）

初恋の少女との思い出の中に閉じこもる

村上春樹
街とその不確かな壁
新潮社、2700円

★作家の村上春樹による新作長編小説『街とその不確かな壁』（二〇二三年）を、とても面白く読んだ。

もちろん（というか、毎度のこととして）この作品に、一部の批評家から批判的な意見が寄せられていることを知らないわけではない。たしかに本作において、この作家が九〇年代から掲げてきた「社会」や「他者」に対するコミットメントの意志は確実に後退しているし、その実践としてしばしば作中で行われてきた大文字の〈歴史〉（虐殺や戦争犯罪）への接続も、消滅してしまっている。しかしだからこそ自身の内面に篭もって他者へのデタッチメント（関わらないこと）を貫いていた頃の春樹に、社会的な「正しさ」とは無縁なところで好きなように小説を書いていた頃の春樹に、久々に再会できたように思うのだ（本作が一九八〇年に発表された中編小説『街と、その不確かな壁』を下敷きにしていることも、おそらく大きい）。本稿ではそれをデタッチメントの象徴としての〝楽園〟とその場所からの脱出というテーマから考えてみたい。

本作の主人公は、十七歳の少年。彼には一歳年下の恋人がいて、高校生らしい清い交際と文通を重ねることで心を通じ合わせている。しかしある日、彼女は唐突に主人公の前から姿を消してしまう。

初恋の少女への想いを胸に、異性との経験のないまま四〇代を迎えた主人公は、ある日道路に開いていた穴に落ちたことをきっかけに、現実とは異なる世界へと辿り着く。そこはかつて主人公が少女との文通の中で作り上げた、空想の中にしか存在しないはずの街だった。一度入ったら二度と出ることはできないという高い「壁」に囲まれたその街で、主人公は思い出の少女と再会する。身体から「影」を切り離され、少女から「夢読み」の仕事を任された主人公は、そこで感情の起伏のない穏やかな生活を送り始めるのだが……。

現実との関わりのいっさいを拒絶して、初恋の少女との思い出の中に閉じこもる。これは男性にとっての夢（楽園）であり、究極のデタッチメントの形だろう。もちろん作者は「物語」の基本的な倫理として、主人公に現実への帰還（楽園からの脱出）を促す。だがその動機は「切り離された『影』は徐々に衰弱し、やがて死んでしまう」という事実を主人公が知ったためであり、現実世界への関心を取り戻したからではない。そして再会した「影」と行動をともにし、いよいよ現実世界へと通じる抜け穴の前へと立ったとき、主人公は驚くべき決断をする。なんと「影」のみを現実世界へと帰還させ、自分はこの世界に留まる、と宣言するのだ（ここまでが作品の第一部）。

やがてこの「影」は主人公の分身として、現実世界を生き始めるだろう。思い出の少女以外の女性と人生ではじめて深く関わることにもなるはずだ。だがそれはあくまで「影」の達成であって、本体である主人公自身の成長ではない。

小説は主人公の精神的成長を描く。しかしいっぽうで、わがままな読者は小説の作者に対し、そのような呪縛から自由であってほしいとも願うのだ。（梟木）

見えない世界を見る冷厳な認識の先に到達する楽園

八杉将司
ハルシネーション

「ハルシネーション」「私から見た世界」他を収録／SFユースティティア（電子書籍）

★八杉将司は2021年12月に逝去した。

私は彼の全作品に「継承」というテーマがドンと貫いていることを知り、それについて書いたことがある。いくつもの作品が全く同じ話になっていて、それは「人類の全遺産をいきなり相続、継承させられてしまう」というものだった。それに対して受容するというラストまで一緒。

私の解釈として、一生を通じて八杉将司は「なぜ自分が人間として生まれて生かされてしまったのか」と周囲に言い続けていたのだ。誰も答えてくれるはずはない問いを。

そういった明らかに「人間世界に住むのが苦痛」という主調音から跳ね返るこだまのように八杉作品のあちこちで「楽園への探求」が主題になっているのも自然だった。今回はそれについて書く。

たとえば長編「delivery」はいくつものアクションやドラマの後最後に暗黒空間に飛び込んでしまう。SF的には壮大な話なのだが、あそこにどうしても生命をかけてまで突入する必然性はというと、まだ穏便な方法は別にあったとしか思えない。

ではなぜ。

暗黒空間の向こうに、もしかしたら、かれにとっての楽園が見えていたからだ。

私が現在のところ一番ヒントにしているのは短編『ハルシネーション』と『私から見た世界』

この2作品。ラストが違うだけでほぼ同じ話なのである。信じられないが本当なのだ。簡単に言ってしまうと、意識を保ったままどんどん世界が変容していく。見えなくなっていく。代わりに見えないものが見えてくる。

これが八杉将司の楽園へ到達する方法だった、としか思えない。他の現実逃避作家とは違い彼は『そんなに簡単に違う世界にいけるはずはないじゃないか』という冷めた因果な理解に最初から到達していた。

今見えているものをすべて見えなくしなければ、見えない世界を見ることはできない。そういう冷厳な認識がすでに八杉将司の中にあり、だから『まさかあれが楽園なのか』という到達点になるのもその冷厳さのため。

そして両作品で楽園とは多分『郷愁』を連想させる過去の懐かしい空間ではないかと言うことも一致している。あくまで彼にとって楽園とは未来にはなかった。

そこは失われた過去が再現される世界。「ハルシネーション」では失われた人が生きている世界。「私から見た世界」ではさらに一周回って、一度失われた家族が戻ってくる世界。

八杉将司の楽園とはあくまで「ただいま」と帰ってくる世界なのだから。（町井登志夫）

ゲイであるからこそ描いた、健康な女性としての楽園

エルヴェ・ギベール 楽園

野崎歓訳、集英社

★スイス人の主人公「ぼく」の恋人であるジェーンが、珊瑚礁での事故で腹部を割かれて死んだ場面から始まる。ジェーンはかつて水泳のチャンピオンであったにもかかわらず。場所はフランス海外県のマルティニーク、カリブ海の島である。

警察は事故としてジェーンを調べるが、パスポートは見当たらず、ジェーンという女性はどこにも存在しないという。

そして、ここから虚実をとりまぜ、過去に遡っていく混沌の旅行記がはじまる。

水泳の選手だったジェーンは大柄で健康的な女性。身長は182センチ。これに対し、「ぼく」は病気を抱え、薬が手放せない。でも、エイズではない。

何度もジェーンとのセックスが回想される。ピストルをジェーンの女性器に挿入し、そのあと男性器を挿入する、そうした場面が繰り返される。ジェーンはセックスが好きだし上手だ。

「ぼく」は脳に障害を起こし、右半身が不自由になる。それでも身体の中央にある男性器は屹立する。だから、ジェーンによる介護を受けながら、セックスもする。

ジェーンと訪れた先には、フランス領ポリネシアのボラボラ島もある。そこでは陸生のカニが死んだ人を食べている。人は復讐として年に一度、そのカニを捕まえて食べる。

あるいは、アフリカのマリ。ホテルの設備は十分ではなく、氷もない。「ぼく」とジェーンはクラミジアに感染するが、十分な薬はなく、互いにセックスを通じてクラミジアを交互に感染させることになる。そしてそれが原因でジェーンは流産する。

本書の終盤は、時系列が混乱したままの断章がつながっていく。ルーセルやランボーに言及し、アフリカについて語られる。「ぼく」にジェーンとの結婚を勧めていた大叔母のシュザンヌの死も、時系列があいまいなままだ。

本書において楽園とは、マルティニークやタヒチを指すのだろうか。その対極にアフリカがあるのか。けれども、それは健康なジェーンと病を抱えた「ぼく」の対比でもある。だとしたら、ジェーンこそが楽園であり、それが失われ、「ぼく」は廃墟になる、そういう話ではないのか。ゲイであるギベールだからこそ、健康な女性として楽園を描き、その距離感を演出したのではないかと思う。そして現実にギベールはエイズによって楽園から放逐されたともいえる。

エイズで若くして死んだ(正確には自殺なのだが)ギベールの最晩年の作品であり、同じ時期に書かれた「召使と私」とともに、小説家ギベールの最高傑作である(本橋牛乳)

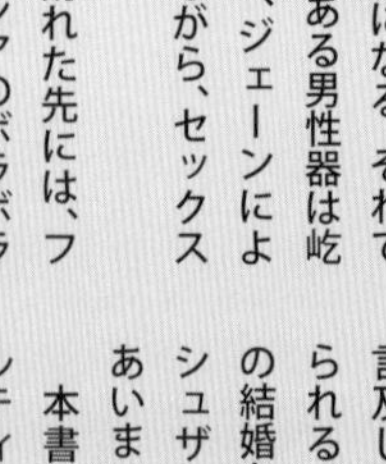

目指していた楽園は、絶滅の危機に陥っていた

楽園の崩壊

ジョーン・D・ヴィンジ

小隅黎・佐治弓子訳、サンリオSF文庫

★惑星モーニングサイトから7人の男女が3光年先にある「楽園」星系を目指して宇宙船レンジャー号でやってくる。この星系には豊かな資源があると考えて、この星系と協定を結ぶことが目的だった。ところが、核融合で飛ぶモーニングサイトの宇宙船に対し、「楽園」星系の宇宙船が攻撃を仕掛けてきた。実は「楽園」星系は内乱によって多くの住民が亡くなり、あるいは放射能汚染によって不妊が広がっていた。「楽園」の宇宙船は化学燃料で飛んでおり、レンジャー号の核融合炉を手に入れようとしていた。レンジャー号はここで帰りの燃料となる水素を手に入れなければ、帰りつくことができない。

とまあ、そんな話で、ストーリーだけであれば、それほど魅力的ではない。しかし、「楽園」(原語ではHeaven、つまり天国なんだけど)がどのようにして失われたのかを考えると、興味深い。

結局のところ、楽園にいる人類は、内乱と放射能で絶滅の危機に陥っている、というのは、現在の地球と何ら変わらない。楽園を崩壊させるのは人類に他ならない。また、生殖能力を持たない女性の仕事は、セックスワークは放射線領域での仕事に限られるというのも、とてもやるせない。「楽園」の社会が崩壊しているのは、男性原理が原因と言わんばかりだ。

それに、レンジャー号の船長であるベサは女性だが、「楽園」では女性が船長になることはなかったため、ベサを奇異の目で見てしまうくらいだ。

そうした中、レンジャー号を助けるシャドウ・ジャックは奇形を持った女性バード・アリンと恋に落ちるところも、彼が「楽園」の価値観と異なっていることを示している。

一方、モーニングサイトの社会は、多重婚社会、すなわち複数の男女が婚姻関係を結んでいる。人類がモーニングサイトに移住したときに、生き残っていくためにこうしたしくみを必要とした、ということになっている。レンジャー号の7人の乗組員も婚姻関係にあったが、そのうち5人は攻撃によって死亡し、航宙士のクリウェルとベサだけが残っている。ベサが最も好きだったエリックも死亡しており、その想いがしばしば語られるものの、クリウェルとの関係の再構築に向かっていく。

この作品の背後にあるものは、楽園に対する語り直し、再構築なのではないか。セクシズムやレイシズムに満ちた社会は楽園を崩壊させてしまうが、そうではない側から関係を作りなおすことができれば、楽園を取り戻せるのではないか。そうしたメッセージがこめられているように思う。

そうした中にあって、スパイスとなるのが、猫のラスティだ。水素を手に入れるために、ラスティと交換しようというのは、ちょっと動物愛護的にどうかと思うけれど、ラスティの愛らしい存在が、「楽園」の人々のメンタリティを多少なりとも変化させるということも、ちょっと見逃せない。

傑作とは言い難いけれど、わかりやすい「楽園」の崩壊である。

(本橋牛乳)

腐敗した教会などの改革を目指し創出した理想国家

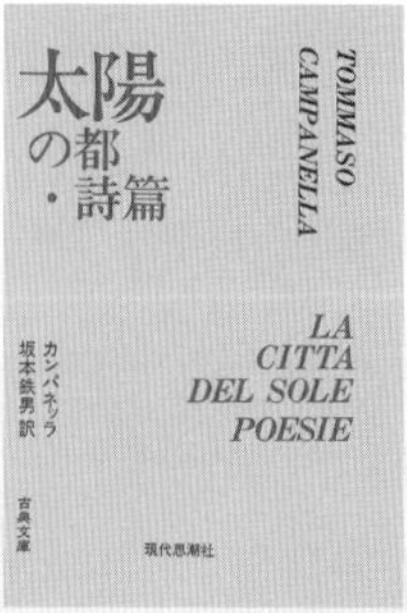

トマソ・カンパネッラ
太陽の都・詩篇

坂本鉄男訳、現代思潮社、1800円

★トマソ・カンパネッラ（1568-1639）は、イタリアの聖職者でルネサンス時代を代表する哲学者でもある。1589年にナポリに赴き、自然科学者ジャンバッティスタ・デッラ・ポルタの影響のもとに魔術・錬金術・占星術・天文学・哲学などについての知識人たちと討論を重ね、91年に『感覚哲学』を出版する。この出版によりドミニコ会により異端視され、宗門裁判所に召喚される。またユダヤ教徒と信仰について議論した疑いで、ローマ教皇庁の牢獄に投じられるなどした。97年に教皇庁に再度捕えられると、牢獄内で宗教改革者フランチェスコ・プッチを知り、その処刑の場面にも立ち会い、その殉死に共感を覚える。

その後もカンパネッラは、占星術に基づく計算で革命に合流し、共和政国家の樹立を企図するなど、腐敗したローマ教会や修道会の改革を目指したが、同志の裏切りに合い頓挫し、逮捕される。審問と拷問に耐え、正気を失ったふりをして極刑を回避するが、狂人と見做され20余年に渡って投獄される。

そして獄中で、『太陽の都』など数多くの著作や詩作などを執筆した。

その後も再収監されるが、教皇ウルバヌス8世の好意によって釈放される。また巷間にウルバヌス8世の詳細な運勢図が流れていると知ると、月食の悪影響を除去する異端的な魔術的儀式を行ったりした。以後も過激な主張や著作の出版を止めず、再逮捕の危険を感じると1634年にフランスに亡命し、彼の地で没している。

『太陽の都』は、トーマス・モアの『ユートピア』やプラトンの『国家』を範として、マルタ騎士団の修道士とコロンブスの航海長をつとめたジェノヴァ人との対話で構成されている。ジェノヴァ人の航海長が世界一周の折に、タブロバーナ島（セイロン）に到着し、上陸を余儀なくされ、先住民から逃れるために密林に身を隠す。やがて赤道直下の大平原に出て、航海長の言葉を理解する大勢の武装した男女に出会い、彼らの都、理想国家であるユートピア、太陽の都に連れていかれる。

広い平原の中の丘に沿って、丘の麓の遠くまで広がる城壁に囲まれた都は、それぞれ惑星の名前がついた東西南北四本の道路と四つ門がある、非常に大きな七つの環状都市からできている。都の頂上には美しい円柱に囲まれた神殿があり、「形而上学者」といわれる全市民の精神的・政治的指導者で、太陽（ソーレ）とよばれる哲人による徳政が敷かれている。

そして『太陽の都』では、労働、教育、性、宗教など生活上の全てに規則を設け、事物の多くが共用される共有制や農本主義などが説かれる。

腐敗したローマ教会や修道院の改革を目指していた活動的思想家であるカンパネッラ。『太陽の都』での理想国家の在り方は、彼の、あらかじめ失われたユートピアへの夢想とその希求の情熱の表れなのだ。（並木誠）

早すぎたし遅すぎた、失われた『世代』

粕谷一希

二十歳にして心朽ちたり
遠藤麟一朗と『世代』の人々

洋泉社MC新書

★中村眞一郎はこう言ったという。「遠藤麟一朗があんな風に崩れかけていったのは、いつごろからのことなんだろうね。私などは想像もしなかったけれど」。
　伝説の同人誌『世代』編集長にして、紅顔の美少年。沼正三『家畜人ヤプー』の主人公・瀬部麟一郎のモデルとも言われた。東京府立一中、そののち一高に進み、芸文に秀でて『世代』を編集。東大経済学部卒後、住友銀行に入行したあと、アラビア石油に転職しクエート勤務ののち、酒に溺れ妻と別居生活のうちに亡くなる。遺品のアクセサリーには、アラビアの美少年の写真があったという。

「常在高貴」を旨とし、倉田卓次も遠藤麟一朗について、「匂うような美少年だった。ノーブルな面長の顔立ちで肌が白く、バック台で汗を書かせた後など紅顔という形容がぴったりに頬の血色が映えて、少年のエロティシズム—誤解をおそれずはっきりいえば、ホモセクシュアルな意味での牽引力—を発散していた」と述べている。「旧制高校という存在に、もしすぐれた長所があったとすれば、そうした同人結成へのこよなき母胎たりえたところにある」。

　遠藤麟一朗については遺稿集『墓ひとつづつたまはれと言へ　遠藤麟一朗 遺稿と追憶』という五百頁近い箱入りの大冊が編まれ、中村眞一郎や武田百合子など多くの著名人が稿を寄せた。が、その発刊に際して、中村稔は東京新聞にこう書いたという。「それでも私は、遠藤麟一朗にふさわしかったはずの栄光は、こんなものではなかったはずだ、という思いを抑えられない」。

　粕谷一希も本書において、「一高時代の遠藤麟一朗は、明らかにこの人世の主役たるにふさわしい能力と風貌をそなえていた」と綴っている。にもかかわらず、遠藤麟一朗も同人誌『世代』の人びとも、ついに「都会の秀才たち」のまま終わる。

　『世代』は目黒書店から刊行され、少し上の一高の先輩・吉行淳之介や中村真一郎は、一流の文学者として遇された。その栄光はなぜ、遠藤麟一朗をはじめとする『世代』のメンバーにはあたえられなかったのか。

　粕谷一希は書く。「明らかに時代が悪かった」と。「遠藤麟一朗の憧れたものは、フランスの宮廷サロンであり、フランス映画であり、宮沢賢治であり、徹頭徹尾、非時局的・反時局的な雰囲気の世界であった。したがって、それは一高の寮生活という小宇宙での密室の囁きでしかなかった」。

　失われた世代。早すぎたし、遅すぎた彼らの世代。本書はその世代を、熱く、しみじみと記録した貴重な一冊だ。『世代』はそうした青春の最後の試みであり挫折であった」。

　自分たちの、あのころを思い出す。四人でつくった同人雑誌。いちばん名をはせているのは、画家をしている結城唯善か。いちばん才能があったひとは、小川まつりという筆名で、ピクシブでイラストを描いてるが。しみじみ私も酒に溺れる。（日原雄一）

社会から居場所を奪われた者たちが囲まれた町

★「楽園」のイメージは人それぞれだ。
　宗教的な〝神〟によって創られた世界に対してその言葉を使う者もいるだろうし、逆に享楽的で現世的なものに囲まれた場所をそう呼びたがる者もいるだろう。映画や小説のなかでディストピアとして提示された、権力者に都合のいい世界だって、何も考えず支配されることを望む大衆にとっては天国かもしれない。二〇二〇年公開の日本映画『人数の町』は、ディストピアSFに属するジャンルの作品でありながら、毎日を「居場所」がないと感じながら生きている人々にとっては楽園と映るかもしれない「町」での生活の様子を描いた、多くの現代人の心に訴える作品だ。

人数の町

荒木伸二監督

　主人公は借金に追われて社会から居場所を失った青年（中村倫也）。路地裏で借金取りから暴行を受けていた彼は、黄色いツナギを着た怪しい男に助けられる。「居場所を用意してやる」とその男に誘われ辿り着いた先は、ある奇妙な「町」だった。「町」の住人は簡単な労働と引き換えに衣食住を保証され、そればかりか部屋番号を交換した者同士でセックスの快楽に溺れることもできる。絶対に越えてはならないとされる「町」を取り囲むフェンスの存在や、誰のためか、何のためかもわからない不可解な労働の作業に戸惑いを覚えながらも、主人公は「町」での生活を受け入れていくが……。

　ヤラセレビューの投稿、飲食店のサクラ、特定の候補者への選挙投票……。主人公たちが課せられる「簡単な労働」は、昨今なら〝闇バイト〟に分類されてしまいそうな、非常に怪しいものばかりだ。だが主人公を含めた「町」の住人たちは、生きるのに必要な食糧を得るために……というような切迫感もなく、外に出るための暇つぶし感覚でそれらの仕事に手を染めてしまう。意志を奪われた人間の怖さというのはディストピア作品において何度も描かれてきたが、ここまで〝怖さ〟を感じさせない（日常の一コマとして、むしろユーモラスに提示される）描き方は、映画史的にもかなり稀だ。しかし同じ時代を生きる私たちから見て恐怖を感じないという点にこそ、本作がもつ本当の恐ろしさがある（新しい住民として「町」に運ばれた人々は、特に疑問をもつ様子もなく頭にチップを埋め込まれてしまう）。

　それでも主人公は、やがて「町」の外に出る理由を見つけ、仲間とともに脱出のための計画を練っていく。だが仮に脱走に成功したところで、待っているのは戸籍を奪われた状態での路上生活。神話のヒーローのように「楽園」を捨てたあとに待つ厳しい現実に、主人公は打ちのめされる。

　所詮は怠け者と愚か者のための楽園だと、嗤いたい者は嗤うがいい。主人公たちが自分や社会に対して甘すぎるのだと、言いたくなる気持ちもあるだろう。だが実際に社会から「居場所」を奪われた人々にとって、この「町」の存在がひどく魅力的に映るであろうこともまた確かなのだ。

　「楽園」はどこにでもある。もしかしたらそれは欺瞞に満ちていて、地獄のような日常と隣り合わせにしか存在し得ないものなのかもしれないけれど。（梟木）

過去の黄金時代にしか楽園はないのだろうか

ウディ・アレン監督
「ミッドナイト・イン・パリ」

◉絵と文＝さえ

ハリウッドで脚本家として活躍しながらも小説家を目指しているギルは、自分の婚約者とその両親と共にパリを訪れていた。彼はパリの街並みや雨の日の美しさなどに魅了されていたが、パリに対して関心がない婚約者たちとはまるで話が合わなかった。ある夜、ひとり酔っぱらったまま街中を彷徨っていると、1台の古めかしい車が現れる。乗客たちに誘われるまま車に乗り込むと、行き着いた先は1920年代のパリだった。

ギルが敬愛するヘミングウェイ、フィッツジェラルドやピカソたちが活躍するこの時代は、彼にとっての黄金時代、まさに楽園のような場所だった。現代では婚約者やその両親との価値観の違いが露わになり、さらには婚約者の友人にもバカにされる始末。小説家を目指している自分を「作家」として見てくれる人々がいる1920年代に、居場所を見つけていく。

ギルにとっての黄金時代を生きる美しい女性・アドリアナもまた、過去へ憧れを抱いていた。「もっと昔に生まれてたら幸せだったのに」とは、どの時代においても抱くものだと気付いたギル。楽園とは自分の価値観が通じる人がいてこそ。それなら現代だって、価値観を共有できる人と出会えたら楽園になるのではないか。

自分が生きている時代に楽園を見出せたならきっと、その先には明るい未来が待っているはずだから。

四方山幻影話 57

◎写真&文=堀江ケニー

WORLD KAIKAN
ワールド会館
HOTEL WORLDKAIKAN
4F
3F
2F
ワールド
お入口
Snack
紅葉
スナック 夢
DIO 2F
G·D·st
JAIL 1F
アニソン
カラオケバー
B1F
ここは
5の55番街
55-6, Nakano 5-chome Nakano-ku
スナック
とも
COFFEE

関東・関西A級ヌード館
美人タレント常時出演
午後3時開演 入替なし
ショー替り日 1日・11日・21日
※宴会・出張サービス致します
ヌード劇場
お一人様
本日の入場料
000円

ロストパラダイス。
自分にとってこれは、廃墟だったり昭和だったりする。まぁ～廃墟も、自分好みのものは結局は昭和時代のものだったりするので、ロストパラダイスは昭和なんだな、自分には。なんせ自分は実際に昭和真っ只中に育った人間。

そんな昭和な廃墟の中で特に好きなのは、炭鉱、鉱山などの廃墟。今の目から見ると安全性なんて全く無視した作りとかがハンパない。その巨大なところにもワクワクしてしまう。

いつも思うのだが、廃墟を見ていると、在りし日の姿ももちろん想像してしまうのだが、未来も見えてくるような気がしてならない。なんか、この先の未来はこんな退廃した、人がいなくなってしまう世界が待っているような気がしてくる。

その在りし日の姿を想像して何だか寂しい気持ちになるのが、ストリップ劇場の廃墟だ。ストリップにはいろいろと思い出があるんでねぇ～。昔はストリップ劇場で展示もしたし、ストリッパーの写真を撮るために全国の劇場も回った。ボロボロになった劇場の跡地を見ると、現役時代の踊り子やら客のオッチャン達を思い出してしまう。

あと昭和な建物でいうと、萌え団地が好き。自分は団地暮らしをしたことがないからか、昔からそれに憧れを持っている。

あの古い昭和な作りが実に良い味を出してる。以前タコ公園の滑り台を撮っていた時も、だいたいタコ公園は団地とセットであった。撮

影で訪れた団地はみんな良い味があり、その中でも特に好きだったのが、スターハウス。今ではまず考えられないヘンテコな作りで素敵だ。階段の作りが特に好きだ。

　中野の、ある意味サンプラザとは違うランドマーク、ワールド会館も捨てがたい。あのワイルドな作りも実に素敵で、ここ何年もほぼ空き家状態で、2階より上は封鎖されてるし、地下にも以前は営業してた店がわずかにあったがそれも数年前から閉まってる。あとどれぐらい見ることが出来るのか？　まさに昭和的な建物だ。

　他にもまだまだ失われたパラダイスなものたちはあるけど、今回はそんな写真たちをお届けしました！

「失われた楽園」への固執
——TVアニメ『海のトリトン』

◉文＝宮野由梨香（評論家・人類史研究家）

★TFC BEST SELECTION『海のトリトン』DVD（東北新社）

一九七二年（昭和四七年）に放映されたTVアニメ『海のトリトン』は、アトランティスを故郷とするトリトン族の最後の生き残りの少年を主人公とする物語である。

原作が手塚治虫、監督が西崎義展、演出が富野由悠季（当時の名前は喜幸）という異形の作品は、「アニメ作品の主人公のファンクラブ」というそれまで存在しなかったものを生み出した。それは、一九七五年に始まる「コミック・マーケット」に象徴される同人誌文化の隆盛へとつながっていった。

この『海のトリトン』は、「失われた楽園」と「まだ見ぬ楽園」との間に引き裂かれた、存在や生命や人間や個人のあり方を、物語全般を通して語っている。また、放映から五十年が経過した今になって見直すと、我々の時代における「失われた楽園」への固執の形について、新たに見えてくるものがある。

それについて書こうと思う。

○

LOST PARADISE

主人公の少年トリトンは十三歳である。日本の漁村で、育ての親の一平じいちゃんを本当の親と信じ、将来は漁師になるつもりで暮らしていた。そこにある日、白いイルカのルカーが現れて言う。

「あなたは、はるか大西洋に棲んでいたトリトン族の忘れ形見なのです」

ルカーはトリトンを、大ウミガメのメドンのもとに連れていく。メドンはトリトンに両親の声の吹き込まれた法螺貝の声を聞かせる。両親の声は「大きくなったら私たちトリトン族の定めを守って、海の平和のために戦ってくれ」と言う。戦う相手は、トリトン族と敵対するポセイドン族だ。それを少年に命ずる両親はとっくの昔に死んでいる。

少年は怒る。「今になってこんなことを言われたってどうなるっていうんだ？ 俺が戦ったって、死んだものが生き返るってのか?」と言って、形見の法螺貝を投げ捨て、育ての親のいる村に帰ろうとする。

それにもかかわらず、結局、少年は村に帰り損ね、正当防衛のようにして戦いを繰り返すうちにだんだんと「海の平和を守る」というトリトン族の使命に目覚め、前向きに戦うようになってくる。そして、最終回において、大西洋の海底にあるポセイドン族の本拠地に乗り込む。

以下、ネタバレになるが、この結末は「勧善懲悪の転倒」としてかなり有名なものである。興味を持った方はぜひDVDをご覧になっていただけたらと思う。

最終回で、少年は知る。アトランティス人の作りあげたオリハルコンという物質のエネルギーによって、海底の市街で生き延びていた僅か「二万人足らず」の人々がいたこと。自分が武器として使っていた「オリハルコンの短剣」は、マイナスの力を持つオリハルコンであり、それは彼らの「太陽」であるプラスのオリハルコンを破壊するものであること。彼らにとって、自分の存在自体が脅威であり、許しがたいものであったこと。

そう知った時には、既に少年は「二万人足らず」を一気に死滅させていた。石造りの海底の街のあちこちに無辜の人々が倒れている。赤ん坊を抱いたままの若い女性もいる。

★『海のトリトン うたのえほん』(栄光社、1972年)/トリトンが手にしているのが、オリハルコンの短剣。背後にポセイドンの像。

混乱する少年の持つオリハルコンのマイナスの力に引かれて、プラスのオリハルコンで出来たポセイドンの像が迫る。

大きな爆発の遠景の後、しばらく海の画面が続く。トリトンの生存に不安を感じ始める頃、イルカに支えられたトリトンが姿を現す。

アトランティスの生き残りの街は爆発で完全に破壊され、終焉を迎えたらしい。

海上に出たトリトンの前に、朝日が昇って来る。少年はやるせない表情でそれを見つめる。

「そしてまた、少年は旅立つ」とナレーションがあり、オープニングが途中から流れ、少年は朝日の中に姿を消していく。

○

主人公のトリトンの姿は、白いイルカに乗って海を自在に旅する少年として描かれている。同じくトリトン族の生き残りの少女ピピは人魚である。この「トリトン族」という種族の設定は、我々「人間《ホモ・サピエンス》」の「失われた楽園」を暗示している。生命発祥の地である海に抱かれて、動物や鳥と言葉を交わすことができる彼らの姿には、我々が「人間」になる過程で失ってしまったものが示されている。

トリトンの祖先が棲んでいたアトランティスは、もちろん「失われた楽園」である。各話の冒頭には「海を愛する人々の平和な島」として、かつてのアトランティスの姿が映し出されていた(注)。そして、それは崩れ、渦巻く水に呑み込まれていく。

「最後の生き残り」となってしまったトリトンにとって、自分の死は即ち、種族の滅亡である。そのような生命にとって、かつて繁栄していた場所は「失われた楽園」であろう。

トリトン個人にとっての「失われた楽園」とは、育ての親の一平じいちゃんの家である。ピピにとっては、かつて幸せに暮らしていた「アザラシの入り江」である。そこを失った彼らは「イルカ島」に居場所を見出すが、そこも、トリトン族を皆殺しにしようとするポセイドン族によって、沈没させられてしまう。「イルカ島の爆発はアトランティス大陸の再現だ」と、ポセイドン族の伝令マーカスは言うのだ。

覚悟を決めたトリトンたちは、ポセイドンを倒すべく、その本拠地の大西洋へ向かう。オープニングでは「誰も見ない未来の国を 少年はさがし求める」と歌われている。「誰も見ない未来の国」とは「まだ見ぬ楽園」であろう。

そもそも意識あるものは、意識が生じた時点で「楽園」を失っている。そして、ふたたび「楽園」に行き着くとは即ち「死」であるからして、意識ある状態のまま、その「楽園」に行き着くことはできないのだ。それは、「不死身の魚ラカン」をめぐるエピソードを通して、物語の中で明確に語られている。

また、男女はそれぞれ単体では生命として完結しない。プラトン『饗宴』には、このような有名なたとえ話がある。かつて人間は両性具有の存在だった。男女が求めあうのは、自らの失われた半身を求めるからだというのだ。両性具有のかつての状態とは、「失われた楽園」でもあろう。『海のトリトン』では、その種族の唯一の男女たるトリトンとピピの、なかなか折り合わない関係を丁寧に描いている。そこにも「失われた楽園」への思いを見ることができる。

プラスのオリハルコンとマイナスのオリハルコンが、最後において出会い爆発するというのも、同じような意味で「楽園」への希求のひとつの形だろう。すべての存在の夢見る「失われた楽園」とは、宇宙誕生以前、ビック・バン以前の状態なのかもしれない。

こういった内容のことを、かつて私は『海のトリトン』の彼方へ』（一九九四年・風塵社・古澤由子名義）という著作で述べた。基本的に間違っているとは思わないのだが、今の目で読み返してみると、文明批判的な側面が抜け落ちていたと思う。

★古澤由子『『海のトリトン』の彼方へ』（風塵社、1994年）

○

「昭和」という時代が「失われた過去」となり、少子化が進行する今、この作品の「アトランティス」について見えて来るものがある。

アトランティス沈没とは、「先祖代々そこに住み、子々孫々そこに住むであろう土地及び、そういった概念の喪失」ととらえることが出来るのではないか。この作品は私と同世代の少女たちに熱狂的に支持されたが、もしかしたら、理由はそこにあったのかもしれない。

その「アトランティスの沈没」は、五十年前には既に始まっていた。当時の子供たちは、それを肌身で感じ取っていた。

大人たちは、まだアトランティスが沈没していないと思っていた。あるいは、沈没しつつあることを知っていても、まだ再浮上が可能だと思っていた。沈没しても海底で生き延びるつもりでいた者もあろう。「楽園」を諦め去ることが、彼らにはできないのだ。

子供たちは、仕方なくそんな「失われた楽園」に固執する親たちと調子を合わせて生活していた。両親の言葉に従って、海の平和のために戦わざるを得なかったトリトンのように。

例えば、『海のトリトン』を初めて見た時、私はお盆のために父の実家に来ていた。お盆に帰ってくると信じられている先祖の霊を出迎えるための準備やセレモニーに、当然のようにつき合わされていた。

「お盆には先祖の霊が家に帰って来るから、必ず里帰りして出迎えろ」という指示は、「結婚はまだか？」「結婚する相手の方に名前を変えさせろ」「子供はまだか？　男の子を産め」「墓を守る人を絶やしては、ご先祖様に申し訳ない」という束縛へとつながっていく。

思えば、付き合いの長いトリトン・ファンの友人とプライベートな話が出来るようになったのは、ここ十年ほどのことである。申し合わせたかのように、リアルでの話題を避けていた。それぞれ事情は違えども、根っこは同じく「失われた楽園に固執する親」の問題を抱えていたことに、今になって気がついている。

「とっくに沈んでいるアトランティスに、どうして縛られなくてはいけないんだ？」とか、「楽園の形骸を守り続けて、そのツケを子供に回すって、何なんだ？　回される方の身にもなってくれ！」とは言えなかった。そう言うことは「虐殺」であり、こちらもそれによって深く傷つくことが予想できるからだ。だからこそ、『海のトリトン』へのファン活動にエネルギーを注いでいた部分が、少なくとも私にはあったと思う。

私が子供だったころはまだ健在だった「年功序列・終身雇用」も既に崩壊し、「いい学校を出ていい会社に就職すれば安泰」などということも無くなってしまった。それにもかかわらず、いまだ「学歴」を信仰しつづける親につきあわされている子供もいるだろう。

親の信じる「楽園」はとっくに失われている。そのことに子供は気がついているのだが、親は全く気がつかず、「失われた楽園」に居続けている。

（注）五話から十二話まで、ほとんど同じナレーションと画面である。

大人たちが固執する「失われた楽園」は　まさにアトランティスそのものだ。　子供はトリトンのようにそれに縛られていた。

★アトランティスの遺跡を描いたジュール・ヴェルヌ『海底二万里』の挿画（アルフォンス・ド・ヌーヴィル画、1869年）

自己犠牲をいとわない追憶の理想郷
——宮沢賢治『銀河鉄道の夜』

◉文=並木誠（アートライター）

「ただいちばんのさいわいに至るためにいろいろのかなしみもみんなおぼしめしです」。

宮沢賢治『銀河鉄道の夜』（角川文庫）

数年前のある冬の深夜。渋谷の初台の水道道路沿いにある某アートバーで、深酒しながら、たまたま居合わせた常連で同世代の2、3人の男性客等と影響を受けた劇場用アニメ映画の話に興じていた。

お酒の助けもあり、そのお手製のアニメ夜話は盛り上がり、『宇宙戦艦ヤマト（劇場版）』『さよなら銀河鉄道999アンドロメダ終着駅』『機動戦士ガンダムII哀・戦士編』などが順当に挙げられていくのにいちいち納得しながらも、私は迷わず、原作・宮沢賢治、原案・ますむらひろし、脚本・別役実、音楽・細野晴臣、監督・杉井ギサブローの劇場用アニメ映画で100万人を動員した『銀河鉄道の夜』(1985)を挙げた。中学の思春期の私の感性にもっとも深く影響を与えた映画だった。ある客が「あの猫のキャラクターの映画でしょ!」という。私は、ますむらひろしの『アダゴオル物語』（朝日ソノラマ）を愛読していて、ボテ腹ネコの「ヒデヨシ」などの愛すべきキャラクターとその世界観に充分と馴染んでいたので、特に違和感はなかった。実際は、この猫キャラに宮沢賢治の実弟・清六が反発し、詩人・仏文学者で『校本宮澤賢治全集』の編纂者のひとりでもある天沢退二郎が説得したという逸話が残る。

ちなみに、ますむらひろしは、最近も新作『銀河鉄道の夜・四次稿

★アニメ映画『銀河鉄道の夜』ポスター

LOST PARADISE

★アニメ映画『銀河鉄道の夜』DVD

カンパネルラが召された天上への羨望と追憶

★ますむらひろし『銀河鉄道の夜・四次稿編』（風呂猫）

編』（風呂猫、全4巻）を出版している。

劇場用アニメ『銀河鉄道の夜』で特筆すべきは、劇中の文字が、賢治が夢見たユートピア的な普遍言語のエスペラント語を使用しているなど、その作品世界の背景と細部へのこだわりである。エンドロールでは、常田富士男による朗読で宮沢賢治の『春と修羅』（1924）の一節――「わたくしといふ現象は仮定された有機交流電燈のひとつの青い照明です」――が流れ、幻想四次的な詩的な世界観が披瀝される。細野晴臣によるサウンドトラックも秀逸で、宮沢賢治作曲の『星めぐりのうた』の旋律を用いるなど、ジョバンニの「透明な悲しみ」を基調とした繊細な世界観は、ポエティックでとても印象深かった。細野晴臣の祖父・正文は、『銀河鉄道の夜』でも彷彿とさせる場面のあるタイタニック号事故から生還した唯一の日本人乗客で、細野晴臣は音楽を担当することに奇縁を感じたという。

宮沢賢治『銀河鉄道の夜』は、賢治が夢想したイーハトーブ（理想郷）の物語。漁師の父親の帰りを待ちながら活版印刷所で働き、病弱な母の面倒を見る貧しい少年ジョバンニと親友のカンパネルラが幻想四次の銀河鉄道に乗り、北十字やプリオシン海岸など彼岸の世界を巡る話である。大学士や鳥を捕る人、タイタニックの沈没に巻き込まれた男の子、女の子とその家庭教師の青年や燈台守といった、死者と出会い、別れる。最後には、現実世界で、カンパネルラが川に落ちた友人のザネリを救いながらも自らは溺死する。物語の根底には、賢治が夢見たキリスト教と仏教（法華経）思想との融合が見られる。

★宮沢賢治『新編 銀河鉄道の夜』（新潮文庫）

そして賢治の『雨ニモ負ケズ』的な「いちばんの幸い」への想いが、通奏低音として流れている。カンパネルラは云う「おっかさんは、ぼくをゆるして下さるだろうか」。「ぼくはわからない。けれども、誰だって、ほんとうにいいことをしたら、いちばん幸なんだねえ。だからおっかさんは、ぼくをゆるして下さると思う」。これは、友人を救う為に自らは溺死した、カンパネルラの自己犠牲の精神を暗示している。

また、パルドラの野原で小さな虫を殺して生きていた蠍が、いたちに捕食されそうになると必死に逃げて、井戸に落ちて溺死しそうになるエピソードがある。蠍は改心して、「なぜいたちに私のからだを呉れてやらなかったのだろう、そうすればいたちも一日生き延びれたのだろうに」と祈り、いつかじぶんのからだがまっ赤なうつくしい火になって燃えて夜の闇を照らすことを望む。これも自己犠牲的な仏教の捨身布施の思想である。幻想的で美しい挿話であろう。

『銀河鉄道の夜』の物語は、繊細で清貧な夢想家の少年ジョバンニの夢ともいえる。しかし一方で、「いちばんの幸い」とカンパネルラが召された天上、すなわち失われた楽園への宮沢賢治の羨望と追憶でもあるのだ。

ダークサイド通信 no.13

未公開物件

最合のぼる　文・写真

町の小さな不動産屋だ。個人経営と思われる狭い店内、天井の蛍光灯は節電対策なのか、何本も間引かれていて妙に薄暗い。接客カウンターには、安っぽい合皮張りの椅子が二脚置いてある。物件情報がベタベタと貼られたウィンドウに人影が立ち、正面のガラスドアが開く。入って来たのは、三十代半ばに見える男だった。Tシャツとジーンズにサンダル、ちょっと外に出たついでに立ち寄ったような雰囲気だ。男は誰か出てこないかと様子を窺っている。手にしていたスマホ画面に通話履歴を表示させ、再ダイヤルをタップしようとした時――、

「先ほどお電話頂いた方ですね、どうぞお掛け下さい」

声にびくりと身を震わせた男は、反射的にスマホをジーンズのポケットに入れて振り向いた。カウンターの向こうに、スーツ姿の営業マンと思われる男性が座っていた。

「お探しなのは、中古の戸建てということで宜しいでしょうか」

営業マンは話しながらタブレット端末を操作し、座ったまま椅子を滑らせて背後のラックからぶ厚いファイルを手にして戻り、中から次々と資料を抜き取って広げていく。言葉を発するタイミングを逃した男はおどおどと視線を泳がせ、どこか困惑した表情で突っ立っていた。

「あれ、どうぞ？　お掛けになって下さい」

しばし不思議そうに男を見上げた営業マンは、ハタと気づいたようにカウンターの中から素早く出て来て椅子を引き、「どうぞどうぞ」と笑顔で男を座らせ、また素早くカウンター内の自席に戻った。

「まず間取りはどれくらいがご希望ですか？　戸建てですと３ＬＤＫか４ＤＫが良く出ますので、うーんと、それじゃ取りあえず、両方にしておきましょうか。あ、もちろん後で変更できますので大丈夫ですよ」

営業マンはタブレットに表示されている項目に、タッチペンで二つチェックを入れた。

「築年数にこだわりはありますか？　古くても良ければご案内の選択肢が広がりますので――」

日当たり、駐車場の有無、接道、駅からの距離、周囲の環境などなど、営業マンは矢継ぎ早に質問しては、ほとんど男の返答を待たずにチェックを入れていった。男はと言えばじっと俯き、営業マンのペースに困惑の度合いを深めているように見える。

「すみません、やっぱりいいです」

ようやく言葉を発した男が腰を浮かした瞬間、営業マンは素早く男の右手首を掴んだ。

「未公開物件、見るだけでも見てみませんか」

営業マンは、目を細めてニッと笑った。

「タイミングが良かったです。すぐご案内できない日の方が多いですから――」

運転する営業マンは、バックミラーで後部座席に座る男を見ながら話をしている。確かに男は、町中で目にした《未公開物件》の広告に記載されていた番号に電話をかけた。しかしすぐに内覧できるとは思っていなかったし、むしろ内覧など考えもしなかった。どんな物件なのか、少し話を聞いてみたかっただけだ。結果、営業マンに誘われるまま車に乗せられ、現地に出向くことになってしまった。それにしても、と男は思った。この営業マンはずっと喋っている。営業マンだからなのか、元々話し好きなのか。話すのは構わないが、あまり長い時間バックミラーを見られると運転を誤るのではないかと気が気ではない。

「私には小学生の息子と、つい最近娘が生まれましてね。子供二人となると今の住まいが手狭になって――」

やがて営業マンは自分語りを始めた。話を聞くともなく聞いていた男は、次第に落ち着かない気分になっていた。なぜなら営業マンと自分の境遇が妙に似ていたからだ。見た目から判断してこの営業マンとはほぼ同年代、ついでに背格好も同じくらい、似たような家族構成でも不思議ではないが……。

「息子には野球をやらせたいんですけど、サッカーに夢中になっちゃいましてね。私は大学まで野球一筋だったのに。背番号はずっと十七番で――」

同じだった。

「三ヶ月前に生まれた娘の誕生日、なんと十三日の金曜なんですよ――」

まったく同じだ。単なる偶然と思いながらも釈然としない。男は話を聞きながら営業マンに掴まれた手首をさすっていた。ひやりと冷たい嫌な感触が残っている。ふと、バックミラーを覗く営業マンと目が合い、思わず逸らした。

息苦しさを感じた男が車の窓を下ろすと、いつの間にか緑濃い田舎になっていることに気がついた。乗車してから二時間か、それ以上経ったかもしれない。時刻を確かめようとスマホをポケットから取り出してみたものの、充電切れのようで画面は明るくならない。一体どこまで車を走らせる気なのかと、声をかけようとした矢先に車が停まった。


「ここからは徒歩になりますけど、もうすぐですよ」

車から降り立つと、目の前に古いトンネルがあった。

営業マンはニッと笑うと暗いトンネルの中に歩を進めた。

男はトンネルを歩いていた。
緩やかにカーブしているようで出口は見えない。
靴音が反響するたびに、湿ったコンクリの匂いが揺らぐ。

かなり古そうだ
誰も歩いて来る人がいない
何のために使うトンネルなんだろう
俺は……なぜこんなところを歩いているんだ?
ああ そうだ 物件を見るためだ
物件……?
家を買うつもりも そんな資金も持ち合わせていない
なんで不動産屋なんかに電話したんだろう
強いて言えば……好奇心だ
未公開の物件とは一体どんなものか 興味があった
いやしかし 本当に電話をかけるなんて……
そうだ 蛇だ
蛇が看板のところにいて……
……蛇が 俺に……

彼方に出口とおぼしき明かりが見えてきた。

男はなぜか強い拒否反応を感じ、足を止める。

数歩後ずさり、踵を返した途端に誰かにぶつかった。

「着きましたよ」

——男は営業マンと一緒に、小洒落た一軒家の前に立っていた。

「築年数はありますが、水回りはもちろん
建具や床材などもフルリフォームしています」

「当時の大工さんは本当に優秀ですからね
正直、最近の建て売りよりも頑丈なんですよ」

吹き抜けの天窓　降り注ぐ陽射し
新築の匂い　まるでモデルルームみたいだ
大きな窓　開放的なリビングルーム
こういうのが未公開なのか
革張りのソファ　毛足の長いラグ
ハハハ……このソファはいいぞ
大型のウォールフィットテレビ
これなら ちょっとしたホームシアターだな
間接照明が演出する主寝室
寝室からウォークインクローゼットに行けるのか
可愛らしい壁紙の子供部屋
おお ちゃんと子供部屋も二つある
広いバスルームにはバブルバス
足も伸ばせるし 最高じゃないか
芝生の広い庭 薔薇のアーチ
週末は庭でバーベキューをしよう
子供たちが走り回って
妻が楽しそうに笑っていて
俺はのんびりとビールを飲んで
最高だ こんな暮らしを……

「耐震補強も、しっかりさせて頂いてますので
安心してお住まい頂けます」

「メーカーさんの協賛で、家具や家電も
全て込みでご案内しています。凄いでしょう」

え？

「ただいま！」
玄関で、聞き覚えのある子供の声がした。
「――トイレットペーパーだけ持っていってくれる？」
「任せて、ママ！　お野菜も運ぶよ！」
リビングに入って来たのは、なんと男の――息子と０歳児の娘を抱
た妻だった。買い物から帰って来た様子の彼らは、まるで自分の家の
うに振る舞った。トイレットペーパーを戸棚に仕舞った息子は大画面
テレビでゲームを始め、妻は娘をベビーベッドに寝かせて食事の支度
取りかかる。しかし彼らは、男の存在に気づいていないようで……。

「ご家族付きの物件です」

血の気の引いた男の顔を見た営業マンは、例のニッとした笑顔になる
「あれ？　こういうのがご希望かと思いましたが、ピンと来ませんか
うーん、でしたら別の物件もご案内しましょう」
営業マンの声が合図だったかのように、妻子はマネキン人形となり
絵に描いたような家は男が家族と住んでいた質素なアパートの一室
なった。しかしその部屋はがらんどうで、運び出された荷物の跡だ
が生々しく残っている。
「こちらも未公開です。もちろんリフォームはこれからですが」
営業マンが妻だったマネキン人形の肩先を指で押した。
倒れたマネキンの顔にひびが入り、下から赤茶色の染みが広がる。
既視感に戦く男が部屋を飛び出した瞬間――足元が崩れた。

ずっと私の声を聞いてたじゃないですか　そういう人間を選んでいるんですよ
誘惑に負けやすい　欲望に忠実な人間をね

何もかも
なんだ　ここは
壊れてしまった
壊してしまった

男は呆然と周囲に視線を泳がせた。
天も地もなく、見渡す限り何もない。

少し離れたところに、うつ伏せに横たわる人影が現れた。
不動産屋の営業マンだとわかった。
両腕をぴたりと身体の脇につけ、微動だにしない。
一体どうしたことかと近づこうとすると、わずかに頭が上がった。
顔を浮かせた営業マンは、体を左右にくねらせて男の方に這ってくる。
近くまで来ると、鎌首をもたげるように上半身を起こした。
上半身というより、両足の付け根から奇妙に立ち上がっている。
「住めば都、考えようによっては中々の楽園ですよ」
営業マンはニッと笑うと、スーツの中に引っ込んでしまった。
スーツは脱け殻のように、くしゃりとその場に崩れる。
そのYシャツの襟首から、一匹の蛇がするすると這い出てきた。
見覚えのある蛇だったが、どこで見たのか思い出せない。
それどころかスーツを着ていた人物のこともわからなくなっていた。
蛇は、するすると男の身体をよじ登っている。
だが男は、全くそれに気づいていない。
ふいに、鉄の扉を閉じたような重低音が響き渡る。
驚く男の目の前に、蛇の顔があった。
男は、足元に落ちているスーツを拾い上げる。
そして――ニッと笑った。

全てはまやかしですよ
失ったんじゃありません
元々失われていたんです
まだすがりたいですか？
残念ですが戻れませんよ
わかっていたでしょう
でもね　禁忌を犯すのは
とても楽しいと思いませんか

END

悲しみ、怒り、嫉妬、争い、
何とこの世は醜いのだろう。
残酷なのだろう。
アダムとイブの話を聞いた。
堕ちて来た天使が
いたと言う天界。
楽園は何処？
求めて辿り着いた世界に、
希望だけの楽園を見る。
やがてやってくる
絶望を感じながら。

岸田尚一コマ漫画 ◉コラージュ＆文＝岸田尚

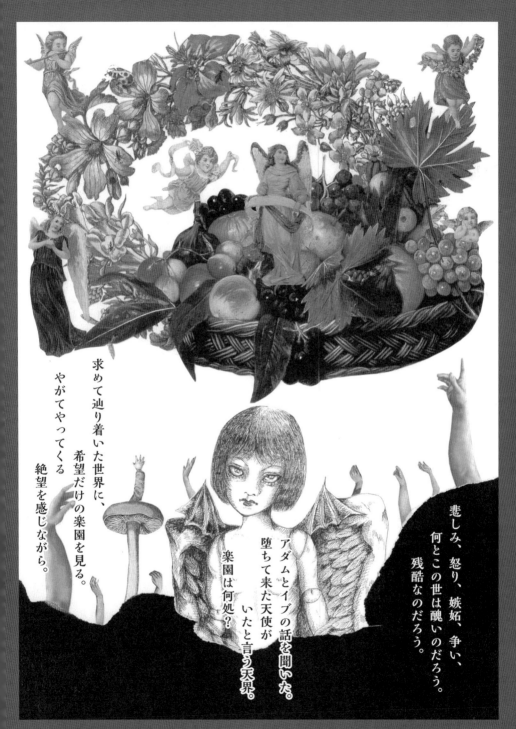

人民寺院の夢見た楽園

◉文＝相良つつじ（画家）

LOST PARADISE

かつて、地上の楽園を築き理想郷を夢見た人々が起こした、史上最多の集団自殺。カルト宗教の元祖、人民寺院による事件だ。

★ジム・ジョーンズ（1977年、写真:Nancy Wong/Wikipediaより）

教祖のジム・ジョーンズは1931年、アメリカ、インディアナ州の片田舎で生まれた読書好きな子供であった。なかでもスターリン、マルクス、毛沢東、マハトマ・ガンジーなどに熱中し、社会主義や反人種差別の考えを持つようになる。52年に牧師として教会に所属するが、黒人を参加させない教会に怒り牧師を辞めた。社会福祉活動家として理想を持ち、どんな人種や階級の人も受け入れる拠り所を作り。それを人民寺院と名付けた。

人民寺院は、反人種差別や平等主義を掲げ、恵まれない人々に避難所を与え、差別されていた黒人達を積極的に招き、貧困者への炊き出し、家賃援助、就業紹介、生活用品の無料配布などを行って信者数を増やしていった。さらに、ジョーンズにインディアナポリスの人権委員会への参加が要請されたことで知名度が高まり、多くの支持者を獲得することになった。

多くの人々が参加した集会の中で、ジョーンズは心霊療法を実演し、ますます人々を惹きつけた。これは信者が病人を装ったヤラセであったが、集まった資金は貧しい人々や薬物中毒者、ホームレスの援助活動に使われ、1970年代には老人福祉施設9つ、里親施設6つ、障害者のための農園を経営していた。

しかし72年、雑誌に人民寺院の霊感商法の批判をする暴露記事が掲載されると、教団から脱会者が出るようになる。そして、元信者による告発でメディアからの監視が強まり、77年にジョーンズは多くの信者と共に南米のガイアナ共和国に移住した。

ガイアナの集落「ジョーンズタウン」を、ジョーンズは「社会主義の楽園」と言った。人々は南国の楽園を信じていたが、次第に自給自足の農作業は過酷になり、やがて親子で住むことも許されず、性虐待や体罰が行われる劣悪な環境になっていった。かつての善良な社会福祉活動家のジョーンズは、絶対的な権力を持ち薬物に依存し堕落していったのだ。

ジョーンズは「白い夜」と呼ばれる集団自殺の予行演習を度々行った。これは教団への忠誠心を試す意図もあり、

★ジョーンズタウン

偽の毒入りジュースを飲めるかテストしたのだ。この頃からジョーンズは「やがて自分と信者の魂は別の惑星でひとつとなり、永遠の幸福を手に入れる」と演説するようになった。

本国アメリカでは、「我々の家族を返せ！」と信者の家族や元信者たちが抗議活動を行い、議会に対し調査を依頼。以前からジョーンズに対し虐待の疑いを持っていたライアン議員が、視察団と共にガイアナへ向かった。視察団の話を聞いたジョーンズは教団を良く見せるため、信者達に楽しげに振舞うように指示。ライアン議員らに歓迎のパーティーを開いた。ライアン議員は幸せそうに暮らす人々に一時は安心したが、一人の信者が「ジョーンズタウンから抜け出したい」とメモを渡したことで疑惑を確信した。

78年11月18日、ライアン議員は脱出希望者15名をアメリカに連れて帰るとジョーンズに告げると、もう一人の信者ラリー・レイトンもアメリカに帰ると言い、ジョーンズは許可した。視察団と16名の信者が空港に着き、飛行機に乗り込もうとした時、待ち伏せていた信者が銃を乱射、ライアン議員や視察団、同乗予定の信者らは死亡した。最後に帰国を言い出したラリーはジョーンズが命令した者で、ラリーも視察団に発砲した。ジョーンズは、教団が行っていることが世間に暴露されるのを恐れたのだ。

ライアン議員らが撃たれてから40分後、ジョーンズは信者を集めた。「もうすぐ軍隊がやってきて我々は皆殺しにされる、それならば自ら毒杯を仰ごうではないか。これは革命的自殺なのだ。死とは楽園に行くことだ」と青酸カリ入りのぶどうジュースを飲むように促した。まずは子供や赤ちゃんにジュースを飲ませるよう親に命令し実行させた。我が子の死を見た親たちは絶望し、自ら毒入りジュースを飲んだ。また、他の信者達は皆で歌いながら、長年望んできた理想が実現すると言いジュースを飲んだ。逃げたり拒んだりした者は、無理やり飲まされたり銃殺されるなどしたが、数名はジャングルに逃げることに成功した。

最後にジョーンズは、致死量の鎮静剤を飲み信者に銃で撃たせて死亡した。死者914人、このうち子供は276人。楽園ジョーンズの夢見た楽園は幻に終わった。果たしてあの世で本当に楽園に行けたのだろうか。

「これは革命的自殺。死とは楽園にいくことだ」

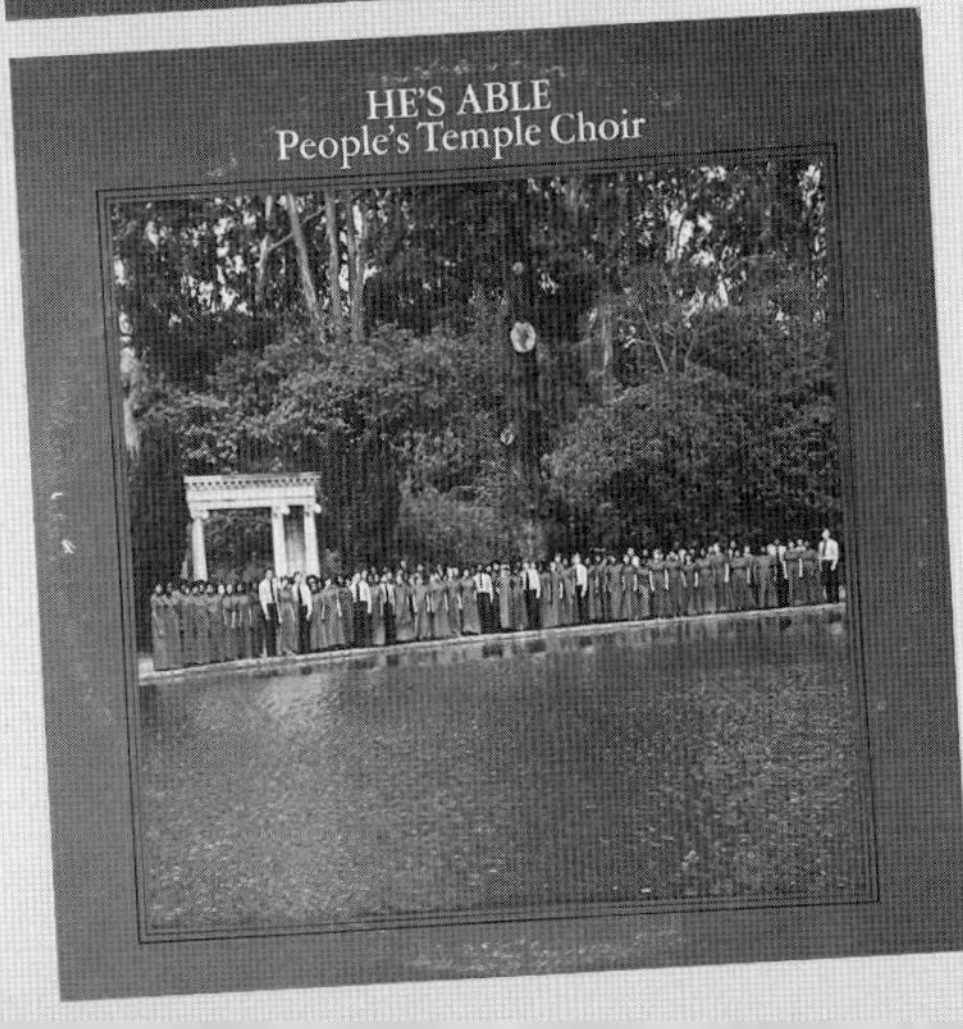

★人民寺院合唱団「He's Able」のLP（下右が表、下左が裏）。
左上は、集団自殺直前のジョーンズの演説を追加収録したCD。

ガザ・マリンで人々が賑わう日

◎文＝本橋牛乳（物書き）

ガッサーン・カナファーニーの「太陽の男たち」はわりと知られている作品なので、ラストを語ってもいいかな。３人の男が給水車のタンクに隠れて国境を越えようとする。しかし、運転手は検問所で引きとめられてしまい、その間、タンクの中は砂漠の日差しで熱せられ、男たちはそのまま死んでしまう。

運転手は言う。「なぜおまえたちは、タンクの壁を叩かなかったんだ」と。

けれども、現実はそうではない。パレスチナの人たちは、ずっと壁をたたき続けてきた。ただ、誰もがその音に耳を貸さなかっただけなのではないか。

２０２２年２月にはじまったロシアによるウクライナ侵攻も、23年10月に始まったイスラエルによるガザ侵攻も、多くの人の心を打ちのめすくらいの残酷な行為であり、今でも終わる気配はない。誰も、ロシアやイスラエルの暴力を止めることができない。その無力さが、人々を打ちのめす。それはそもそも、欧米の暴力に起因するものだからだ。とりわけ、イスラエルは。

では、イスラエルとは何なのだろうか。古代ローマ軍によって追放され、世界に離散したユダヤ人がパレスチナの地に戻り、建国されたもの。ユダヤ人国家を目指すシオニズム運動の帰結。

でも、現実のイスラエルという国家は、すでに住んでいたパレスチナ人を排除することによって成り立っていた。イスラエルはかつても、そして今でも、約束された土地という幻想の上に成り立つものであり、ユダヤ人にとって「も」楽園ではない。

でも、歴史的な記述よりも、ここではメンタリティについて語りたい。

シェルドン・テイテルバウムとエマヌエル・ロデムの編集によるイスラエルＳＦ傑作選『シオンズ・フィクション』を読んでいると、イスラエルが奇妙なＳＦであるように感じる。そこから話をはじめよう。

このアンソロジーはロバート・シルヴァーバーグの偽善的なまえがきからはじまる。ユダヤ人は「書の民」とよばれ、イスラエルは旧約聖書の国であり、神秘主義とまじりあった思弁的思考の国。そうなのかもしれない。

でも、それは同時に、強い被害者意識と、その

★『シオンズ・フィクション イスラエルSF傑作選』（竹書房文庫）

★ガッサーン・カナファーニー『ハイファに戻って/太陽の男たち』（河出文庫）

裏返しのような現実のハイテク産業に支えられたイスラエル社会をも反映している。イスラエルSFの登場人物たちは、常に何かに怯えている。

被害者意識をつくっているものは、ナチスドイツによるユダヤ人迫害・虐殺であり、現在の中東諸国に囲まれた地政的な位置である。さらに、この本を読むまでは知らなかったのだけれど、ソヴィエト連邦の崩壊もそこに加わってくる。

ホロコーストにより、約600万人のユダヤ人（とそれから、ロマ、同性愛者、障害者等）が殺戮されたことは、歴史的事実としてよく知られている。けれども、反シオニズム運動がドイツだけにあるわけではない。それは今でもあるし、現在のイスラエルによるパレスチナ侵攻をきっかけに、ヨーロッパでは反シオニストがユダヤ人を迫害する事件が起きている。ユダヤ人の住宅の壁にダビデの星を描いて回る反シオニストがいる。

第二次世界大戦後、当時英国の委任統治下だったパレスチナに、ユダヤ人国家をつくる、というのが、欧米がとった政策だった。悲劇に見舞われたユダヤ人のシオニズム運動を成就させること、そしておそらくは欧州の反シオニズム運動から距離をとること、という解決策だったのだろう。しかし、そのためには、すでに住んでいるパレスチナ人を排除しなければならなかった。パレスチナ人に対する事実上のホロコーストはそこから70年以上も続く。

けれども、イスラエルに住むユダヤ人にとっては、イスラム諸国に囲まれた地、それは敵に囲まれた土地と感じられたし、そこに逃げ込まされたということになるのだろうか。だから、編者たちは、イスラエルSFの歴史において、「ディストピア」と「終末」が幅を利かせており、訳者の中村融はこのアンソロジーに「宇宙小説」がないことを指摘する。

結局のところ、イスラエル／パレスチナで起きたことは、1つの楽園を相いれない2つの民族が分けることができない、欧米によってつくられたゼロサムゲームを体現したことではなかったか。

けれども、そうした欧米の犯罪的な政策に対して、何も言及することのないシルヴァーバーグのまえがきは、だから偽善的なものでしかない。

イスラエルSFが思弁小説であることの背景には、こうした点があるのではないか。

ケレン・ランズマンの「アレクサンドリアを焼く」は、イスラエルの終末感を持つ代表的な作品だ。エイリアンからの侵略を受けた地球は、それでも何代にもわたって図書館を守る。記憶を守ることが目的化し、それでも終末を迎える。それは、かつて記憶すら消されようとした歴史にも呼応する。

あるいは、サヴィヨン・リーブレヒトの「夜の似合う場所」は、空中竜巻が人々を、子どもを奪っていく世界での話だ。物語はホロコースト記念日前夜からはじまる。男たちは子どもを残すことを目的化しようとする。そこには、リーブレヒトがミュンヘン出身であることが反映されている。

さらに、ニタイ・ペレツの「ろくでもない秋」では、エイリアンに暮らしを握られた無力感がただよう。

そして現在の、イスラム諸国に囲まれたイスラエルの怯えた気持ちは、モルデハイ・サソンの「シュルテン＝ゲルラッハのネズミ」に示されている。それは、巨大化して知性を持ったネズミによる攻撃に怯え、戦う物語だ。それが、イスラエルの、エルサレムという小さな場所で展開する。

あるいは、ナヴァ・セメルの「星々の狩人」の持つ終末感。星が見えなくなった世界。

その一方で、ハイテク国家であることの影響が見られるのは、例えばグル・ショムロンの「二分早く」。そこでは、人間以外の動物に知性を持たせる研究が行われたことが示される。

イスラエルの人々の出自の多様性は、むしろこの国にとって多少の救いなのかもしれない。エレナ・ゴメルの「イスラエルの死神」は、ホロコーストに適度な距離感を持って描かれている。死神はそれぞれ、人の死に方に対する担当がある。例えば銃殺であり、あるいはがんである。すっかり仕事がなくなったのが、ホロコースト担当の死神だ。この作品におけるヒロインの強さは魅力的だ。

ゴメルはウクライナのキーウ出身。彼女に限らず、旧ソヴィエト連邦からイスラエルにやってきたユダヤ人が多いということが、イスラエルの抱える複雑さにつながっている。

このアンソロジーでは他にも、平行世界を扱った「白いカーテン」の作者であるペサハ（パヴェル）・エマヌエルがアゼルバイジャンの出身。

イスラエルの人々が周囲のイスラム諸国の中で怯えながら暮らしている、という話をしてくれたのは、日本にいるキリスト教福音派の牧師からだ。だから、イスラエルは戦争をするのだ、と。パレスチナは宣伝が上手なため、被害者に見えているのだ、と。

それは到底正当化できるものだとは思わない。英国とフランスは、オスマン・トルコ帝国を解体し、領土を分割、キリスト教の聖地でもあるエルサレムを中心としたパレスチナを英国の委任託統治領とした。そして、その後、ユダヤ人国家を設立する、そういった欧米が描いた物語の中で、そこに移住してきたユダヤ人が、その欧米に翻弄されてきたことはその通りだろう。キブツのような集団農場をつくり、理想的な楽園をつくろうとし、冷戦の中で、旧ソヴィエト連邦からの移住者も受け入れ、人口900万人の国家に膨れ上がったイスラエルは、その出自からして楽園ではない。

イスラエルを特徴づけるハイテクも、戦争のための技術から生まれている。イスラエルは米国のシリコンバレーと肩を並べるテクノロジー・スタートアップの集積地だが、その経営者のほとんどは、軍隊から生まれている。

そして皮肉にも、現在のパレスチナ侵攻においては、予備役である彼らは招集され、ハイテク産業は停止状態にある。

欧米人がハマスをテロと決めつけてしまう背景には、イスラムに対する無理解があるのだろう。日本にいるとわからないけれど、どこか文化的な違いが大きな軋轢を生んでいるのだろう。2006年にフランスで起きたシャルリー・エブド襲撃事件は、イスラム教信者にとって、ムハンマドを風刺することは、受け入れがたいことだったし、そのことをシャルリー・エブドの発行人たちも、知識人を含めたフランス人のほとんども理解していなかったことが根底にある。

けれども、同じようにリベラルな人々にとって、イスラムの受け入れがたい文化がある。例えば、欧米にも日本にもあった家父長制だ。国によっては女性に十分な教育を受けさせない、あるいはヒジャブの着用を強制する、など。だからフランスは法律で公共の場所（主に学校）でのヒジャブの着用を禁止した。そこには宗教に対するリスペクトの欠如がある。

とはいえ、イスラム社会は変化していく。そもそも、強固な家父長制は欧州にも日本にもあったものだ。同じようにイスラム社会が変化してもおかしくはない。

パレスチナの詩人、ファドワ・トゥカーンは『『私の旅』パレスチナの歴史』という自伝で、1920年代から1967年までのパレスチナについて書いている。トゥカーンは子ども時代、パレスチナでは良家の出身とはいえ、女性ゆえに十分な教育を受けることができなかった。理解ある兄がトゥカーンの教師となって文学を学ぶ。パレスチナは英国支配に対抗して1935年にパレスチナ革命が起こるがこれは鎮圧される。48年にイスラエルが建国され、入植が拡大する。それらは到底肯定されることではないが、それでもイスラム社会と欧米が交わることになる（本来はグローバル化する中で交わるべきなのだが）。そうした中で、パレスチナの女性

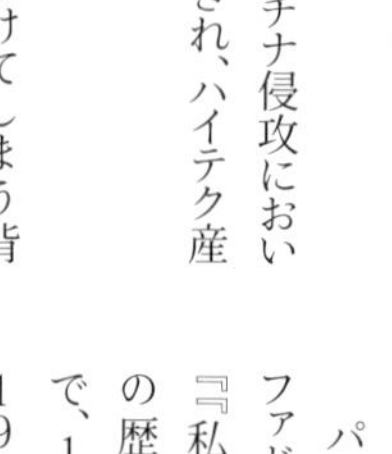

★ファドワ・トゥカーン
『『私の旅』パレスチナの歴史』（新評論）

たちも、教師という職業を入口として、解放されていくし、トゥカーンも詩人として活躍の場を広げていく。

エドワード・W・サイードは『戦争とプロパガンダ』の中で、理想はパレスチナとイスラエルが1つの国家になることだとしている。そこに、暴力ではない交わりが生み出されることが、本質的な平和につながるのだろうし、そうして、楽園になっていくはずなのではないか。逆に互いの文化に対する無理解は、分断をつくるだけではないか。けれども、現実にはその無理解が政治に利用されている、ということなのだろう。

カナファーニーの「ハイファに戻って」は、その意味では交わりの物語だ。

主人公夫妻はかつて、ハイファに住んでいた。しかしイスラエルの侵略によって家を奪われ、そこで息子を失う。20年後、夫妻はハイファに戻り、かつて自分たちのものだった家に、ユダヤ人夫婦が住んでいるところを訪ねる。そこには、失われた息子がユダヤ人として育てられていた。

ユダヤ人夫妻は自分たちのことを正当化しようとはしない。だからといって家を明け渡すわけでも、息子を手放すわけでもない。それをしようとしたら、戦争になる。

たぶん、主人公夫妻の隣にこのユダヤ人夫妻が引っ越してきただけであれば、仲良くなれたのかもしれない。けれども、現実はそうではないし、1つの家を分け合うことはできない。

それでも主人公夫妻の内面は、かつてのパレスチナ人よりも近代化されていると感じる。

ガザは、人間性や希望を奪う監獄だ。

カナファーニーの「悲しいオレンジの実る土地」は、パレスチナ人がイスラエル軍によって土地を奪われていくさまが、子どもの目を通して描かれる。オレンジは自然の恵みであり、その木もユダヤ人に奪われる。オレンジの木は水を与える手が変わると枯れてしまう、と叫ぶが、ユダヤ人のためであってもオレンジは実るのだろう。パレスチナ人にはひからびたオレンジしか残されていない。

この作品と呼応するわけではないが、『シオンズ・フィクション』の最初に置かれた短編は、ラヴィ・テドハーの「オレンジ畑の香り」だ。そこでは、未来都市に、多様な国の人が住んでいる。ユダヤ人もアラブ人も移民を必要としているという。かつてオレンジ畑があった場所が、宇宙につながる未来都市となっている。

もちろんパレスチナ人からしたら、この小説は脳天気すぎるように思えるかもしれない。オレンジ畑はパレスチナの土地だったのだから。

それでも、戦争をしなくても、パレスチナが未来都市になることはできたのかもしれない、とも思う。ユダヤ人さえその気になれば。

けれども、ユダヤ人は今もなお侵略者であり続ける。

1993年のオスロ合意は、圧倒的にパレスチナに不利な内容ではあったにもかかわらず、イスラエルとパレスチナを代表するパレスチナ解放機構が合意した。しかしその合意を反故にしたのは、イスラエル側だった。右派が当時のラビン首相を暗殺し、現在のネタニヤフが首相となる。

イスラエルはヨルダン川西岸のパレスチナ自治区での入植を拡大し、ガザは人々の移動もままならない天井のない監獄となる。全面的な殺戮のかわりに、人間性や希望を奪う、そのための壁で囲まれた収容所だ。だから、すでにイスラエルのテロの被害を受けているガザの人々を代表したハマスの攻撃は、それがテロとされる理由はない。そしてイスラエル軍の侵攻にも何の正当性もない。

ロシアがウクライナ侵攻を開始したのは、2022年2月だった。もちろん、軍事力による他国の占領が許されるものではないということに、議論の余地はない。けれども、これは突然始まったことではない。

確証はないのだけれども、ぼくは引き金を引いてしまったのは、米国のバイデン大統領だと思っている。一般的な話として、政権が支持を得るために行うことは、仮想敵をつくることだ。かつて米国ブッシュ政権（ジュニアの方）が2001年9月11日の同時多発テロをきっかけに、イラクを敵として戦争を行い、支持率を上昇させた。仮想敵をつくって支持率を上げることは、ロシアのプーチン大統領も中国の習主席も行っていることだし、日本の安倍元首相も、中国や北朝鮮からの危機をあおることは、さんざん行ってきた。結局のところ、現代の戦争の根本は内政問題だ。そして、だからこそ、汚職疑惑があるネタニヤフ首相は、司法権限を弱める司法制度改革を行ってさらに支持を落としたところで、仮想敵であるハマスを殲滅するための侵攻作戦を遂行している。しかしかえって支持を失い、さらになりふり構わない、ガザを更地にしかねないほどの狂気に満ちた作戦を継続している。

バイデン大統領の仮想敵はロシアであり中国だ。そして、引き金は、ロシアとドイツの間のガスパイプラインだった。完成したパイプラインの使用に対し、ドイツに圧力をかけたことで、ロシアは天然ガスの販売をウクライナ経由で続けざるを得なかった。だとしたら、その経済的ダメージは、領土回復で取り返すことになる。

ロシアのウクライナ侵攻がぼくにとってショックだったのは、経済的利益をもたらすプラスサムゲームよりも、政権維持のためのマイナスサムゲームが選ばれたということだ。

必ずしもグローバル経済の現状を肯定しようとは思わないけれども、その経済さえもが、戦争に対して無力ということがショックだった。それでも、米中間が戦争につながらないのは、経済におけるマイナスサムが大きすぎるからだと思っている。

ロシアからの天然ガスの購入を減らした欧州は、代替する供給先の1つとして、イスラエルのガス田も含めた。

ウクライナとロシアの関係でいえば、ロシアに相当するイスラエルから天然ガスを調達するのは、ダブルスタンダードにもほどがある。けれども、欧州においてパレスチナは無視されるものだということだ。

もっとも、イスラエルのガス田は職員が軍隊に招集され、稼働できなくなっている。

イスラエル沖にガス田があるように、ガザ沖にも天然ガスが埋蔵されている。通称、ガザ・マリンという。このガス田をエジプトは開発したいと考えているが、イスラエルがそれを認めない。けれども、ガザが、パレスチナ国家であれば、イスラエルの承認は不要だ。

ガザはイスラエル政府の狂気によって、破壊しつくされている。1秒でもはやく停戦してほしいし、失われる命をなくしてほしいと願う。

そして、とりあえずはガザとヨルダン川西岸がパレスチナ国家として樹立されるべきだと思う。サイードが言う、統一した国家は、まだ遠い先だろう。では、ヨルダン川西岸の入植者はパレスチナ国民として残るのだろうか。そして、パレスチナ人とともに、オレンジ畑を運営していくのだろうか。土地を奪われたパレスチナ人に対する補償はあるのだろうか。

ガザは、再開発され、新たな都市になればいいと思う。ガザ・マリンを開発し、天然ガスから得られる利益を投資したらいいと思う。気候変動対策として、化石燃料の利用は抑制される時代だけれども、それは人類が最後に開発したガス田であってもいいのではないか。

汚染が放置されたガザの海岸も美しくよみがえらせたらいいと思う。そして、岡真理が本のタイトルにしたように、ガザに地下鉄が走ったらいいと思う。

それを楽園とはいわないかもしれない。そうであっても、そのくらいの未来があるように、祈りたいと思う。

失楽園としてのガザ

◉文・写真＝釣崎清隆（死体写真家）

私が初めてパレスチナを訪れたのは二〇〇一年、米同時多発テロの直後であった。

航空機が突っ込んだツインタワーが崩落していく衝撃の映像、あのテロ事件で起きた暴力のあり方に、ビジュアリストとして審美的違和感を覚えたのがきっかけであった。

それは芸術家の勘のようなもので、論理的に説明することは難しい。私は真善美のうちで美の価値しか信じない人間であり、それを正しいと信じている。

私はあの9・11の深層にあるパレスチナ問題の暴力、テロの本質を凝視し、死をとらえてみたいと考え、現地へ飛んだのだった。

そして私はパレスチナにおいて、9・11で感じたものと同じ審美的違和感を覚えることになったのだ。

それまで私がラテンアメリカで見てきた「汚い戦争」は犯罪と戦争の混沌であり、極めて人間くさく生々しい悲劇であって、それと比較して、パレスチナの様相がいかにも「きれいな戦争」といえそうなものだったのだ。

そこで悟ったのだ。9・11、パレスチナの暴力の正体は嘘であると。世界は大掛かりな嘘で汚されているのだと。さらにいえば、その嘘に加担する偽物の芸術が人類の進歩を阻む元凶となっているのだと。世界は野蛮に支配されているのだと。

パレスチナで目撃したものは紛れもない現実であった。しかし、すべてが「神話」じみていることに、つまり不自然に演出されていることに気付いたのだ。

ガザ地区、ラファの難民キャンプで紹介された男は、国連の粗末なテントの外の敷物の上に座って、私に豪勢な昼食を振る舞ってくれた。この違和感。語り部は必要であり、許容されるプロパガンダであるとは思う。ただ私は確かに管理下にあったのだ。

インティファーダ（パレスチナ人による民衆蜂起）は投石に象徴された抵抗運動として始まった。今から考えれば、それ自体がいかがわしいビジョンであったかもしれない。投石は抵抗足り得るのか？ もしかしたらそれは戦争の挑発行為であり、自爆テロにまで昇華する残酷な人身御供であったのではないか。現代において国際法上禁止された、聖戦の論理、その正の側面ではありはしなかったか。

というのは、昨年十月七日、ハマスの奇襲攻撃によって実践された戦争行為はレイプであったのだ。攻撃手段が自爆テロからレイプに取って代わり、聖戦の本質が剥き出しになったというべきか。

投石も自爆テロも神話なら、それを阻止した壮大な分離壁もまさしく神話であり、アイアンドームも神話的である。思えば我々は自爆テロの悲劇的ショックに幻惑されていたのだろうか。

イスラエルはあの残虐行為に対して断固たる国家意志で臨むよりほかにない。世界を敵に回しても妥協などあり得ない。世にも恐ろしい悲劇になった。

二〇〇一年、私はガザ地区に足を踏み入れ、海岸沿いのリゾートホテルに宿泊した。もちろん観光客などひとりもいやしない。戦争のあだ花というべき

清浄で静謐な美しさに誘われて、ひとり海岸を歩いていると、バケツを抱えた半裸の男が現れ、中からムール貝を取り出して私に振る舞った。これはいったい何なのだ？　私は幻惑された。しかし違和感だけは持ち帰ることにした。

私は今日にいたるパレスチナ問題の背景に壮大な嘘が横たわっていることだけは断言できる。ただ、私はイスラエルを闇雲に責める気にはならない。むしろイスラエルの鉄の国家意志に、ともに世界から憎悪され続けた日本人としてシンパシーを抱かざるを得ない。イスラエルに対してもハマスに対しても、我々は彼らが戦う嘘に塗れた「宗教戦争」の過酷さに思いをいたすべきだと思っている。

私はいち日本人として、いち芸術家として森羅万象を見る。美しか信じない。

だからこそ、戦争行為としてのレイプには断固反対する。

カノウナ・メ
——可能な限り、この眼で探求いたします

加納星也

第54回 数〇〇に溺れて

とりあえず、冒頭からタイトルの元ネタを明かしてしまうが、つまり『数に溺れて』。原題はDrowning by Numberで、ピーター・グリーナウェイ監督の1988年の作品。物語はシシーという同じ名前の祖母、母、娘という三代にわたる女性が、各々の旦那を水死させるというトンデモない話だ。

物語が物語なら、画面も画面。ブラックというのもはばかれるほど笑えないコメディの傑作。しかも、ただの真っ黒でなく、ドラマの進行に合わせて1から100までの数字が画面のどこかに現れてきて、それに気を取られていると、なんだか基本的な物語がどうでも良いようにも思えてくる。しかも、その数字が表れる多彩な映像は限りなく美しく、ここに極めて変態的な関係の美が生まれてくるのだ。

グリーナウェイは、2024年3月2日から特集上映が行われる。『数に溺れて』以外にも、まさに絵画の様な風景に潜む猟奇的な殺意を暗示させる『英国式庭園殺人事件』(1982)。あのウィリアム・シェイクスピアの最後の戯曲『テンペスト』の当時の残酷さを反映しすぎた『プロスペローの本』(1991)、動物が腐敗する過程を映像記録することに没頭する双子の兄弟を描いた衝撃の日本デビュー作『ZOO』(1985)というプログラム。昨今のカルト映画の作家も影響を受けた作品の数々、見逃す手はない。

★『ピーター・グリーナウェイ レトロスペクティブ』／2024年3月2日〜渋谷シアター・イメージフォーラム他にて公開。

■『市子』(2023)

『市子』は川辺市子と名乗る女性が主人公。3年間一緒に暮らしていた恋人からプロポーズを受けた翌日、姿を消す。映画は、それに関わった人の証言から、彼女のそれまでの人生が浮き彫りになる構成で、ヒロインの杉咲花の魅力が全開。すっきりとしないあの感じが好きなファンには、マタタビのような名画となるだろう。母親役の中村ゆりもはまり役。市子と会った友人役、『猿楽町で会いましょう』(2019)『うみべの女の子』(2021)の石川瑠華も良いスパイスとなっている。

★2023年12月8日から全国で公開

【舞踏の世界】

東京ドキュメンタリー映像祭の特別プログラム「舞踏の世界」として3本の作品が上映された。

1本目はWECreate Productionsの『後背・地』(2023)。マルタのスクリーン・ダンス・アーティストのアナ・ベーラ（メキシコ／米）とヘイケ・セルザー（独／英）のユニットがマルタ島の風景で踊る様子を、多様なテクスチャーや色彩、サンドスコープでとらえ、その場にあるマルタという地を表出させる。

2本目は万城目純の『鳩の沐浴 Ablutions』(2023)。2010年から継続する「丸ごとの生（別枠の人生）」をとらえる《PERFOMATIVE LYFE》の最新作。コロナ禍や貧困、戦禍により自閉していた世界から脱皮し、羽ばたこうとする少女の行為を手持ちカメラのワン

★『鳩の沐浴 Ablutions』

シーンワンカットで撮りあげた。少女を演じるのはアーチストの〇hiromi(maru Hiromi)。「鳩の沐浴」とは、アイルランドの詩人で劇作家のW・B・イェイツの「鷹の井戸」に対する返歌。イェイツは、人間の果てしない欲望をケルト神話と能の形式を用いて描いたが、本作は現在の状況に対して、ささやかながらも個人で対抗しなければならないという意志を現す。入江の切り立つ岩山をバックに、名もない抵抗の行為が繰り返される。

3本目は、晩年までジョナス・メカスと行動を共にしたヴィルジニー・マルシャンの『てんかん症のオペラ舞踏』(2023)。日本の舞踏家・大野一雄の100歳を祝う会を訪れたマルシャンを、日記映画のメカスのカメラが追う。大野慶人ほか、大野舞踏研究所の人々や関係者も画面に記録され、また、日本文化に詳しいドナルド・リチーのインタビュー映像も挿入されている。

★2023年12月に新宿K's シネマで上映。2024年に関西上映予定。

■『他人と一緒に住むという事』(2023)

異能の劇作家「俺は見た」の八木橋勉が、現実の新宿を通して見つめてきた自身の群像演劇を7年かけて映画化。ここには等身大の人間がいる。「他者」と一緒に暮らすことによって見えてくる生身の人間性。作者は、その中に身を置き、真っすぐに捉える。そこには人間をとりまく土地や家、社会がある。出演者のそれぞれの行為や言葉に愛着あふれる演出が感じられ、現実に何度も絶望しつつも、それを暖かく見守る視線と人間ドラマに対する本物の愛が感じられる作品。懐かしい映画の質感と今そこに生きるリアルさが人間の温もりを持って押し寄せる。新しく奇抜でも技巧的でもないが、ありそうでなかった日本映画。

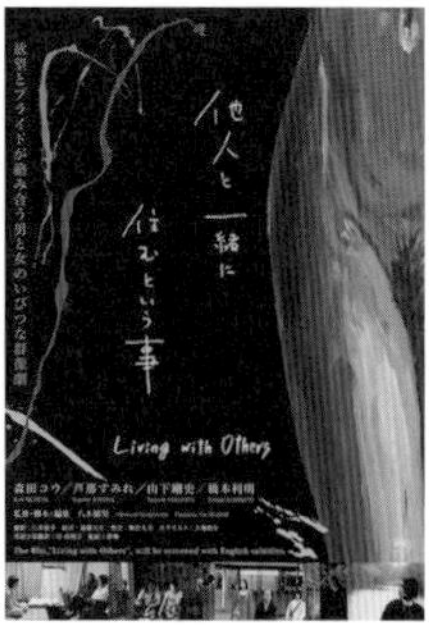

★2023年12月～渋谷イメージフォーラムで上映。

■『エス』(2023)

演劇のワークショップから立ち上げた独特な手法の会話劇で頭角を現した太田真博監督が、自身に降りかかった逮捕劇から着想し完成させた長編。内容は、逮捕された映画監督・染田(エス)を取り巻く演劇仲間の取るに足らない日常の無駄話。しかし、その無駄話ナシでは人生は成り立たない。監督の視線は極めて個人的な出来事を見事に戯曲化させ、演劇的な映画として成立させる離れ業を見せる。

こうして出来上がった作品は決して無駄ではない。長年行われてきた演劇ワークショップの成果が、演劇的な映画から映画そのものになる。自身の差し迫った現実を一度、虚構化し、さらに磨きをかけて極めてドキュメンタリー的な虚構作品として提示する。これは娯楽にみえて大変深度のある作品である。

★2024年1月19日～吉祥寺アップリンクで公開。

■『パトリシア・ハイスミスに恋して』(2022)

作家パトリシア・ハイスミスの知られざる素顔に迫る良質なドキュメンタリー。ハイスミスは、アラン・ドロン主演、ルネ・クレマン監督のサスペンス『太陽がいっぱい』(1960)やヒッチ・コック『見知らぬ乗客』(1951)など名作の原作者であり、欧米ではアガサ・クリスティと並ぶ人気作家。だが彼女には、実は別の顔があった。

レズビアンである彼女が偽名で発表した自伝的小説「キャロル」は、1950年代アメリカで出版されたハッピーエンドの初レズビアン小説。映画では、そんな天才肌の彼女を愛した女性たちの証言で、彼女の人生が立体的に浮かび上がる、実にクレバーでハッピーな作品となっている。

★2023年11月に公開

■『WOMEN TALKING』(2022)

サラ・ポーリー監督は、実際に自給自足で生活するボリビアのキリスト教コミュニティで起きた連続レイプ事件と、その当事者である女性たちが自分たちの尊厳のために語り合い、決断し行動した物語を描く。ほぼ全編にわたり、彼女たちの熱い討議が映されるが、赦すか闘うか、それとも立ち去るか？ 彼女たちの決断は？

★2023年6月に公開

■『サントメール ある被告』(2022)

セネガル系フランス人の女性監督アリス・ディオップは、実際の裁判記録を、そのままセリフに使用するという斬新な手法を採用。きわめてリアルに緊迫した状況を描き、事件の根底にある女性移民の被告の社会的背景に迫る。

被告の証言にあるように、まさしくキマイラのように連鎖する女性たちの細胞のような作品。

★2023年7月に公開

■『それでも私は生きていく』(2022)

自身の経験をもとに上質なヒューマンドラマを描くミア・ハンセン=ラブ監督。8歳の娘を育てるシングルマザーであり、父親の介護やパートナーの不倫に悩む。演じるのは何とレア・セドゥ。ミスキャスじゃないかという前評判も何のその、新境地を開拓し、なかなか泣かせると好評価。

★2023年5月に公開

■『ジェーンとシャルロット』(2021)

言わずと知れたフレンチアイコン、ジェーン・バーキンとシャルロット・ゲンズブールの母娘。二人の間にある《心の奥に隠された深い感情》を探る、いわば個人映画だが、これがオシャレに成立されてしまうのがズルいともいえるが、しっかり泣ける。冒頭にある東京公演の記録映像で関係者の日本語が聞けるのが、なんかすごく違和感があって思わず笑みがこぼれる。

★2023年5月に公開

■『フォルス・ポジティブ』(2021)☆

タイトルは、偽陽性の意味。検出する必要のない事態を、何らかの兆候を示すものとして誤って検出すること。不妊症に悩む夫婦に訪れるマタニティ・ホラー。あの007役として名が知れたピアーズ・ブロスナンが、高名だが怪しい不妊治療医として登場。

ジョン・リー監督の本作は、現代版『ローズマリーの赤ちゃん』(1968、ロマン・ポランスキー監督)。ピーター・グリーナウェーの『ZOO』やフランソワ・オゾンの『二重螺旋の恋人』(2017)から繋がる、血みどろの三つ子の魂伝説の最新形ともいえるかもしれない。

■『ファニー・ページ』(2022)☆

子役出身のオーウェン・クライン監督のデビュー作。16ミリフィルムを使い、思わず懐かしいザラつく映像で描くオフビート・コメディ。主人公は菅田将暉似の地方都市の高校生。カトゥーン作家(風刺・アニメ漫画家)を目指す彼が奇妙なオタクの中年男性たちと交流する姿はかなりイタイ。唯一の友達もかなりキテて風変わりな傑作。もし、連続ドラマにしたら結構当たるかも？

■『ザ・ヒューマンズ』(2021)☆

ピュリッツァー賞ノミネート作家スティーブン・カラムがトニー賞受賞作品を自ら映画化。ニューヨークのダウンタウンの娘の家に集まる家族の一夜を見事に描く。一見、サスペンス映画のような進行だが、実は人間の奥底に潜む信仰の映画。主人公の娘は現代音楽家を目指すアーティスト。冒頭シーンは!巨大な古いビルを下から見上げる構図の中に、切り取られた青空。そこに響くミニマムなオーケストラ。その荘厳に響く音響設計のすばらしさに、すぐさま世界に飲み込まれてしまう。またラストの、いわばこの密室劇がドラマのセットにすぎないのでは?という落とし方もなかなか。

■『エターナル・ドーター』(2022)☆

今やアート映画の伝説となったデレク・ジャーマン監督の『カラヴァッジォ』(1986)でデビュー、その後ジャーマン作品の常連となった女優ティルダ・スタントン。彼女が一人二役で母娘を演じる本作は、ジョアンナ・ホッグ監督が、自身の体験をもとに人間の微細な絆やその心情を丁寧に描く。人里離れたホテルで過ごす二人のゴシック・ドラマ。物語が終結を迎えても、やがて押し寄せるエモーショナルな痛みは本物か?

■『ヴァル・キルマー/映画に人生を捧げた男Val』(2021)☆

『トップ・ガン マーヴェリック』(2022)で声を失った主人公のライバル役として奇跡的な復活を遂げ、帰ってきたアイスマン。またバットマン役をマイケル・キートンから引き継いだ男。あるいはオリバー・ストーンの『ドアーズ』(1991)でジム・モリソンを演じ、『トゥームストーン』(1993)では、ドク・ホリデイを演じた俳優。

2014年、咽頭がんの手術で声を失った彼の代わりに、息子で俳優のジャック・キルマーがナレーターを務めたドキュメンタリー。近年では、本人は声のクローン技術で舞台にも立ち、アメリカ文化のリンカーンともいわれるマーク・トウェインの一人芝居にも挑戦した。

映画は、こうした彼の途切れ途切れの発声に導かれながら、彼の役者としての道のりを辿る。作品中では、マーロン・ブランドが主演したものの監督のジョン・フランケンハイマーとの確執から代役を立てたと言われる『D.N.A./ドクターモローの島』(1996)の内幕も紹介されている。しかも全編、キルマーが少年時代から撮りためたプライベートフィルムやビデオを縦横無尽に使い、時空を行き来するかのような感覚で楽しめる。

■『ゴッズ・クリーチャー』(2022)☆

風が吹きすさぶアイルランドの漁村。そこに住まざるを得ないゴッズ・クリーチャーである人間たち。工場で働く母のもとに7年間音沙汰もなかった最愛の息子が帰ってくる。彼は、今は介護でしか生きられない祖父が営んでいた牡蠣の養殖業を継ぐという。しばらく平穏な日々が続くが、ある出来事からついた小さな嘘が家族を引き裂き、村人を巻き込む悲劇へと向かう。母親役のエミリー・ワトソンが熱演。息子役のポール・メスカスも『アフターサン』(2022)に続く好演。見ているだけで身も心も凍え、ましてや夜明け前の冷たい海の中で、一つ間違えば強い潮流に巻き込まれ溺死してしまうかもしれない恐怖がそこにはある。

★

と言ったところで、やっと「数○○に溺れて」までたどり着いた。毎年、同じことをしつこく書いているが、この原稿を書いているのは、まさしく2023年の年末。これを書き上げると、ようやく24年のお正月となる。

さて、皆さんは、この数にまみれた映画紹介の数々。数字は見つかったでしょうか? え、途中からタイトルに数字が関係なくなった!って。しかも、公開情報が消えている!って。良いところに気が付きました。

ラスト6本は、実は《A24》という、いまや世界を席巻する映画制作会社の本邦初公開の作品。そこで上映される作家の間では、冒頭で紹介したカルト映画の巨匠ピーター・グリーナウェイは、もはや神だと思うので、24年もA24に限らず、多彩で多様性な《映画に溺れて》過ごしましょう。

こちらは、もう《数》には溺れたくないので、痛い風に注意しながら、《数の子》に溺れるお正月を過ごし、今年も、この眼でこの足で劇場に向かい検証します。よろしくお願いします。

☆印の6本は、「A24の知られざる映画たち」にて、23年12月22日から4週間、ヒューマントラスト有楽町・渋谷ほかで上映予定。また、U-NEXTで1月24日から独占配信。

よりぬき［中国語圏］映画日記

香港を「終の棲家」として生きていく

――『香港の流れ者たち』『星くずの片隅で』『七月に帰る』『香港怪奇物語』『白日青春』『離れていても』

小林美恵子

movie

本誌№95では、『香港市民はどこでどんなふうに生きていくのか』と題して保安条例以後の香港映画の世界について考えた。今回はいわばその続編である。二三年にはあたかもこの問いに答えるかのような香港映画の数々が日本にもやってきた。

★香港の流れ者たち（濁水漂流）／二〇二一／監督＝ジュン・リー（李駿碩）

★星くずの片隅で（窄路微塵）／二〇二二／監督＝ラム・サム（林森）

★七月に帰る（七月回帰）／二〇二三／監督＝ネイト・キー（謝家祺）

この三本は、香港の映画製作会社MM2の新進監督プロジェクトという企画で、監督は別だが、三本共通して若い敏腕女性プロデューサー、マニー・マンが深くかかわって製作したという、いわば連作的な作品群といってもよいかもしれない。

『流れ者たち』は深水埗の街角に暮らすホームレスの人々を描く群像劇。刑務所帰りの男、移民（自らも移民であり、家族はさらに外国に移住してしまい孤独な境遇にある）や、障がい者などが助け合って暮らすが、行政のホームレス一掃の方針により持ち物（寝床・日用品・家族の写真など）も身分証さえも奪われて行き場をなくす。物語はこの人々が、ソーシャルワーカーの助けを得て当局を訴えたという実際の事件をベースにしている。日本では二二年末、渋谷での「香港映画祭22」で上映、二三年末には劇場公開された。

『星くず』は、二三年三月の大阪アジアン映画祭では、あっという間にチケット完売で見ることができなかったが、早くも七月には劇場公開された。コロナ禍から逃れて他国に移住しようとする人も目立つ香港で、貧しさの中、万引きや窃盗さえも辞さないという母子と、彼女とかかわりを持ったことから、そもそもコロナ禍で融資も返しきれず苦境の中で頑張っていたハウスクリーニング業の主人公ザクが廃業に追い込まれるまでとその後を描く。描き様によっては、貧しさゆえにモラルも失った女と、彼女に騙される不器用なマジメ男の話―なんとも陰惨―になりそうな設定だが、意外に明るくポップな印象の母子と、決して強いとは言えないザクに感じられる包容力が、図式通りのハッピーエンドには終わらない（が、悲劇的結末というわけでもない）物語を支えている。

これらには、決して住みやすい場所とは言えない香港を描きながら、移住もままならない身として、根をおろし住みやすい場所にしたいという決意も見ることができる。

そして『七月に帰る』。二三年一月「香港映画の新しい力」という特集上映で見た。これはホラー映画で、すでにカナダに移住した若者ウィンが、母の危篤（自殺未遂？）の知らせを受け香港に戻ってくるところから話が始まる。「自分は、香港は嫌いだ」というウィンの言葉のように、ここに描かれる香港は全体にくすんで暗く重苦しい。

病院に母を見舞ったウィンは、昔母と住み、今まで母が一人で暮らしていた古いアパートの部屋に戻るが、そこで出会う奇妙な行動をする人々、次々おこる奇怪な出来事に戸惑う。ウィンは陰と陽が見える目の持ち主で、普通の人が見えないような霊などを見ることができるというのだが、製作者のマニーによれば、香港には実際にそういう目を持つ人がいるのだとか。また階と階の間の空間に子どもが住み不審な物音をたてるというような、いわば都市伝説や民間伝承なども組み込んで、冥界と現世との狭間に落ち込んだかのようなウィンの不安が描かれる。不気味で物悲しいのはウィンが結局香港社会では最後までよそ者の視点しか持ちえず、したがって死者もウィンにとっては親しいというよりは恐ろしい存在でしかないからかもしれない。

　あの世とこの世の境目にいる存在を描いたと言えば、最近の日本公開作では『赤い糸 輪廻の秘密』（原題『月老』二〇二一／監督＝九把刀）、『僕と幽霊が家族になった件』（二〇二三／監督＝程偉豪）などの台湾映画が思い出される。これらが冥界や冥婚などをむしろコメディとして描いているのは、台湾人が不真面目なのではなく、死者と生者の距離感が香港社会と台湾社会では違うのだとも思える。台湾映画二本はどちらも死者自身が視点人物の一人として生者とかかわりを持つ様子が描かれ、死者は生者にとって親しい存在という感じ。それに対して香港はやはり現実的な生者の場所なのだろう。

　また、自然との距離という点でも香港映画の特異な位置というのはあるのかもしれない。

★香港怪奇物語 歪んだ三つの空間（失衡凶間）／二〇二二／監督＝許業生・陳果・馮志強）

　三本の作品によるオムニバス映画、題名の通りこれもホラー？というか一応スリラーと銘打っている。香港では大評判で、すでに続編二作が公開されているのだとか。「歪んだ空間」とされたのは一部『暗い隙間』ではアパートの一室、二部『デッド・モール』ではあるショッピングモール、三部『アパート』では古びたアパートのこちらは一階から五階までの各部屋とそれをつなぐ階段と踊り場で、閉鎖的な屋内空間でほとんどの物語が展開する。コロナ禍の時、あまり移動せず、低予算で作れるような映画ということでこういう企画が生まれたようだが、それにしても三作とも自然とは隔絶した密室空間―それはもしかしたら今の香港社会そのものかもしれない―に徹した舞台展開で息苦しくさえなってくる。

　おりしもこの原稿を書いている真っ最中の一二月四日、香港の民主活動家アグネス・チョウ（周庭）さんのカナダ亡命が報じられた。すでに留学中のカナダからの一時帰国・出頭を香港当局に求められ「一生帰ることはないかもしれない」という覚悟で出頭を拒んだのだという。彼女の姿に『七月回帰』のウィンの姿が重なる。

★白日青春 生きてこそ／二〇二二／監督＝劉國瑞

★離れていても（但願人長久）／二〇二三／監督＝サーシャ・チョク（祝紫嫣）

　いまや、香港人には出ていくか残るかという二択しかないようだが、考えてみれば香港こそ移民の流入先、アジア諸国から様々な人々を受け容れてきたのではなかったか。最後の二本の監督も実は香港への移住者で、人生の果てに香港に根を下ろした親世代の姿を描く。

　『白日青春』は、大陸から泳いで香港にわたった老タクシー運転手（今や信念の名優黄秋生が演じて、すこし風貌が立派過ぎるかも）が、身を賭して、カナダへの移住を願うパキスタン難民の少年の密航を助ける物語（大阪アジアン映画祭上映。この冬劇場公開）。

　『離れていても』は今年の東京国際映画祭「アジアの未来」出品作で、幼い娘を伴って密航し香港に渡った父親（こちらは台湾の呉慷仁、若い父から六〇代までを演じて説得力がある）の「定まらない」生き方と死、そして、成人して香港からさらに海外へ、あるいは父の故郷である湖南省へと回帰する娘（監督自身が演じる）を描いて印象深い作品だった。大陸から夢の都だった香港にたどり着いたものの、香港の変化の中で今や決して安住の地ともいえないこの地を終の棲家としながら、若い世代を香港の外の世界に送り出そうとする高年代の人々というのは、今の香港の一つの人生モデルとなっているのかもしれない。

DANCE

ダンス評［2023年9月～12月］

日本と西洋の止揚

ファルフ・ルジマトフ、藤間蘭黄、岩田守弘
鍵田真由美、佐藤浩希、中川賢、本島美和
高岸直樹、辰巳満次郎、窪田夏朋
竹内春美、佐々木三夏

志賀信夫

二〇二三年は、日本と西洋との出会いの舞踊作品の挑戦をいくつか見ることができた。その代表が藤間蘭黄の『信長—SAMURAI—』だ（浅草公会堂、十月二十六日）。蘭黄が二〇一八年から展開してきた「日本舞踊の可能性」の第五弾、第二弾の再演だが、今回、岩田守弘最後の舞台で、ファルフ・ルジマトフ、藤間蘭黄、岩田守弘三人の競演という必見の舞台だった。

ルジマトフはロシアのトップバレエダンサーとして、カリスマ的存在。かつて笠井叡の振付で『レクイエム』を踊ったこともある。岩田守弘はモスクワ国際バレエコンクールで金賞を受賞し、ボリショイバレエのソリストとなり、三十年近くロシアでバレエダンサーとして活躍してきた。藤間蘭黄は人間国宝の祖母、藤間藤子、母の蘭景に学んだが、バレエ公演とも関わり、また若手日本舞踊家集団、五耀會のメンバーとしてなど、さまざまな創作に取り組んできた。

舞台は、日舞とバレエが混じり合い見応えある作品となった。第一部は、藤間蘭黄の長唄『松の翁』、岩田守弘の『生きる』、ファルフ・ルジマトフの『レクイエム』で、それぞれの得意技を披露するというオムニバス。第二部の『信長—SAMURAI—』は、織田信長をルジマトフ、齋藤道三と明智光秀を藤間蘭黄、秀吉を岩田守弘が演じ、作・演出は藤間蘭黄、振付は蘭黄と岩田守弘。梅屋巴・中川敏裕の音楽も、箏が見事に生きていた。ルジマトフは、一九六三年生まれの六十歳とは思えない肉体美で、キレのある動きと身体の強さが魅力的、岩田の身軽な動きも長年評価されたことがわかる。蘭黄の踊りはどんどん油が乗ってきている。特にエンディングでは、三者がそれぞれ存在感を示しつつしっかりと踊り、舞台は踊りの魅力に満ち溢れた。

鍵田真由美と佐藤浩希のアルティソレラ舞踊団は、これまでも『曽根崎心中』をはじめ、フラメンコと日本の伝統文化を交差させた作品を生み出し、フラメンコの新たな可能性に挑戦してきた。今回の『恋の焔炎』（日本橋公会堂、十月十七日）は、フラメンコ、日本舞踊、義太夫、津軽三味線による舞踊作品。見どころはやはり、鍵田真由美と日舞の吾妻徳穂の競演だろう。二代目吾妻徳穂は吾妻流宗家で、芸術選奨、舞踊批評家協会賞、紫綬褒章と日本舞踊界でも高く評価される存在。その吾妻徳穂と鍵田真由美が互いにフラメンコと日本舞踊を教授し合い、魅力的な舞台を実現した。

女流義太夫と津軽三味線と和太鼓、そこにフラメンコギター、さらに附け打ち（歌舞伎などの拍子木で床を叩く）まで入って、多様な展開、そこに女性が和製ポップスともいえる歌を歌う。鍵田真由美、佐藤浩希、客演の権弓美、松田知也、矢野吉峰とメンバーのフラメンコも、多様に展開する。踊りとしての圧巻は、吾妻徳穂と鍵田真由美。そのあでやかさと魅力、鍵田の力強さなどフラメンコらしいオムニバス的構成に、一本強い芯を感じさせて、見事だった。

小田急線で新宿から一時間ちょっとの大和駅からすぐ、大和芸術文化ホールで、二〇二三年十二月二十四日に、大和シティー・バレエによる『宗達』が上演された。

俵屋宗達は、金森穣率いるNoism出身の中川賢が演じる。出演する櫛田祥光、池ヶ谷奏、林田海里も元Noismメンバー。出雲の阿国は新国立劇場バレエの一期生、本島美和。さらに東京バレエ団で活躍した高岸直樹、能役者の辰巳

満次郎、小出顕太郎など優れたゲストに、大和シティー・バレエ、大和シティー・ダンス、子どもも含めたバレエスクール、佐々木三夏バレエアカデミーのメンバーで構成。振付は、大和シティー・バレエのディレクター兼常任振付家の竹内春美で、ドイツの劇場付カンパニーで十年活動経験がある。大和シティー・バレエの代表は佐々木三夏で、そのアカデミーは、二〇一二年、ローザンヌコンクール一位、ハンブルグバレエで活躍する菅井円加など優れた人材を輩出している。

バレエ『宗達』は、柳広司の小説に基づき、扇田拓也の脚本。特筆すべきは、竹内春美の演出・振付の歯切れのよさだろう。暗転やスポットライトを多用したテキパキとした展開で、観客を引きつけ、ソロなどの見せどころはしっかり時間をかける。コミカルなシーンも交えながら、宗達の人々との関係、時代に翻弄されながらも、自分の道を極めていく姿が明快に描かれる。

アルヴォ・ペルトの音楽は、心理的情景を描くためには常道ともいえるが、それに加えて、和楽器の生演奏が舞台を盛り上げる。特に二台の和太鼓の掛け合いなど、リズミカルなビートがバレエ、ダンスの身体の躍動感を高める。のみならず、神楽笛と尺八のデュオ、薩摩琵琶と箏も見事なアンサンブルを奏でていた。

第一幕では、特に本島美和演じる阿国と群舞の場面がダイナミックで美しく、惹きつけられた。中川賢演じる俵屋の伊年（宗達）と、小出顕太郎の番頭喜助とのかけあい、中川と、辰巳満次郎の本阿弥光悦の場面も印象的だ。そして、中川（伊年）と林田海里の紙屋宗二、櫛田祥光の角宮与一の男性トリオ、中川と本島のとのデュオなど、見どころと群舞が絡み合う。

第二幕は、有名になった宗達の前に、高岸直樹演じる烏丸光広が現れ、宗達は迷う。妻みつを演じる窪田夏朋もいい。大和シティー・バレエのメンバーで、烏丸と宗達を取り合う場面から存在感を強め、ヒロインを丁寧に演じる。

圧巻は、エンディングだ。妻みつと阿国が下りた幕の手前で絡み、その紗幕の向こうに人々、そして花吹雪。紗幕が上がると、獅子頭をつけた金と銀の二人が登場する。この高岸直樹の風神と辰巳満次郎の雷神が舞い出すと、風神雷神図が再現され、鍛えたバレエテクニックと能の動きがダイナミックに浮かび上がる。その宗達晩年の傑作とともに、この物語を閉じるという、構成・演出も見事だった。カーテンコールで太鼓がリズムを打ち出すと、観客もエンディングの興奮から引き続いて、大いに盛り上がった。

『宗達』は、大和シティー・バレエ団のレパートリーとして、ブラッシュアップしながら各地で上演するに値する作品といえる。また、次にどのような作品に挑戦するか、今後の活動が楽しみである。

★（上）出雲阿国（本島美和）と俵屋宗達（中川賢）
（下）風神（高岸直樹）と雷神（辰巳満次郎）、
手前はみつ（窪田夏朋）と阿国（本島美和）
ともに写真：東京ダンススクエア（鈴木紳司）

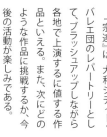

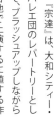

STAGE

高浩美

「コミック・アニメ・ゲーム」×ステージ評

東京リベンジャーズ他

2023年末にアニメ産業レポートが発行され、2・5次元舞台を含むこのジャンルのライブエンターテイメントは、ほぼコロナ前の数字に達していることがわかった。20年は前年の3分の1に減少し、21年には回復に転じたが、まだ市場規模はコロナ禍前の3分の2。だが22年春頃にはコロナ禍前に近い状況を取り戻し、22年の市場規模は21年の570億520万円から過去最大の972億4100万円に達した。

その中で2・5次元舞台も22年に過去最高の記録を更新した。その要因として考えられるのは、2000席ある帝国劇場を会場とするなど公演の大型化とチケット単価の高騰。そしてこの数字には含まれていないが、有料のオンライン配信が定着。ファン拡大の一助となっているであろうことは想像に難くない。また人気コンテンツのシリーズ、俳優陣も世代交代し、若手が出てきている。

ただ数字的には好調だが、2・5次元に限ったことではないが、劇場の慢性的な不足で作品によっては公演期間も短く、これからインバウンドも期待されるが、観たいと思っても公演が終了してしまったり、チケットが取れないなどの課題が懸念。今後どこまで公演数が伸ばせるのか、未知数である。

★舞台「東京リベンジャーズ」
©和久井健・講談社／舞台「東京リベンジャーズ」製作委員会
©Ken Wakui, KODANSHA / TOKYO REVENGERS Stage Production Committee.

年末年始にかけて舞台『東京リベンジャーズ』が上演された。この公演の少し前にミュージカル『東京リベンジャーズ』も上演されたが、これらは手法も俳優陣も違う。舞台版は「聖夜決戦」まで進んでいるが、ミュージカルの方は23年が初演。両方観劇するのも一興で、後発のミュージカル版での復習も可能。

観劇したのは舞台版で、「聖夜決戦」のキーキャラクターは柴3兄弟。「2017年、久しぶりに出てきた」、花垣武道《タケミチ》（木津つばさ）、ん…髪の毛が…「なんだーこの髪は?!」のっけから笑わせる。"血のハロウィン"の終結後、現代に戻ったタケミチは東卍の最高幹部になっていた。「こんな立場になってしまった…」と呟くタケミチ。裏切り者として総長代理の稀咲鉄太（結城伽寿也）に捕らえられてしまう。現代の東京卍會は変わらず諸悪の根源・稀咲鉄太に支配され、事態は一向に解決していない。稀咲の凶弾によって、松野千冬（植田圭輔）が目の前で殺されてしまい、その銃口はタケミチへと向けられた。

橘直人《ナオト》（野口準、東京公演のみ）と再会し、現代が最悪の世界になったことを知ったタケミチは過去へタイムリープする。そこはボーリング場で、やたら高身長の男がいた。彼は柴八戒（田中涼星）。柴柚葉（飯窪春菜）もいる。現代では、元黒龍総長で金のために先代総長を殺したと噂のあった八戒だが、12年前では気さくにタケミチに話しかける、まったくの別人。

ハイライトシーンはもちろんアクション、2幕もので、1幕ではクリスマスイブ前の状況を丁寧に描き、2幕後半でアクション、という流れ。出演は総勢27名という大所帯。コロナ禍の頃はこのような大人数の舞台はなかなかできなかった。また、23年、24年と年を跨ぐので新年らしい演出も用意。そこは舞台、ライブならではの粋な計らい、といったところだろう。

24年は、早くも話題作が登場。宮崎駿初監督アニメ『未来少年コナン』が5・6月、東京芸術劇場プレイハウスにて舞台化される。異次元の想像力で魅了するインバル・ピントとダビッド・マンブッフが演出、ホリプロが舞台を手掛ける。

『未来少年コナン』は世界のアニメ史に輝く伝説的な名作冒険活劇で、放映されたのは1978年のこと。当時子供だった世代は、もはや中年〜初老。つまり、日本人の大半がアニメ・コミックで育った、ということになる。また、スタジオライフでは久しぶりに『アドルフに告ぐ』を上演したが、原作の連載は83年の『週刊文春』。これをリアルタイムで読んでいた世代も還暦を迎えているはずで、懐かしの作品はシニア世代に刺さる。そしてアニメ・コミック世代より若いゲーム世代、例えば『ドラゴンクエスト』の発売は86年。初バレエ化は95年で現在まで上演され続けているが、発売当初小中学生だったユーザーも現在は中高年。

2・5次元舞台はこれからも拡大し続けるであろうことは想像に難くないが、こういった日本文化が世界に浸透していることを考えるとインバウンド需要も期待できる。原作を知っていれば、台詞の日本語が分からなくても理解できるのが2・5次元の強み。また、いくつかの作品は世代交代をし、人気シリーズのセカンドステージでキャストを一新するなどの試みも目立つ。若手俳優が活躍できるのが2・5次元舞台。これからはそういったニューフェイスにも期待したい。

★舞台「アドルフに告ぐ」

CULTURE

ケロッピー前田

日本のカルチャーが未来感覚の源だった！
——エイリアン・ファッション・デュオ フィーカル・マターが緊急来日

それはまるで〝エイリアン〟と言いたくなる未来すぎるファッション、フィーカル・マター（Fecal Matter）に世界が仰天してから早5年。現在もインフルエンサーとしてカルチャーの最先端を突っ走る彼らが2023年10月に緊急来日を果たした。

著名なファッション・デザイナー、リック・オウエンスの20年ぶりの来日に合わせ、そのパーティにモデル&DJとして彼らは登場した。日本の業界関係者たちを集めた大規模なパーティとなったが、当然のごとく、最も目立った存在となっていたのが彼らだ。

★インスタグラムFecal Matter (@matieresfecales)とヴォーグの記事がきっかけで世界的に知られる存在に

フィーカル・マターは、スティーブン・ラージ・バスカランとハンナ・ローズ・ダルトンからなるデュオ、カナダのモントリオールを拠点に、美しくも奇抜なスタイリングをSNS上で披露して爆発的な人気を誇ってきた。剃り上げられた眉や頭、白目のない目は「セレラ」という眼球を覆うコンタクトレンズ、瞬間接着剤を用いた独特のメイク、奇抜なファッションもまた彼らならではオリジナルのスタイリングだ。デザイナーやモデルとしてばかりでなく、近年は音楽制作やDJとしても活躍しており、筆者が取材した「ミッドナイトイースト」では音楽をメインとした彼らのショーを堪能した。

浮力で宙に浮いてしまうのではないかと思われるほどのたくさんの風船を両手に持って登場した彼らは、ハードコアテクノの時代を彷彿とさせる速いビートの楽曲で会場を沸かせた。彼らがもともと世界的に有名になったのは、2018年にファッション雑誌ヴォーグの記事となり、のちにネットの日本版に掲載されたことがきっかけだった。その奇抜さは、エイリアン・ファッションとでも形容するしかない独特のもの。ネット上では多くの追従者を生んだが、彼らの多くはフォトショップによるデジタル加工も多用している。しかしオリジネーターであるフィーカル・マターは、デジタルなしでも成り立つリアルワールドでのエイリアン・ファッションの地平を開いており、そのことに皆が驚いた。

実は、彼らの存在が注目されるようになったもうひとつの最重要ポイントが、「スキンヒール」と呼ばれる生身の足のかかとが伸びてヒールのようにみえる特殊なハイヒールだ。製作費約100万円とも言われ、自身の足を型取りしてプラスチック樹脂で造形したものなのだ。「えっ、身体改造してかかとをヒールにしたの」と思ってしまう読者もいるだろう。

今回、彼らが初めて日本に来て、直接話を聞いて驚かされたのは、彼らのファッションは実は日本のアニメやキャラクターから大きな影響を受けていることだ。正直、僕らの目から見て、一体どこに日本からの影響があるのかわからないが、彼らから見れば、日本のカルチャーこそが、欧米のカルチャーの発想からは出てこない、全く異なる未来感覚につながるイマジネーションの源泉となっているというのだ。そんな彼らが日本滞在を存分に楽しんでくれたのは非常に嬉しい。

★彼らのエイリアン・ファッションの特徴は、特殊なメークと「スキンヒール」だ

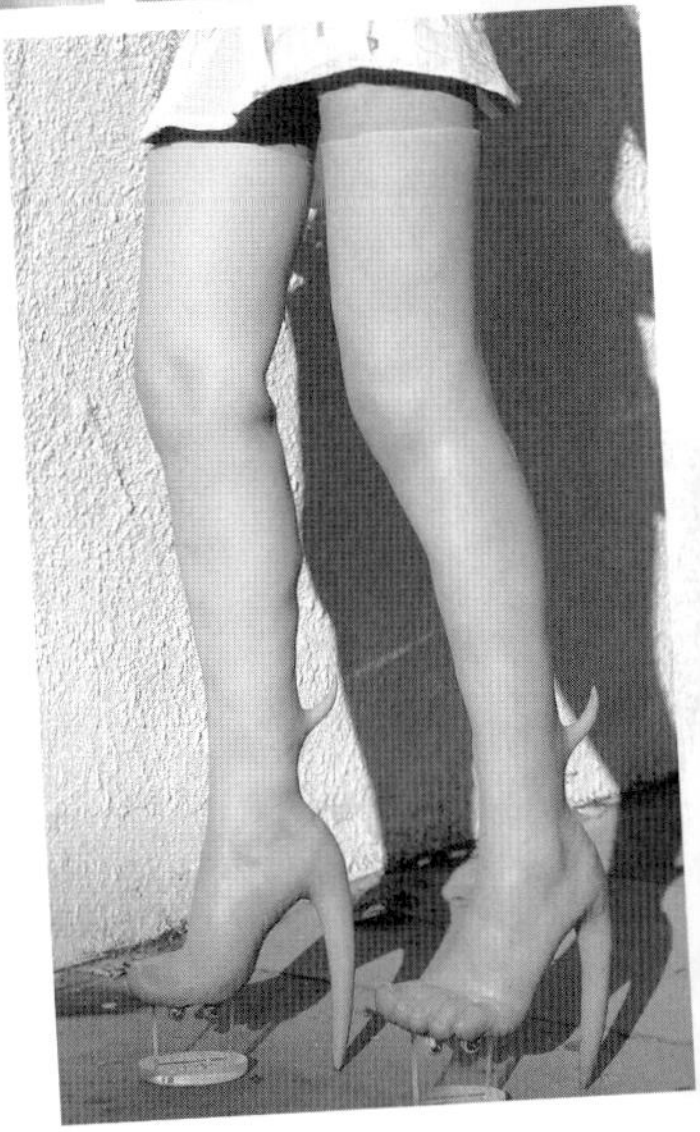

ところで、今更に明かしておきたいことがある。筆者も準レギュラーとしてお世話になっているTBS系『クレイジージャーニー』において、2019年、まだ深夜枠で放送していて、ある不祥事で放送が一時休止となってしまった頃、実は次なる海外取材を準備していた。そしてその取材候補のひとつとしてリストアップされていたのが、フィーカル・マターだった。もし番組がスムーズに続いていれば、今回の来日よりもかなり早く彼らのトンデモないファッションを地上波テレビで日本の皆さんにご紹介できていたことだろう。そう思うと残念であるが、今回、彼らが大の日本好きであることがわかったので、再び来日することもあるだろうし、もしも改めて彼らが住む街に直接会いに行くチャンスがあるとすれば、面白い番組が作れそうな予感がする。とはいえ、フィーカル・マターとは日本語では「汚物」を意味する名前、なんとも日本のテレビには不向きなネーミングではある。

★「ミットナイトイースト」にて

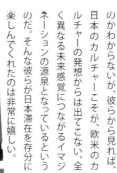

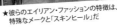

ロブ・ボイル&ターリー(DJ Sprite & DJ Flesh)が来日!——〈エクリプス・フェイズ〉とDie Nacht #Einsを介して見えた思想

岡和田晃

二〇二三年一一月、ロブ・ボイルが来日した。〈エクリプス・フェイズ〉(以下、EP)のメイン・デザイナーである。EPとは未来の太陽系を扱うRPG(会話型RPG、TRPG)を指す。身体を改造し、遺伝子を組み換え、義体《モーフ》を乗り換え、魂《エゴ》をバックアップしながら、既存の人間性を超克せんとするトランスヒューマンを演じるユニークな作品だ。基本的な世界観やルールを網羅した基本ルールブックの増刷改訂版(二〇二二年)や、追加設定集《サプリメント》である『サンワード』日本語版(二〇二一年)が、すでに新紀元社から刊行されている。

このロブ・ボイルにはもう一つの顔がある。シカゴを拠点にクラブ・イベント「NEXUS 6」をオーガナイズするアナルコ・コミュニスト、DJ Spriteという顔である。二〇二四年には、Anarchotech(アナルコテック)としてファースト・アルバムも発売予定となっており、シーンではよく知られた存在だ。ジャンルとしては、インダストリアル・テクノ、EBM、リズミック・ノイズといった、ダークなエレクトロニック・ミュージックに分類されるものである。EPの世界観はサイバーパンクの正統と言えるが、ミュージシャンDJ spriteの追究する音楽もまたサイバーパンクにほかならず、両者は車の両輪となっている。

★ロブ・ボイル(左)とターリー

そんなロブのパートナーが、ターリーことDJ Flesh。彼女もまた、シカゴのクラブ・シーンでは著名。サイバーパンク小説から抜け出したがごときスタイリッシュなヴィジュアルが印象的だが、コンピュータ・サイエンスの博士号を持ったサイバー・セキュリティの専門家でもあるというから、二度びっくりだ。

ロブやターリーは約一〇日間の滞在中、複数のイベントに出演した。なかでも一一月三日には、昼はEPのトークショー(アークライトおよびアトリエサード後援)、夜は桜台のライヴハウスpoolで開催された「Die Nacht #Eins」に出演した。私はEPがらみの翻訳や創作・編集を手掛けてきたことから前者を企画し、ロブのアテンドも担当した(トークショーには朱鷺田祐介・見田航介・私が出演、待兼音二郎が協力)。加えて後者にも客として参加したので、両者を貫く「思想」を体感できたように思う。

★『エクリプス・フェイズ』のトークショー/撮影:見田航介

EPの大きな特色は、世界観がクリエイティブ・コモンズ(CC)で解放されていること。非営利で〈エクリプス・フェイズ〉に基づくものと明示すれば、EPの設定を共有した小説や音楽、動画などを自由に作成してかまわないのだ。それを活かしてネットマガジン「SF Prologue Wave」では、プロ作家によるシェアード・ワールド小説の連載を行ってきた。そこから〈新たに版権を取得して）商業化、新作小説や翻訳を集め、国境を超えた合作アンソロジー『再着装《リスリーヴ》の記憶』（アトリエサード）が刊行、ケン・リュウやマデリン・アシュビーら英語圏の著名作家も参加する豪華な企画として好評を博した。

二〇二三年には、EPならではのユニークなタコ型義体《オクトモーフ》を主人公とする伊野隆之の連作を、これまた書き下ろしを交えて一冊にまとめた『ザイオン・イン・ジ・オクトモーフ〜イシュタルの虜囚、ネルガルの罠』（アトリエサード）が出た。きわめて巧緻な作品で、設定にまつわる知的な仕掛けと予想不可能な展開が相まって、新しい小説世界を形成しえている。

EP英語版についても、最近の関連クラウドファンディングには日本円にして総計三七〇〇万円以上が集まるほど盛況だ。ただ、これらとは別に、EP関連資料や音楽はCCを活かし、大半がロブのサイトで無償公開されてもいる（英語版）。資本主義を内側から突き破るコピーレフトな戦略というわけだ。EP世界は無数の勢力が群雄割拠する多様性が魅力的で、単純な二項対立というわけではない。むしろ、一〇歳からRPGをプレイし続けてきたロブは、既存のゲーム作品にまま見られる善悪二元論や全体主義的な発想には批判的で、世界の複雑さそのものを、誠実に表現したいというのだ。

ロブは高校から大学にかけて、空軍への体験入隊を促されたことが一つのきっかけで、はっきり反戦の意思を抱くに至った。ロブは無数のSF小説やトランスヒューマン思想にも親しむヴィーガンであるが、大資本や権力の走狗となることは、きっぱり拒絶している。アナーキズムをテーマとするジンの出版から出発し、編集スキルを買われてゲームメーカーFASA社の募集に合格、ゲームデザイナーになったというから恐れ入る（現在は独立）。思想と行動を乖離させず、多角的に表現を続けてきた、というわけだ（ちなみにターリーもヴィーガンである）。

★Die Nachtにて、ロブ（上）とターリー

EPトークショーに関するゲーム的な詳細は、「Role & Roll」Vol.228（新紀元社）での報告に譲るが、ロブがEPにおける再着装《リスリーヴィング》の概念を「時代遅れの生物学的本質主義なる人種差別的な概念」への批評意識があると言い切り、「私たちが種として存続し、対峙している危機を回避するためには、支配的な構造である資本主義を除去する必要がある」と自然体で答えたのは強調しておきたい。ラディカルながらも教条主義的なところはなく、当たりは柔らかくフレンドリー。

夜のDie Nachtは、音楽とアートの融合を一つとテーマとしているゴス・イベントで、ドレスコード（任意）は黒。まさしく暗黒の儀式である。VJは「TH」でもおなじみkihito。リヒャルト・シュトラウスの歌曲『最後の葉』にある「茂みもすべて夜に奪われた／しっかりと寄せ合おう、心と心を／ああ夜をぼくは恐れる／それがぼくから君も奪いはしないかと」（ギルム作詞）のフレーズに、表現主義的なヴィジュアルが乗せられる。気怠く秘教的な空気に、ロブやターリーのインダストリアル・ロックがよく見合う。何より、心から楽しんでいるのが伝わってきた。

主宰であるRemnantのコンポーザーTakmiによると、中欧・東欧でもライヴをしていた際に、オランダのDJであるNachtaafと知り合い、そのつながりでロブやターリーの出演が決まったというから面白い。初回の手応えを受け、Die Nachtの次回は二〇二四年四月二七日に桜台poolで開催が決まった。その前に、RemnantはこれとLicht対になるDJイベントNue Licht Einsを、Pado、SchiZoidとともに3マン体制で執り行う（於：下北沢Live Haus）。RPGと音楽という二つのスタイルで、ロブとターリーは存分にトランスヒューマニズムを表現してのけ、極東のシーンにも大いに影響を与えているのだ。

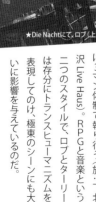

LOMBROSO

「天才は狂気なり」という学説を唱え犯罪人類学を創始した奇矯な精神病理学者

チェーザレ・ロンブローゾの思想とその系譜〈51〉

村上裕徳

カルダノを中心とした、天才の作品や言説に見られる、非論理性や、滑稽な矛盾

ロンブローゾは続けて言う。

天才の擾乱《じょうらん》（「秩序を乱すような騒ぎ」を意味する）を明らかに示す痕跡は、その作品や言説の構造に、非論理的帰納法として、（また）滑稽な矛盾として、（また）グロテスクで非人間的な幻想として、発見される。ソクラテスは、ほとんど直観によってキリスト教の道徳とユダヤの一神教（の「合理性」ないしは「理性」ないしは「道徳律」?）に到達していたが、自分の行くべき方向を判断するにあたって嚏《くしゃみ》に相談したり（おそらく何回連続したか、その回数が奇数か偶数かで占う、個人的ジンクスであろう）、彼の想像の中の守護神のお告げに頼ったことなどは、確かに、その異常さを（矛盾として）示していると見なされる。重力の法則においてニュートンに先立ち、神学においてはデュブイス（正確な表記は「デュプイス」のはずだが、不詳）の先駆であったカルダノ（イタリア人のジェロラモ・カルダノ〈一五〇一～七六〉のこと。彼の本業は医者で、一般に数学者として知られ、占星術師、賭博師、哲学者でもあった。また「カルダン・ジョイント」として知られる「自在継手」などの発明家でもあった。この自在継手は現代に入って改良され、列車の振動を軽減するための「カルダン駆動方式」として活用されている）は「De subtilitate」（著作「精妙さについて」）という書物の中で、（ものに）憑かれた不思議で不吉な兆候を、幻覚として説明している。また（カルダノは、一般的に）聖者と見なされる、ある種の隠者の妄想に対して、間歇熱の戯言《たわごと》（寝たままの幻覚による譫言《うわごと》の非論理性をを指す）に比較して論じているが、彼（カルダノ）自身は学術上の霊感は言うまでもなく、食卓の軋む音や、ペンの振動までも守護神の影響と考えたり、あるいは、しばしば、（自分の言動を?）悪魔の蠱惑（の影響）を受けたものと公言したり、また、かの「夢について」という著作を書いた時には、彼の精神は確実に異常だった。この著作のようなものは、精神病理学者にとって、あたかも「仮《か》膜《まく》」(Pseudo membrane)（現在「偽膜」が術語とされ、内臓器官の傷などに炎症物質が付着して、その結果、粘液や老廃物などで半球状に隆起した炎症部分。ロンブローゾの時代では、大掛かりな手術でない限り、口内や咽喉、たとえば扁桃腺の検診であろう）が医者に与えるような効果（病状の「手がかり」の意味）をもたらすのである。この中で彼は、まず夢の現象に対して詳細に、その研究（内容）を述べている。そして、激しい肉体の苦痛は、夢に影響することが些少であり、反対に、わずかのことが（夢に）大きな影響を与える（場合がある）というようなことを言っている。これは最近「心理学者」によって確かめられた説である（この末尾部は、「天才論」の改訂版による加筆であろう。「心理学」は一九世紀の最末期に生まれたものであり、ロンブローゾの精神病理学の立場と見解が対立することも多かった新思潮だが、その「心理学者」にも自分のカルダノ解釈は保証されているという意味）。また精神病者には夢（を見ること）が頻繁であるとも言っている。その他、夢というものは、舞台上の演劇のように、長い観念の連鎖が短時間で経過することや、人間というものは自分の習慣（「日常性」を指す）と、まったく同じことを夢に見ることもなければ、まったく異なったものを見るわけでもない——と言っているが、この点などは、大いに信じられる説である。

ロンブローゾによるカルダノ批判

ロンブローゾは続ける。

しかし、このような明晰な判断を下した後で、彼（カルダノ）は古代の人間が持っていた、最も愚かな「理論」（習俗としての迷信を指す）を復活させている。それは夢の中の最も些細な出来事さえも、多少ながら未来の暗示を含んでいるというのである。彼は、この見解の立場で、真摯な確信をもって辞書を編纂（このカルダノの著作のカタログ的記述を指す）した。それには形式においても原因においても、まったくCablastic（このままだと「爆発的な」という意味だが、あるいは訳者〈イタリア語から英語に訳した訳者の場合と、それを日本語にした辻潤の場合がある〉の誤記で、正確な表記は「Cabalistic」のはずで、これだと「カバラ

的な、秘教的な」という意味になり、カバラによる占術のカタログ的だが恣意的曖昧さの揶揄になる）な著作と変わりないものだった。（カルダノに従えば）夢の中に現れる物と言葉は、いかなる物であっても、必ず相互に関連する意味がある。「父」（という言葉）には、（夢の「語り手」である）「作者」と「夫」と「息子」と「支配者」の意味がある。「足」は「家の土台」「芸術」「労働者」の象徴である。「馬」の夢は「妻」か「富」か「飛躍」に関係する。「靴屋」と「医者」は意味として相互変換できる（日本と違い、靴は一生、修理して使うものであり、それは一生使う体を治療する医者と同じという連想が根源にある。靴屋と医者は職業選択の自由を奪われたユダヤ人に、よくある職業である）。要するに夢の中では、実物そのものを表すのではなく、言葉や、音の響きや、語尾など（によって暗示された事物）と一致するのである。たとえばOrior（ラテン語の「立ち上がる」「現れる」「生まれる」を意味する）とMorior（ラテン語の「死ぬ」「衰弱する」「腐敗する」を意味する）は同じく（未来を占う）「予言的価値」を持っている。何故かというと、そこには一字の差異があるだけだからである。この様な事（の関連性を発見したの）は、（誰あろう、）夢の中の苦痛感覚の「理」（システムを指す）を直感で洞察し、太陽神経叢（Solar plexus）（胃の後方腹部にある大きな交流神経叢）の交感を明らかに意識した非凡な医者（カルダノを指す）だった（このカルダノの夢判断をロンブローゾは「迷信」としているが、彼の詳細な引用には、懐疑的であっても、何らかのか心揺さぶられるものがあったのだと考えられる）。

ロンブローゾによるニュートンのオカルティズム批判、および天才の神秘的・迷信的傾向に対する批判

ロンブローゾは続けて言う。

ニュートンのような天才でも、黙示録の解釈やダニエルの角皿の解釈（旧約聖書の預言者ダニエルに関するエピソードだと思われるが、箇所は不明）に頭を絞り、ベントリー（ニュートンの親友で歴史文献学の創始者である古典学者のリチャード・ベントリー〈一六六二〜一七四二〉）に送った手紙の中で「引力の法則によって我々は延長された彗星の軌道を理解することが出来る。遊星の、ほとんど円形の軌道は、それに対して差異を認めることが、ほとんど不可能である。それ（遊星の「円形の軌道」に近づく彗星の楕円軌道の相互関係を指す。永劫の宇宙的時間の中では、この楕円は引力の作用で円軌道に変化する）は、ただ神によってのみ完成される」——と書いた時などは、確かに正気の沙汰ではなかった。しかし「光学」（一七〇四年刊）の中でのニュートンは、アリストオトル派（実在名であることは確認できるが不詳）の人々のように「隠微学」（一般表記は「隠秘学」で「オカルティズム」のこと）を採用したことで、何らの結論に到達することなく、（それによって）無意味に科学者の研究を奪うような人々（オカルトを使いながら活用しきれなかった、前記アリストオトル派を指す？あるいは、オカルトを援用したニュートンを批判する人々？）に対して、非常に罵倒している。実際に一世紀を経てニュートンの観察を逃れた（つまり当時のニュートンには問題提起はしたが、究明できなかった）真の原因はラプラス（数学者・天文学者・物理学者のピエール・シモン・ラプラス〈一七四九〜一八二七〉のこと）によって発見された。

★チェーザレ・ロンブローゾ

アンペル（物理学者・数学者のアンペールのこと）は、円を方形（四角のこと）にする方法を発見したと真面目に信じていた（ただし、ロンブローゾに反論すれば、古代より伝わる円および球の面積および体積の計算は、円と球を無限の四角や立方体に解析することである）。

確率の法則を最初に研究したパスカルは、聖物に触れるということは、涙腺を癒す効果があるというようなことを（真面目に）信じていた。

天才の個人的妄想による迷信的傾向および飲酒癖

ルソーは自身の「狂念」から理想的人物

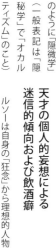

（ルソーの描くこうした人物は、現実にはあり得ない極端な個性である）を妄想した。そして、すべての自然的産物は、視覚と味覚に快楽をもたらす限り無害と信じた。そのため（長期摂取で死に至る毒物である）砒素は、彼の説によると有害なものではなかった（無味であり、ペニシリン発見以前は梅毒治療や、解毒剤、抗炎症剤としても使われていた）。要するに彼の一生は矛盾の塊だった。彼は田舎を好みルウ・プラトニエル（プラタナスを語源とする地名だが不詳）で生活した。彼は教育論を書いていながら、自分の子供を育児院に送るような不始末をしている。彼は（因習に）とらわれない研ぎ澄まされた鋭さで懐疑的眼光によってさまざまな宗教批判をした。その一方で、自分の未来を決めるための問題解決にあたり、木に石を投げるようなこと（当たるか当たらないかで占う個人的ジンクス）をおこなった。それだけでなく、（何と驚くべきことに）彼は神に対しての手紙さえも書いた。そして、その手紙を教会の祭壇に供えた。

ボードレールは、美人をさらに一層の光彩を放つようにするための化粧の様な、人工の技術の中に、美の本質を発見した。彼の「狂念」は、ついに彼自身に、水も植物もない（無機質の）金属の様な光景さえも、描くことを強制した。（具体例として）「あらゆる事物は硬く、磨かれて輝いている。太陽は無く熱も無い。永遠の静寂の中に黄金の巨大な盃がある。青い水は古代の鏡のように、そこに湛えられている」（と記した）。彼は退廃期のラテン語に理想を見出し、「ありったけの情熱を書き尽くすのに不足の無いのは、この言語だけである」――と言っていた。また彼は、非常に猫を愛し、（その題材を）しばしば詩の中に謳いあげた（当時は人間の余り物をくすねる野良猫はいても、室内で飼うペットとしての愛猫家は「変人」だった）。

（詩人の）レーナウは「憂鬱症の月」の中で、一般的な詩人が使わないような異なった方法で詩を書いている。その詩は、「月というものは水も大気も無い、冷ややかな月である。彼女（月を指す）は遊星の中の尼僧であって、纏わり付く銀糸で眠る人を縛り、いつの間にか死に近づかせる。彼女が招くと夢遊病者は、つい道を踏み迷う。また夜盗が彼女の助言に誘《いざな》われる」――である。青年の頃から彼は「神秘は狂気の徴候である」という説を唱えていた。こうした神秘的傾向は（彼の）作品に特に顕著である。

イスラム教典「コーラン」の中には、一つとして脈絡のある章は無い。いや、一つの章の中にも、（複数の）思想がまとまりなく入り混じっている。そして、（そのまとまり無さが）そのまま勝手に連続している。「マホメットに対しては、最も矛盾した見解を表明することが出来る。彼の（宗教的）偉大さを否定できないとしても、同時に、粗大な無知と不謹慎と欺瞞と陰謀を感じないではいられない」――とマルコス（スペインで著明とされる自然学者、動物学者、地理学者、探検家、歴史家のマルコス・ヒメネス・デラ・エスパーダ〈一八三一～九一〉のことか?）が書いている。

アルコールに支配された昔の大作家は、いずれも独特の文体を持っているように感じられる。（以下はポーの作風を評したもの）奔放な幻想に起因するアンバランスでグロテスクな美しさ。ずっしり重いエロティシズム、憂愁の深い底から、たちまち浮かれ騒ぎに移る気まぐれ、ときに交わる呪詛の声、狂気と飲酒と、最も深く暗い憂いを表す「死の光景」に顕著な描写などは、すべてが、その特色である。「ポーは退廃の燐光に包まれた緑色、もしくは紫色を背景に人物を描写し、嵐と騒がしい饗宴との雰囲気に、それ（「退廃の燐光」を指す）を漂わせ、単にグロテスクのためのグロテスクを、恐怖のための恐怖を描いて、自身が、その中に耽溺するのである」――とボードレールは記している。そのように記したボードレールもまた、同様にアルコールや阿片の影響を好んで描いた。

「私の心は絶え入ってしまい、私は泥まみれのような気持になる」――と、可哀そうなプラガ（ミラノ生まれのイタリア詩人、エミリオ・プラーガ〈一八三九～七五〉のこと。ボヘミアン的グループ「蓬髪派」の中心人物で、感傷主義やロマン主義に反抗し、人生の醜悪な部分を暴露した。その息子のマルコ・プラーガも著名な小説家、劇作家で批評家だったが、極端に、父とは正反対の立場をとった）が詠った。彼（プラーガ）は酒の頌歌を作って酒のために死んだのである。また彼は、このような瀆神的な思想を詠《うた》いあげた。「真面目な方々の御叱りがあろうと気にすることは無い。人間を侮辱する、あの〈永遠の父〉（神を指す）の（天罰としての）地獄がやって来るというなら、いつでも来るが良い。俺は盃を手にしたまま、（その）地獄の中に落ちていこう」

飲んだくれ画家のステイン（ロンブローゾと同じユダヤ人のスーチンを思わせるが、一八九三年生まれでは時代的に間に合わず、おそらくオランダの画家ヤン・ステーン〈一六二六～七九〉だろう。彼の絵は風俗画では、御祭り騒ぎの陽気な場面が多く、グラスを手にした飲酒場面が確かに多い）は、いつも酔払った光景ばかりを描いた。ホフマンの絵は漫画に終始し、彼の物語は極端な「人外境」に走り、その音楽は無意味な音の連続に終始した。

（詩人で作家の）ミュッセは（スペインの）マドリードの婦人の中に、「白鳥の首の下に、若い葡萄のように成熟した清らかな処女の黄金の胸」を見いだした（これは詩の一節のようだが、売春婦に聖女を見いだすような、あまりにも誇大で過剰な詩人の妄想として、ロンブローゾには感じられたのだと思われる）。

ムールジェ（フランスの批評家で作家のポール・ブールジェ〈一八五二〜一九三五〉のことか？）は緑色の唇と黄色の頬を持っている女を讃美した。これは疑いもなく色盲の適例であって、我々（病理学者）が既に（数々の）画家の（顕著な作風）中に発見した傾向である。

たとえばカルダノ、レーナウ、タッソ、ソクラテス、パスカルのような天才は、すべてが夢に重大な意義があると考えていた。これは彼らの夢が常人に比べて、はるかに色彩にあふれ、変化に富んでいるということを示している。

ロンブローゾによる、天才の神秘主義的な傾向や個人的迷信に偏った気質について述べた項目である。中世ヨーロッパの大学では占星術が必須科目であり、ルネサンス以降も大学で占星術の講座はあった。そのため、すべての数学者や天文学者、あるいは物理学者なども占星術を学んでいたのである。そのため天文学者のヨハネス・ケプラー（一五七一〜一六三〇）も、その師であったティコ・ブラーエ（一五四六〜一六三〇）も共に、天文学者と同時に占星術師であり、場合によっては予言者だった。ブラーエの場合、錬金術師でもあった。錬金術は、それが成功し一般化すると黄金の価値が暴落するために、また錬金術師を名乗る詐欺師が大金をだまし取る犯罪を防ぐために、他にも理由がありそうだが教会で禁止されていた。錬金術を研究していることがわかると、場合によっては死罪になることも少なくなかった。しかし好学の科学者、特に天才の多くが密かに錬金術を研究していたことは、ニュートンの例のように明らかな事実である。ニュートンには一時期、水銀中毒による症状がみられ、それは錬金術のために水銀に接する機会が多かったせいと考えられている。また黙示録に対する研究は、ニュートンの終生変わらなかったオカルトに対する傾向だった。ニュートンは科学的新発見よりも、古代の神秘的英知の再発見の方が、より重要と考えていたのである。こうした傾向を捨象し、科学者ニュートンのみを評価しようとする限定的評価の考えは、ニュートン没後すぐの時代も、ロンブローゾの時代も、そして現代も続く「偏見」だが、ニュートンの公刊された著作は、ニュートンが書いた著作の、ほんの一部で、それ以上の分量の草稿が残されており、そのほとんどが錬金術とオカルトと聖書の黙示録および古代研究に関するものだった。こうした草稿の存在は、一部の学者には知られていたが、科学者ニュートンを貶めるものとして隠蔽されていたのである。またニュートン自身も、錬金術やオカルト研究が重罪になるため、こうした研究の発表は差し控えていた。この草稿をニュートン崇拝者の経済学者ケインズが、一九四二年にオークションで落札し、それを研究したケインズは「ニュートンは〈理性の時代〉の最初の人ではなく、最後の魔術師だ」と発言した。

ロンブローゾの生きた時代には、大量の草稿の存在は知られておらず、ニュートンの錬金術やオカルトへの傾向は、識者には著作から、わずかに感じられるにしても、ニュートンの気まぐれ、ないしは天才にありがちの偏奇な趣味と考えられていた。またニュートンに間歇的に現れる精神病のせいと考える者もいた。実際には狂気の所産ではなく、公刊された著作と並行して、膨大な草稿が書かれていたのである。ロンブローゾの見解も当時の学者と同様に、ダヴィンチの様な万能学者だったニュートンに対して、天才にはあり得ない奇異な事として捉えている。

カルダノによる夢判断で例に上がったいくつかは、後にフロイトやユングが採りあげる研究課題であり、その先駆者だった。ロンブローゾはカルダノの、こうしたカバラ解釈的部分を否定的に捉えているが、詳細に記していることから見て、単なる否定に終わらず、カルダノに感化される点が多かったに違いない。その事は個別の項目の病的傾向については否定しながら、その天才については礼讃したボードレールやポーと同様に、「天才論」に何度も取り上げられたカルダノへのロンブローゾの言及として明らかである。懐疑的評価であろうと、近年になって評価が始まったカルダノ研究の先駆には違いない。カルダノの父は数学の才能のある弁護士として、万能の科学者ダヴィンチの友人であり、こうした影響からカルダノもまた、科学とオカルトが不分明な時代の「科学」の申し子だった。

岡和田晃

山野浩一とその時代㉖

日本放送映画の再評価から豊田有恒による山野評の再検証へ

『幻のアニメ製作会社 日本放送映画の世界』刊行

二〇二三年末、予定よりも若干遅れはしたが、コノシート編・著『幻のアニメ製作会社 日本放送映画の世界』（さんぽプロ）が無事に刊行された。予想外の好評を受けて「アメイジング商店街7」等の冬のイベントと通販で初版はすぐに完売。増刷が決定した。

日本放送映画とは、山野浩一が深く関わった『戦え！オスパー』（一九六五～六七年、これまで本連載では、！の後に全角一字アキを入れていたが、同書の表記に合わせてツメる）のほか、『戦え！オスパー』や『ビッグX』の一部作画や演出をつとめた岡本光輝が監督の『とびだせ！バッチリ』（一九六六～六七年）、同じく岡本監督による、〝剣と魔法〟がほぼ未紹介の時代の先駆作『冒険少年シャダー』（一九六七～六八年）、パイロット版のみ作られた（後に一部地域で放送）藤子不二雄Ⓐ原作の『フータくん』（一九六七年製作）といったアニメ作品で知られる製作会社である。

★「アメイジング商店街7」（2023年12月17日）

同書は、三三〇頁にも及ぶ大著だ。『戦え！オスパー』の16ミリフィルムが発見され、クラウドファンディングで資金を募って修復、ブルーレイディスク化された際（二〇二一年）に用意された解説書（完成が間に合わず、上映会プラン等に参加した一部にしか配られなかったもの）の内容や、さんぽプロが刊行した『幻の藤子アニメ フータくん は確かに広島で放映されていた』（二〇二一年）等の調査も盛り込む形で再編集がなされているのだ。

もともと日本放送映画は、製作されたアニメ作品すべてが「幻」となっているばかりか、関連資料もほとんど出回ることがなく、内実を探るためには、関係者の証言や、雑誌や新聞に書かれたわずかな情報を継ぎ合わせ、粘り強く検証を加えていくしかない。作品の視聴率は極端に悪いわけではなく、むしろ良好なほどだったようだが、なにぶん資料が少なすぎるため、アニメ史の空白とされてきた。日本放送映画の代表取締役・矢元昭雄がほぼ同時期に設立した親会社で、現在も活動を継続している映画会社・国映（ただし、登記上は日本放送映画の方が二ヶ月ほど古い）の方が、教育映画やピンク映画に関する文脈で、積極的に言及される印象は否めない。

ただ、今回の『幻のアニメ製作会社 日本放送映画の世界』においては、コノシートが関係者からの信頼によってアクセスしえた契約書や内部資料の内容も積極的に紹介され、「日本放送映画」の存在感をしっかり示すことに成功している。また、杉山卓『テレビアニメ全集①』（秋元文庫、一九七八年）のように――それまでに放送されたTVアニメを一冊にまとめ上げたことは先駆的な業績といえる反面――細かな数値データの間違いがあるうえその後の各種書籍やインターネット情報に引き継がれてしまっている例を随所で指摘、正確なデータが提示されている。

例えば、『戦え!オスパー』は全五二話説、五三話説、五四話説が存在し、またリピート放送を含めた全放送解説は九九回とされることが多かった。けれども、コノシートは「朝日新聞」東京版のラジオ・テレビ欄を実直に追いかけ、全五二話・九八回放送だということを解き明かす。放送回数が一回少ないのはなぜか。答えは一九六六年二月二三日に発生した、全日空松山沖墜落事故にまつわる緊急特番が挟まれた影響だった。期間だけを見れば一回ぶん多く見えてしまっていたわけである。

スタッフはどうか。『戦え!オスパー』の演出に富野喜幸（富野由悠季）が参加していたという有名な話も、最初に確認できる情報ソースは、先述した『テレビアニメ全集①』となっている。裏付け調査のために、富野自身の著書や展覧会での図録リストを探っても、『冒険少年シャダー』への言及はあれども『戦え!オスパー』は見つからない。これが、フィルムや資料の欠落によるためか、そもそも関わっていないためなのかは不明のまま――こうしたコノシートの助言を受け、私は『幻のアニメ製作会社』に寄せた「『戦え!オスパー』に至る山野浩一の軌跡とその背景――「闇に星々」（1965年）前後の状況を中心に」では、念のため富野についての言及を外すことにした。

拙稿では、キーパースンとしての寺山修司の重要性を強調していたが、コノシートは『幻のアニメ製作会社』にて、寺山修司が脚本・監修を手掛け、宇野亜喜良が原画を担当、六千枚の原画が完成しながら公開まで漕ぎ着けられなかった『千夜一夜物語』についても解説している。ちょうど国映のピンク映画路線と、日本放送映画のアニメ製作を融合させたような試みで、つくづく実現しなかったことが悔やまれる。そういえば『冒険少年シャダー』の主題歌も、寺山が作詞していたのだった……。

本連載の第二四回（本誌№95）でも告知したように、『幻のアニメ製作会社』には、山野の手になる『戦え!オスパー』の脚本「人魚のなみだ」が、まるごと翻刻されている。私はコノシートの依頼で山野のご遺族に打診し、収録の許諾をいただいた。謝礼として著作権使用料はきちんとコノシートからご遺族へと支払われている。献本した現物も、「本当に細大漏らさぬ記録集ですね」と、ご遺族は喜んでおいでだった。

「儲かると見て、売りこんだ」？

山野は、手塚治虫原作のアニメ『鉄腕アトム』の「メトロ・モンスターの巻」（一九六五年四月一〇日）の回の脚本を担当した。ここでは確かに富野が演出を手掛けている。ただ、このアニメへの山野の関わり方につき、しばしば参照されるのは豊田有恒による真偽不明の「証言」だ。そこで本連載の第一三回（本誌№83）や『幻のアニメ製作会社』への寄稿では、豊田が『日本SFアニメ創世記　虫プロ、そしてTBS漫画ルーム』（TBSブリタニカ、二〇〇〇年）で山野を「俗物」と評した背景を検証した。端的に言えば、それは山野浩一へのライバル意識に由来するというのが結論なのだが――『幻のアニメ製作会社』校了直後の二〇二三年一月二八日、豊田が亡くなった。訃報に伴い、生前の豊田が随所で山野を罵倒していたことが、改めて読者に取り沙汰されたのである。

豊田が山野の才気を認めていたのは間違いない。山野を揶揄したり痛罵したりする際には、必ずと言ってよいほど〝小説の才能は自分より上〟という趣旨の枕詞や但し書きが入ったからだ。山野もそれを尊重し、唯一の長編『花と機械とゲシタルト』（NW－SF社、一九八一年）のあとがきにおいて、山野は「いささかエキセントリックな方法ではありましたが、私に頑張って小説を書けと強迫し続けて下さった豊田有恒さんの温情は痛いほど感じております」という謝辞を寄せた。

ところが星や豊田らSF文壇は『花と機械とゲシタルト』を黙殺した。そこには、陰に陽に「文壇政治」の力学が介入していたのは間違いなく、同作を小鳥遊書房から復刊した際の拙稿「山野浩一『花と機械とゲシタルト』論――解説にかえて」（二〇二二年）では、その文脈を実証的に詳述している。気丈に振る舞い続けた山野だったが、渾身の一作についてかような扱いをされたことには、肩透かしを食らった気になったのだろう。小説を介した読者とのコミュニケーションに、半ば絶望してしまう。

およそ作家が長期に断筆する際には、公的な理由のほか、往々にして内在的な動因があるものなのだ。

時間の経過が、ある種の融和をもたらしたのかもしれない。山野は晩年、長年距離のあった日本SF作家クラブへ入会したが、その際の推薦人には、ほかならぬ豊田が名を連ねていた。二〇〇八年三月八日付の「山野浩一WORKS」を見てみよう。

> 昨日はSF大賞のパーティに出かけた。すでにかなりのSF界の人たちを知っているが、向こうはそれ以上に私を知ってしまっていて、やたらと人違いをしてしまう。この日ついにSF作家クラブに入った。創設当時にさまざまな対立があり、豊田有恒さんは「私が根回しするから」ともいってくれたのだが、その頃は万博だの、未来ブームだのといった時代で、私の考え方との相違も大きかった。このときの縁で推薦人には豊田さんに名を連ねてもらったが、覚えていらっしゃるだろうか。いろんな人と話しているとさまざまに昔のことが思い出されてくる。でもみんな昔とさほど変わらないものですね。私のベストオブ山野浩一は年内あたりの出版予定ということです。(「SF大賞」※一部表記を修正した)

かくて大団円となったのなら、それに越したことはない。実際、ベストオブ山野浩一こと創元SF文庫の《山野浩一傑作選》(全二巻、二〇一一年)の準備も進んでいた状況下、山野浩一の「復活」が期待されていたのは間違いないからだ。実際、この頃も山野は、前年に横浜で開催されたワールドコンNippon 2007の「ニューウェーヴ/スペキュレイティヴ・フィクション」のパネルに出演、衰えぬ存在感を発揮している。

けれども、豊田の側は本質的には変わらなかった。山野没後に公刊した『日本SF誕生　空想と科学の作家たち』(勉誠出版、二〇一九年)で、とんでもないことを書いているのだ。それを読んだ者のなかには、「山野浩一は金に汚い」と思い込み、喧伝する向きすら現れた始末。具体的な言及を引用しよう。

> 山野は、異端のSF作家とも言えよう。いわゆる第一世代に属するのだが、星新一が作家クラブの入会資格に関して、「宇宙人は駄目」とジョークを飛ばした際、誰言うともなく「山野浩一は駄目」ということになってしまった。その時点では、山野を、SFの同志とは、思えなかったのだ。のちになって作家クラブに入会している。
>
> ただ、これまで、山野の作品を悪く言う人に出会ったことがない。めったに他人の作品を褒めない星が、絶賛したこともある。実際、「X電車で行こう」「メシメリ街道」「首狩り」などの作品は、うらやましいくらいの流麗な文体のファンタジーSFで、山野しか構築できない小説世界である。こんな作品を書く作家は、どんなに繊細でピュアーな人なのかと、読者ばかりでなく作家仲間も思うのだが、山野は、作風とは乖離した人物である。
>
> もちろん、作家自身が作品と異なる性格でも、いっこうに問題はないが、山野の場合、極端に権力欲、名誉欲、上昇志向の強い俗人であり、コツコツと作品に取り組む姿勢には欠けていたらしい。いかにも作品が少なすぎた。もっと金儲け、名声に繋がりそうな分野があると、原稿用紙を一字ずつ埋める作業が、ばからしくなり、違うほうへ出かけてしまうらしい。かならずしも多作が望ましいわけではないにしても、せめて、山野が倍の作品を残しておいてくれれば、巨大な評価を得られたであろう。
>
> 映像関係の仕事も、儲かると見て、売りこんだものらしい。『鉄腕アトム』でも、一作だけ書いている。当時の虫プロの担当者は、なんとかいう賞を受賞したという山野の言葉を記憶しているが、事実ではない。あの名作「X電車で行こう」のアイデアを、アトム向けにアレンジしたものだが、担当者は、あまりに強引な売り込みと自己宣伝に辟易して、また依頼する気をなくしたと語っている。

「宇宙人は駄目」という発言と「山野浩一は駄目」という発言を並べてみると、「山野浩一=宇宙人」で、だからこそ「駄目」で「SFの同志」ではない、という排他的な集団としての「SF作家」コミュニティの性質が浮かび上がる。そして山野がそこから排除されたのは「極端に権力欲、名誉欲、上昇志向の強い」人格で、かつ「もっと金儲け、名声」を求めてSF界を飛び出したから——ということになってしまっている。

けれども、豊田につき「万博だの、未来ブームだのといった時代で、私の考え方との相違も大きかった」と回想した時期、山野は自ら立ち上げた「NW—SF」二号の巻頭に配置したエディターズ・ノートに、「創刊号は残っている在庫の全てを売りつくしても十数万円の赤字を出すことが判った。にもかかわらず、2号は更にページ数を増し、発行部数を増加させ、イラストレーションを大量に使い装丁もよくし、内容も大いに向上させた。正にわが財力の勝利である。バンザーイ!」と書いているのだ。もちろん、「わが財力の勝利」と書いたのはアイロニーで、SFを根底から改革するために、赤字にもかかわらず、積極的な攻勢に出て私財をなげうっていた、という話になろう。「金儲け、名声」を第一ならば、わざわざそんな手間のかかることはするまい。

山野は競馬評論で稼いだ資金をSFに注ぎ込んでおり、その逆ではなかった。にもかかわらず、この分野での山野の仕事も血統主義という一ジャンルを築き、競馬評論の仕事は後進からも参照され、没後もオーイズミ・アミュージオ／主婦の友社「ROUNDERS」Vol.5（二〇一二年）に山野の「血統理念のルネッサンス」七〇頁強が採録され、同論についての編集部による栗山求の解説インタビュー等があり、実質的な山野浩一特集としても過言ではないほどの評価が与えられている。

また、「映像関係の仕事も、儲かると見て、売り込んだもの」というのも誤りで、そもそも山野のキャリアの出発点には映画の仕事があったし、山野の最初の著書『X電車で行こう』（新書館、一九六五年）の著者プロフィールには、「宇宙塵」と「現代子どもセンター」同人、「放送作家協会」会員であることがきちんと明記されている。怪しげな山師、業界ゴロと同列にはできまい。ちなみに『X電車で行こう』は竹内健の劇団表現座で山野と共闘したイラストレーターの前田亜土が装丁を担当していたものである。

「当時の虫プロの担当者は、なんとかいう賞を受賞したという山野の言葉を記憶しているが、事実ではない」はどうだろうか。確かに「なんとかという賞」は受けていないが、山野は関西学院大学在学中に監督した映画『Δデルタ』（一九六〇年）が一九六一年の全国学生映画祭に出品し、佐藤重臣ら評論家にも好評を得、足立正生、さらには寺山修司との知遇を得ている。彼らを辿って上京し、ヴァン・プロダクション（「VAN映画科学研究所」）や、先述した表現座とも関わりを持った。豊田発言が事実なら、虫プロの当時の担当者は、こうした山野の履歴を聞かされたものの、うまく咀嚼できなかったということではないだろうか。

「あまりに強引な売り込みと自己宣伝」も疑問が残る。「メトロ・モンスターの巻」に先んじて、山野は手塚治虫原作のアニメ『ビッグX』（一九六四～六五年）の脚本を書くようになっており、かなりの忙しさにあったのは間違いないからだ（放映時期も重複している）。加えて、『戦え！オスパー』の企画も動き始めていたかもしれない。というのも、『幻の映画製作会社』によれば、もともと『戦え！オスパー』は小沢さとる原作アニメ『サブマリン707』よりスタートした企画だったからである。

国映は一九六四年一二月から六五年一月頃、製作会社のT.V.F.プロダクションから『サブマリン707』の製作を引き継いだ。同作のフィルムは最低三話ぶん完成して納品されていたものの、放送には至らなかった。一九六四年一一月一二日、アメリカの原潜シードラゴンが佐世保に入港、デモ隊と警官隊の三日間に及ぶ大規模な衝突が起きたからだ。アニメ版での707号は「世界最高峰の原子力潜水艦」と設定されており、日本テレビの幹部はこれを売り込みのチャンスと思ったらしいが、「原潜を正義の味方にするな」と労組が反対。おまけにプロダクションが倒産した……という流れである。同じ轍を踏まないため、いざ企画を練り直す際、才気と広範な視座を併せ持った山野が、ブレーンとなっていたのではないか。

『日本SF誕生』での豊田の山野評は、論理としては一九年前に出た『日本SFアニメ創世記』のそれと相似形をなすが、人格否定としては底が抜けている。その反動か、山野の小説の讃辞もいっそう強烈になっており、古参の豊田ファンは、むしろ「褒めすぎでは」と当惑していたのはご愛嬌。だが何にせよ、このたび取り上げた山野によるアニメ仕事に関連した豊田の「証言」は、裏取り抜きにそのまま援用できる類のものではない。

弦巻稲荷日記

「無理しない ケガしない 明日も仕事!」がモットーの新根室プロレスが映画に!

いわためぐみ

プロレスというとどんな言葉を思い浮かべるだろうか?

私の子供時代は、なんとか街頭テレビではなくて自宅にテレビがあるのが「あたりまえ」的な状況だったが、さだまさしの歌の「親父の一番長い日」にある「街頭テレビで空手チョップが白熱した頃に」という言葉が、「なんのことだ?」と疑問をもつほどではない時代だった。

祖父がプロレス番組好きだったので、週末、祖父母の家に預けられたりすることの多い時期は、プロレスをよくみた。だから、ちょっとだけ、私の年代の人間にしては、古いプロレスのことを知っていたことから、そうしたライターとして活動したこともあった。

出会いがあって、高校時代のボーイフレンドが学生プロレスのレスラーだった。エンパイア・スターというリングネームの彼はマスクマンだった。「エンパイア・スター」というのは、サミュエル・R・ディレイニーの小説由来で、私が学生プロレスの団体にかかわることになったのも、SFファンつながりということもあった。手作りのマスク、大学の芝生で始まる試合。リングアナもいた。解説をやるやつもいた。ちょっとしたごっこ遊びでもあった。そんな仲間の一人が、社会人プロレスラーになった。

やがて、彼と会社を作ることになった。だから、有限会社アトリエサードの定款には、「スポーツ興行」の文字があった。そう、私たちは本を作るだけじゃなくて、本を作り、自分たちの紹介したい何者かを社会に届けていく作業の中で、「プロレス」も大切なキーワードであると思っていた。

だから、社会人プロレスという存在を、たぶん普通のプロレスファンよりもより身近なものとして感じていた。だから社会人プロレスが、「生き様」としてのプロレスであることも、誰よりも実感してもいる。

新根室プロレスを知ったのは、いつの頃だったか覚えていない。でもこの社会人プロレスの団体のことを知って思ったのは、なにか、私の世界と繋がっているという感覚だった。私がプロレスが好きだから。私の先輩がたまたま根室の出身で、根室高校の卒業生だったから。そんな些末なキーワードではなくて、なにか、運命的な出会いを感じたのだ。

彼らがプロレス団体を立ち上げた2006年、私もターニングポイントの時期だった。

「無理しない ケガしない 明日も仕事!」が、新根室プロレスのモットー。北海道根室市のおもちゃ屋さんを経営するサムソン宮本が、地元を元気にしようと立ち上げたものだ。

不器用にみえる主催者のスタイルは、やりたいことはわかるという部分と、「おいおい大丈夫かい?」というところさえ感じたこともあったが、彼らのお客様を楽しませようという、なにか熱いものは伝わった。

100万円のリングを勢いで買い、意気投合したひとたちと力合わせて作った団体。サムソン宮本が一人ひとりにリングネームを命名して、リングにあげて、牽引してきた13年間。地元を元気づけるだけでなく、その活動はやがて全国的に知られることとなり、遠く離れた土地にいる、いつかプロレス興行をまたやろう、なんて思っている出版社のおばさんのところにまで、届くようになっていた。

そんなサムソン宮本が2019年9月、難病・平滑筋肉腫と診断された。告白から引退試合。13年の感謝を込めた13番勝負。ここに表明されているのは、「無理しない」ではなくて、プロレスがショーであることを踏まえたサービス精神だ。

「病気を克服して、必ずこのリングに

★「無理しない ケガしない 明日も仕事！新根室プロレス物語」舞台あいさつの様子（ポレポレ東中にて）／写真：小笠原勝

帰ってきます」

残念ながら、一年後、彼はこの世を去ったが、その精神を受け継いで、新根室プロレスは、活動を再開する。

さて、新根室プロレスのそんな生き様が映画になった。

その映画「無理しない ケガしない 明日も仕事！新根室プロレス物語」は、新根室プロレスを知らない、あるいは知っていても大きなパンダの所属する地方のプロレス団体としてしか知らなかった人たちにも、どんな団体なのかがわかるドキュメンタリーとして仕上がっていた。

プロレスの試合だけでなく、地元で生きる社会人レスラーたち、そして彼らをささえる家族の思い。

「新根室プロレスは、競技を見せているのではない。生き様をみせているのだ」

プロレスは、生き様だと思っていた。新根室プロレスだけでなく。それは私が出会ったプロレスラーたちが、それぞれに試合だけでないものを見せてくれていたからかもしれない。

プロレスを格闘技としてだけ見ていると、見えないものがたくさんある。プロレスはショーだ。その闘いは、人を勇気づけ、明日への活力となるショーだ。

高度な技術、超人的なパワー。それを見ることも勇気をもらえることだが、リングの上で広がる人と人との物語を見せてもらうこともまたプロレスなのだ。

★ポレポレ東中野にて
／写真：小笠原勝

映画の上映を記念して、24年1月7日に、ポレポレ東中野で、舞台あいさつが開催された。映画の出演者が登場し、インタビューを行うというものは珍しくはないが、今回の舞台あいさつは一味違った。

前回の上京時には、その身長から、上映会場内への入場を断念したアンドレザ・ジャイアントパンダが、通路を歩いて（その困難さは、写真からは伝わらないかもしれない）登場。

壇上にあがり、インタビューを受ける。時間通りに登場することも難しいが、それはいつものこと。「無理しない」と掲げながら、「こうしたい」を精一杯やろうとしているメンバーたち。

私は、壇上にあがらないだろうと思っていた。

なぜなら、映画館のスクリーンまでの距離はとても短く、そこでパフォーマンスをしようとするなら、劇場から「ぜったいにスクリーンに手をつくな」と注意される。今回もトークの中で、それを言われていることを紹介していたが、視界のせまいアンドレザ・ジャイアントパンダは、舞台から落ちそうになるし、それをカバーしようとすれば、スクリーンに付きそうになる。オッサンタイガーが隣で飄々と覚えてきたトークの内容を消化しようとしているなか、M.C マーシーは、心配が身体全体から伝わるほどがんばって、この「ショー」を成立させようとしていた。

そして、インタビュー内容に腹をたてて、アンドレザ・ジャイアントパンダが乱闘を繰り広げ、司会とともに退場してしまう。オッサンタイガーが残され、質疑応答をつなぐ（これは予定されたシナリオ）。

ここには、アンドレザ・ジャイアントパンダが30分しかもたないなどの事情もあったらしいが、その私にとっては「プロレスらしい」仕込みと、新根室プロレスらしい展開に、これからも新根室プロレスが、団体として興行を続けていくだろうという心意気を感じる瞬間でもあった。

新根室プロレスが、そのショーというプロレスらしさの根本を持っていて、みせてくれる生き様。それを、フィルムという形で、多くの人にまた記録として残せたことに立ち会えたこと。こうして日本のプロレス史に、とても貴重な資料ができたことをプロレスファンとして喜びたいと、心から思うのでした。

私自身が元気になって、興行主として、元気をとどけたい場所に新根室プロレスをつれていきたいなぁと、そんな妄想も芽生える。私も夢をかかげながら、「無理しない ケガしない 明日も仕事!」とがんばっていきたいと思うのでした。

★「無理しない ケガしない 明日も仕事! 新根室プロレス物語」は、ポレポレ東中野、シアターキノほか全国順次公開中!
公式HP:new-nemuro-pro-wrestling-movie.com
配給:太秦 ©北海道文化放送
※本頁の写真は同映画より

「イラストレビュー」◎絵と文＝三五千波

「東京ローズ」作曲・W・P・ハリソン
台本・作詞・M・ユーン＆C・ボルドウィン
翻訳・小川絵梨子　演出・藤田俊太郎
新国立劇場小劇場（12月16日・夜の部観劇）
936人の候補者からフルオーディションで選ばれた6人
アイバだけでなく両親に叔母　通行人ラジオ局の上司同僚裁判官　弁護士…老弱男女すべてを6人交代で演じる
東京ローズと呼ばれたアナウンサーアイバ・トグリを6人の女優が「演じつなぐ」
いま製作の過程から「清く正しく美しい」舞台が本気で求められている
（新国立劇場の公式メイキング動画より）←
ロンドンの演劇学校の同級生二人がリサーチとディスカッションで作り上げたシナリオに同じ学校で知り合った音楽家が曲を付ける
それを別の友人が関わるバーント・レモン・シアターで取り上げ再演のたびブラッシュアップするためいまだ決定稿がないという「すべては友情でつながっている」
アイバは国家反逆罪に問われてもアメリカ人としてのプライドを忘れない
Van Dyke Parks
Tokyo Rose
「アメリカ人であることに誇りを持っているわ」「私はアメリカ人よ！」
私も昭和の冷笑文化の中で育ったので正直ドン引きするがいま日本で求められているのはこのまっとうな人としての誇りではないか
読売交響楽団　第632回定期演奏会
ヒンデミット「主題と変奏〈4つの気質〉」
アイスラー「ドイツ交響曲」（日本初演）
指揮・セバスティアン・ヴァイグレ
サントリーホール（10月17日）
おおドイツ青ざめた母よ
前半はブリューゲルの「4つの気質」によるバレエ音楽ゲニューシャスのピアノが冴える
ドイツ交響曲はブレヒトの詩による全11楽章
ヴァイグレ氏みずから「この曲を演奏するのは私の使命」とドイツ語圏の歌手を連れて日本初演にこぎつけた
「…私たちの間にあるその裂け目は、雨が上から下へ降るから存在するんだ。」（第9楽章　労働者のカンタータ）
「20世紀ドイツの夜明け〜レーガーとヒンデミットのオルガン音楽」（11月5日・藝大奏楽堂）
この年はレーガー生誕150年ヒンデミット没後60年
ヒンデミットの「アルトホルンとピアノのためのソナタ」を須川展也氏のアルトサックスとオルガンで

新国立劇場演劇研修所 第17期生公演
「君は即ち春を吸ひこんだのだ」
作・原田ゆう（日本の劇2014年最優秀賞）
演出・田中麻衣子 美術・伊藤雅子
新国立劇場小劇場（11月7日観劇）
坊さんの話を書け
「そういや、何年か前に先生のこの離れに初めてうかがった時、庭に花びらの欠けた花を埋めたんです」
「花を埋めたんか、どこに埋めたかおぼえとるか？」
新美南吉（正八）の早すぎる晩年は家族や幼なじみの死に取り囲まれている
二方向から見るセンターステージには
土を入れて植え込んだ木と草花
雪柳、いすらの花、もくれん…
序曲の前に米團治師匠が一席始める「こうもり」
福井敬さんのアイゼンシュタインは日本橋の質屋の親父
着物のロザリンデも意外と違和感がない
仮装舞踏会は鹿鳴館
明治の牢屋なのに何か楽しそうで
流山児★事務所「夢・桃中軒牛右衛門の」
作・宮本研 脚色・詩森ろば
音楽・朝比奈尚行 演出・流山児祥
下北沢駅前劇場（12月18日観劇）
数年前から宮本研の史劇に魅了されて初の流山児★事務所
奇しくも流山児氏は宮崎滔天と同郷荒尾の生まれ
アフタートーク話で荒尾公演後「お前の芝居は難しくて良く分からないがこの芝居は面白かった またやってくれ」と好評だったという
滔天の「革命」と「民衆芸能」二つの見果てぬ夢を伝えたい…と
受付に宮崎滔天の顔はめパネル！
そして藤木大地さんのオルロフスキー麻呂が座布団ぜんぶ持って行く
全国共同製作オペラ「こうもり」
台本・演出・野村萬斎 語り他・桂米團治
指揮・阪哲朗 ザ・オペラ・バンド
東京芸術劇場（11月25日観劇）
前田シスターズ つよい
滔天に雲右衛門とにかく女房に苦労を掛ける
波と槌子の前田姉妹を狂言廻しに
壮士演歌に浪花節キンキラキンの歌入り芝居に脚色しちゃったそう
ダイナマイトで♪自由民権♪そらキンキラキンの蟹政どん♪
寺山修司に「演劇に革命は可能か？」と問われ「出来ます！」と即答した流山児
孫文 黄興 北一輝 そして毛沢東と「侠」の志は大陸に広がる

東京二期会「ドン・カルロ」（五幕イタリア語版）
指揮・レオナルド・シーニ
東京フィルハーモニー管弦楽団
演出・ロッテ・デ・ベア
東京文化会館（10月14日観劇・城&木下組）
2014年二期会での
マクヴィガー演出では
古典的な様式美と山本組の
瑞々しい王子が記憶に残っている
今回の設定は「近い未来」
五幕版は物語の発端である
慈悲を乞う民衆と王子と婚約者の出会い
そして婚約者を父に奪われる悲劇が描かれる
シンプルな大壁で地下牢や城の閉塞感を表し
建物セットは処刑見物人の並ぶ広場のみ
三幕冒頭に現代の作曲家ヴィンクラーの
「プッシー・ポルカ」を挿入
どこかの王子王女たちが人形を火あぶりにする
「プッシー・ライオット」を意識した曲で
自由への衝動と弾圧を描写
新国立劇場「シモン・ボッカネグラ」
指揮・大野和士　東京フィルハーモニー交響楽団
演出・ピエール・オーディ
美術・アニッシュ・カプーア
（11月23日観劇）
赤と黒の
オブジェの中で
展開する舞台
父の仇の総督は
実は恋人の親
権力闘争
暗殺そして愛
赤黒い固まりが
血を思わせる
予習に
「アニッシュ・
カプーアin
松川ボックス」
1971年竣工
宮脇檀設計の
住宅を転用した
ギャラリーが
見たくて
鏡面のしずくと
赤い裂け目の絵2点
北とぴあ国際音楽祭2023
ラモー「レ・ボレアード」
指揮・寺神戸亨　演奏・レ・ボレアード
演出・ロマナ・アニエル　振付・P・F・ドレ
北とぴあ　さくらホール（12月8日観劇）
Alphise
革命前夜
女王アルフィーズは北風の一族（ボレアード）と
結婚せねばならぬ定め
愛する人のいるアルフィーズはそれを拒み
女王の座を捨てさろうとするが…
1763年完成し
上演中止のまま
1982年の
初演まで封印された
女王が自由に生きようとする
内容が忌避に触れたのかは
定かではない
啓蒙思想家たちと
日々論争していた
ラモーには
次の時代が
見えていたのだろう
風はもう革命前夜！

東京二期会「午後の曳航」
原作・三島由紀夫　指揮・アレホ・ペレス
新日本フィルハーモニー交響楽団
演出・宮本亞門（2005年改訂ドイツ語版）
日生劇場（11月26日・新堂&北原&小森組）
幕開きから遠く 港湾作業のような響き…
港の見える丘も なぜかリアル横浜感 船は裏返すと 登の部屋や 母との食卓になる
生贄のネコちゃんは 忍びないので 袋から出さず
不良リーダー1号の 加耒徹さんが ヒューマニズムを否定し 観念的に悪を奉ずる 天才少年役にはまっていた
原作では冷酷に 処刑を遂行するところ この演出ではもしや…の 可能性を匂わせて終わっている
日本語版（2006年ザルツブルク）の 録音もSpotifyで聴けるので ご興味のある方は是非
「初国知所之天皇」2022デジタルリマスター版
東京都写真美術館（10月7日鑑賞）
「双子暦記・私小説」激生映画ライブ
シネマハウス大塚（10月12日）
展覧会「風景論以降」の 上映企画で伝説の「初国」初見
新規挿入の短歌入り二面スクリーン これを当時のライブでは同時投影して フィルムを廻す速度も毎回違ったという
監督いわく「映画そのものが視覚的な音楽」
ありがたう う。ち。う
ライブは映像に合わせ歌う 双子4歳の短歌朗読に 重なる金属音がこの世ならず
「焼け跡クロニクル」（ディレクターズカット）も同時上映
家族も事件も全てが映画に注ぐ その生きざまに言葉もなし
その他 書ききれぬ 今四半期の 印象深いライブ
岡本神草「口紅」 金田和郎「水蜜桃」土田麦僊「海女」による 「京都画壇の印象から生まれる二人の 新たな音楽」向井響&航（配信・11月20日）
畑中良輔と中田喜直（10月29日）
シャリーノ祭り（11月18日）
チェンバロ・アヴァンギャルド（11月27日）
「ヴィジュアル・オルガンコンサート」 秋本奈美&奥秋大樹（11月28日）
會田瑞樹「闇に舞う」（12月11日）
まつもと市民オペラ「山と海猫」再演（12月23日観劇）初演に続き遠征
かえるで

※前号の「刀剣乱舞歌舞伎」「絶唱浪曲ストーリー」「ルドルフ〜」の観劇日は５月ではなく７月です。誤記をお詫びします。

東京の流刑地 Vol.5

from IZU-OSHIMA

◎絵と文＝大黒堂ミロ

『Pink Floyd The Wall』映画ポスター

昭和2年版『失楽園』ドレ画集（私物）

楽園マトリックス

『教育なんていらない　洗脳なんていらない　先生、僕達のことは放っといてくれよ　所詮、壁の中のレンガのひとつじゃないか』（1979年 Pink Floyd『The Wall』の5曲目）

「ああ、わたしのこの惨《みじめ》さは何としたことか！　どこへ逃げたらこの無限の怒り、この無限の絶望から脱することができるのか？　どこへ逃げようがそこに地獄がある！いや、わたし自身が地獄だ！」（岩波文庫版・平井正穂訳）とサタンが語るのはミルトンの『失楽園（Paradise Lost）』である。Paradise＝「楽園（エデンの園）」の語源は「壁に囲われた」という意味がある。

これが書かれる前の時代、1517年から政治と宗教の最高権威だったカトリックのローマ教皇（とドイツの高利貸し）が教義にはない「現世の罪が許され、天国に行くことができる、免罪符（贖宥状《しょくゆうじょう》）」の販売を行い、それに対する異議申し立てがマルティン・ルターによる宗教改革である。1639年に激しい清教徒革命《ピューリタン》が起こり、ミルトンは教会改革を論じた『言論・出版の自由アレオパジティカ』を発表その後は投獄され、過去の著書は焚書、私有財産の没収もされ、政治活動から足を洗い1667年に『失楽園』を書いている。その社会観・宗教観が先に引用したサタンのセリフ等に仮託されている。1437年の『ガザリ派の誤謬』出版を端に発する『魔女狩り』も当時まで続き、また治療法が確立していなかったペストも大流行し、1666年にはロンドン大火（「世界の三大大火」のひとつ）が起こる。

腐敗した権力と宗教、社会不安、パンデミックと非科学的なデマの蔓延…数世紀も時を超えて現代と変わらないのである。

別名『楽園実験』とも呼ばれる『UNIVERSE 25』をご存じだろうか。4組のネズミに繁殖に十分なスペースと新鮮な水と食糧を長期にわたって与え続けて観測した実験である。環境に慣れて縄張りを作り、巣作りを始め、出産を開始するまでをフェーズA。個体数が順調に増えた期間をフェーズB。フェーズCになると集団として行動するネズミと、コミュニケーションをとらずに繁殖もせず無気力に過ごすネズミとでグループが分かれる。一つの巣箱に密集して暮らし、同じ時刻・餌場で奪い合うようにエサを食べるようになる。また決まった巣箱を持たず、床で寝るニートネズミが誕生、ニートネズミはメスに相手にさ

男女共に筋肉質男性をモデルにしたミケランジェロの傑作の一部『楽園追放』のイブに関して、以前からどう見ても人相の悪いオッサンにしか見えないのだが・・・

トマス・モア
Thomas More
1478-1535
『ユートピア』等

『神曲(地獄篇、煉獄篇、天国篇)』を書いたダンテも、ミルトンの時代背景と執筆動機が似ていて宗教改革の下地になっている。両作品も多くの芸術家に影響を与え様々な絵画や音楽等に昇華され過ぎて、執筆の動機が一般に知られていない気がする。ルターによる宗教改革の前年に『ユートピア(理想郷)』を書いたトマス・モアも絶対王政を風刺した内容だったため処刑。ちなみにパラダイスと混同されがちなユートピアとディストピアはコインの裏表の関係である。どうでも良いことだが『神曲』の一節「この門をくぐる者は一切の希望を捨てよ」を読んで最初に頭に浮かんだのが悲しいことに五社英雄の映画『吉原炎上』冒頭ナレーションだった。

ダンテ
Dante Alighieri
1265 - 1321
叙事詩「神曲」等

れず集団行動をするオスに攻撃される。集団行動をするオスはエサを独占、エサを食べにくるニートネズミやメスを攻撃し、オスから守られないメスは攻撃的になり、そして子どもを攻撃して早期に巣から追い出し始める。

フェーズDでこの育児放棄されたネズミたちは成長し毛づくろいをするだけの個体になった。そんなネズミをカルフーンは「ザ・ビューティフル・ワン」と命名。性的逸脱や出産停止の状態になり、2200匹まで増えたネズミたちは最後のオスが死んで全滅。この実験は繰り返し25回行われたが全て同じ結果になった。ベストセラーになったドーキンスの『利己的な遺伝子』理論もこの楽園では通用しなかったのである。ギリシャと鎖国時代の江戸と現代にも通じるこの実験、興味のある方は調べてみてください。

現在住んでいる伊豆大島は流刑島であり、古くは699年に役小角、1612年にはキリシタンのジュリアおたあ、1703年には日蓮宗不受不施派の僧が流された記録が残っているが、この人たちは時の為政者にとっては異端であったが犯罪者ではない。

このようにイギリスの宗教改革に限らず日本でも権力と宗教の関係は似たようなものである。

『従来の大麻は罪穢《ざいえ》を祓う祓禳《ふつじょう》神具としての性格が強かったのに対し、新しい大麻には神璽《しんじ》としての性格が与えられ、名称も「天照皇太神宮大麻」と記されるようになった。この大麻配布が完全に実施されると、全国各戸が皇太神宮の分霊を奉祀することになるのであった。』(『神々の明治維新』(岩波新書)より引用)と大麻を神宮司庁が強制配布していた歴史があるなど学校で教えられることはない。昨今の新興カルトに限らず伝統仏教も、廃仏毀釈と戦争を起こした『国家権力の壁の中』で生き延びるために変質しているのではないか。昨今話題の「宗教二世」問題も『現代の楽園追放』なんじゃないかと思っている。

『禁断の知恵の実』を小さい頃から疑問に思っていたのだが、真実に目が覚めるための赤い薬を飲むという映画『マトリックス』を見た際に繋がった気がしたものだった。現代の楽園追放が出現したと言って『失楽園』のような文学や、ピンク・フロイドのような音楽が生まれるとは全く期待していないが。

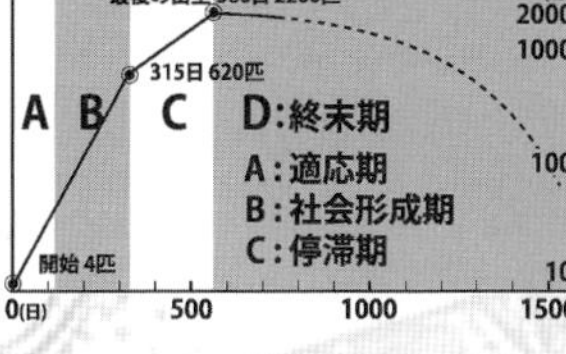

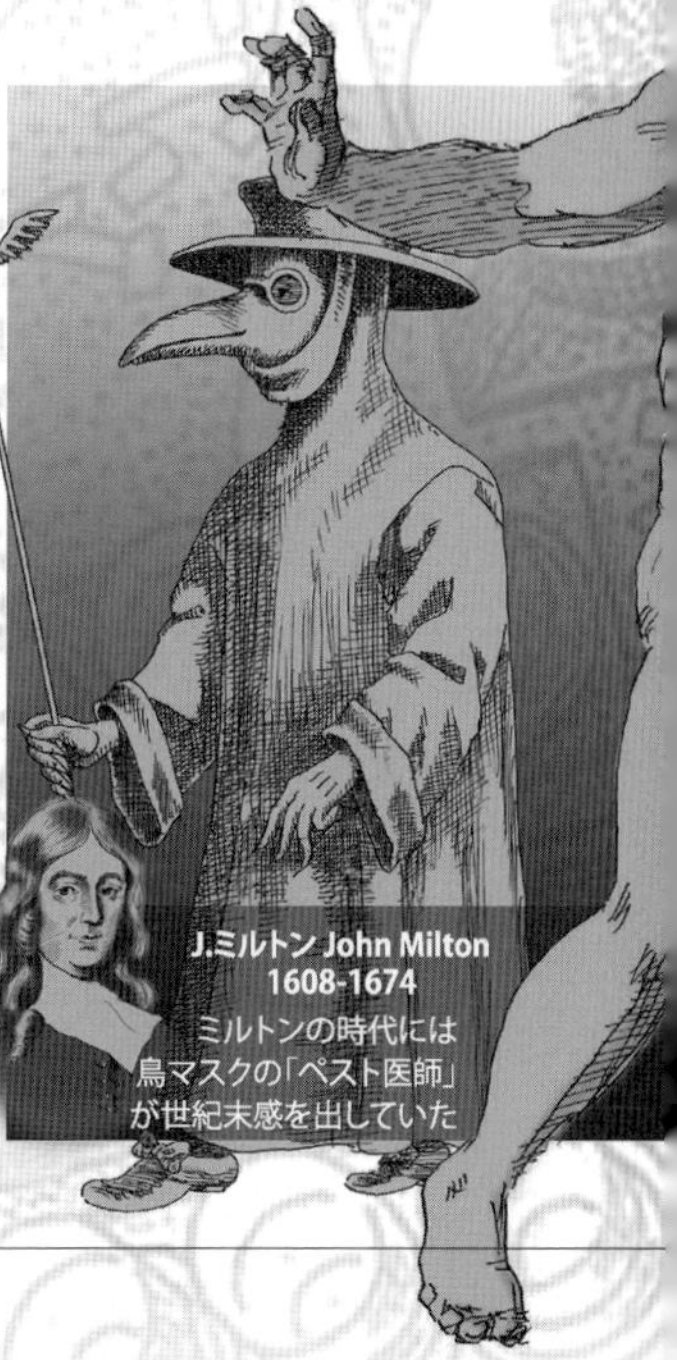

J.ミルトン John Milton
1608-1674
ミルトンの時代には
鳥マスクの「ペスト医師」
が世紀末感を出していた

TH特選品レビュー

（イ）イガラシ文章
（大）大岡淳
（岡）岡和田晃
（高）高浩美
（清）清水悠正
（シ）シン上田
（日）日原雄一
（並）並木誠
（水）水波流
（村）村上裕徳
（M）本橋牛乳
（八）八本正幸
（樋）樋口ヒロユキ
（二）二葉亭二丁目
（穂）穂積宇理
（吉）吉田悠樹彦

九井諒子
ダンジョン飯 全14巻
KADOKAWA

★足掛け10年、無事に完結。
　ダンジョンといえば、ぼくとしてはけっこうスーパーファミコンなどで「ウィザードリィ」をやったという感じ。でも、生物学を学んだ身からすると、ダンジョンというか洞窟の生き物って、メクラチビゴミムシとかメクラヨコエビとか、なんだか特殊な環境でしか生きられない生物、というイメージ。でも、そこは魔法の力で強力な魔物がたくさん住んでいて、地下に行くほど強くなる。海底のホットスポットみたいに地下深くに生物のエネルギー源があるんだろうなあ、なんて考えてしまう。ダンジョンのエコシステムというのも、考えると楽しい。

　で、「ダンジョン飯」である。主人公のライオスは、ドラゴンに食べられた妹ファリンを助けるために、再びダンジョンに向かう。長期間の冒険にあたって、ダンジョンでの食料として、ダンジョンの生き物を調理して食べることにする。

　最初は魔物を調理して食べるというアイデアがなかなか面白かった。まあ、鳥系やドラゴン系なら肉なのでいいとして、甲冑って軟体動物だったんだ、というのはびっくりしたな。

　まあでも、人間もダンジョンのエコシステムに入っていけるというのは、なるほどなあって思う。

　物語が進むにつれて、ダンジョンには主がいることがわかる。それこそがダンジョンの生物のエネルギーを支えているし、魔法のよりどころとなっている。では、ライオスは主と対峙して、どうするのか。

　トリッキーな話の設定のようでいて、ダンジョンをめぐる物語としてきちんと結末がついているし、大変な話のはずなのに、あまり深刻にならない。何より、みんなで食事するのがいいよね、というのも心が温まる。魔物でなくても、料理が楽しくなる。（M）

本の雑誌編集部編
本の雑誌の目黒考二・北上次郎・藤代三郎
本の雑誌社

★二〇二三年の一月末か。目黒考二が亡くなったと、ツイッターのTLに流れてきた。えっ、とおもった。病気だという話は聞いていなかったし、『本の雑誌』ではぜんぜん、そんなそぶりもないような目黒さんの原稿が載っていた。坪内祐三のときのようなあっけなさだった。
　中学校に入るくらいから『本の雑誌』と『噂の真相』を手にして。目黒考二の本では角川文庫の『酒と女は読書の敵だ。』が大好きで、トークショーでサインを貰いに行ったこともあった。あれは『書評稼業四十年』出版記念イベントのときだったか。

　『本の雑誌』初期号の復刻版BOXや『社史・本の雑誌』も買っていた。編集長は椎名誠、発行人は目黒考二の『本の雑誌』。中期からは、実質的には目黒さんが編集兼発行人だった。五〇〇ページちかい本書は、「本の雑誌社」の社長、その後顧問としての目黒考二、書評家としての北上次郎、ギャンブルライターとしての藤代三郎が、とっても魅力ある人物だったことを示す大冊だ。嵐山光三郎の弔辞や、もちろん椎名誠・沢野ひとし・木村晋介だけでなく、本の雑誌の社員だった群よう子や書評家たちやギャンブル仲間、そして家族などさまざまなひとの語る目黒さんの思い出に、目黒考二たち三

人の傑作選。そうそう、この『陸奥宗光の顔』、『島田一男『魔道九妖星を探せ!』、面白かったよなあと、読みながら稀有のひとを思い返していた。（日）

幻冬舎Presents 劇団扉座第76回公演
扉座版 二代目はクリスチャン
—ALL YOU NEED IS PASSION 2023—

千葉市美浜文化ホール、23年11月26日／新宿・紀伊國屋ホール、23年11月28日〜12月3日

★つかこうへい×扉座の人気作再演。かつて編集者として故つかこうへいとともに数々の傑作を世に送り出した幻冬舎社長・見城徹の絶大なる御支援の下、つかとの出会いによって劇作家の道を歩んだ横内謙介がその魂を継承し、小説＆映画の名作『二代目はクリスチャン』を令和版として書き下ろし、演出した。

出所するところから始まる。そしてオープニングは派手に。扉座版なので、原作と全く同じというわけではないが、つかこうへいへのオマージュが随所に散りばめられている（セリフやかかる楽曲でわかる!）。木村伝兵衛は『熱海殺人事件』の登場人物、熊田留吉Jr.は創作、墨東署の面々など、扉座版ならでは。キャッチフレーズは「燃える!・泣ける!!キマる!!!」客席は笑いの連続かと思ったら、固唾を飲んで見守る場面もあり、緩急つけた流れ。

岡森諦は、90年につかこうへい事務所公演『熱海殺人事件』で木村伝兵衛を務めただけあって当たり役。熊田留吉Jr.は新原武役で、勢いのある芝居で先輩・岡森と丁々発止のやり取り。ラスト近くは木村が…!「泣ける!!」。サイドストーリーも見逃せない。組員の三郎（紺崎真紀）とホステスのサチコ（大川亜耶）は婚約中だが、この組み合わせ、世間では肩身が狭いが、純愛、恋に「燃える!」、サチ

コの行動が「泣ける!!」。墨東署の3人組は所々で笑わせる。組員たちは、ベテランの有馬自由や犬飼淳治、鈴木利典ががっちりと。

ヤクザはいわゆる「反社」、行き場のない人々。組員の五助（小川蓮）とカン太（野田翔太）は教会の孤児院にいたという設定だが、皆必死に生きている。その生き様、愛ある視点、それはつかこうへい作品の心意気を継承している。だから、何度観ても感動する、泣ける、そして何よりも熱い。物語だけでなく、作り手の熱さ、熱量も舞台にのせる。また、ヒロインの今日子、ベテランの伴美奈子も高い演技力。時々流れる音楽の中に〝昭和〟なものもあり、ある世代には懐かしく、ラスト近くの木村伝兵衛のまさかのシーンに〝昭和〟の終わりも感じる。時代は変わる、だが変わらないものもある。人間の想い、愛、人としての拘り、これはどんな時代になっても変わらない。休憩なしでテンポよい舞台だった。（高）

ゆかりバレエ2023

愛知県芸術劇場 小ホール、23年9月30日・10月1日

★神原ゆかりは「セレナーデ」初演などの時代のスターダンサーズ・バレエ団からでてきて、やがて独立し自分の団体を立ち上げ中京で活動を重ねてきた。バレエのみならず近年では舞踏を秋田で踊るなどしている。望月則彦演出・振付「マルグリット〜椿姫より」と佐多達枝演出・振付「カルミナ・ブラーナ」と長年取り組んできた演目を中心に公演を行った。その活動を振り返るような内容ともいえる。

「カルミナ・ブラーナ」はバレエ作品としてシンフォニックな現代バレエとして音楽と身体の関係がはっきりとみえるように構成されている。牧村直紀（谷桃子バレエ団ファーストソリスト）と齊藤耀（谷桃子バレエ団ファーストソリスト）が活躍をみせていた。「マルグリット〜椿姫より」では一転しドラマティック・バレエとなり今井智也（谷桃子バレエ団プリンシパル）と共に盛り上げた。そして作品集ではスタジオメンバーを中心に近況が披露された。

30年以上の取り組みを経て、中京のバレエのニューウェーブとして自身の路線を示している。現代演劇から舞踏にいたるまで幅の広いステージで活動する神原だが、やはりバレエでみることは何より素晴らしい。バレエダンサーの中にはカルラ・フラッチのように舞踏に傾向したものもいるが、バレエだけに収まらない

貪欲な身体表現への姿勢と、現代バレエの方向性の模索の相互から導かれる歩みが大きく実りはじめている。(吉)

ワカバコーヒー
おどらない、からだ

高架下空き倉庫、23年9月29日〜10月1日

★ワカバコーヒーは川村真奈と若羽幸平のユニット。環境芸術のアーティストのようにコーヒーをつくる事もある。今回はイスラエルを経た加賀谷葵や舞踏の吉本大輔も出演した。津田信敏の作品をみていると身体の形態美や構成の面白さがあり、土方巽や若松美黄の原点である事がわかる。津田はマックス・テルピスに学び、やがて日本へ戻る。テルピス＝津田の面白い作風は日本の舞踊の中で異色である。この作品のクライマックスをみていると、戦後の舞踏や戦前からの洋舞の表現をそれぞれ解きほぐしている事が伝わってくる。舞踏の吉本の踊らないことと精神性を上手につかいながら、川村と若羽、加賀谷ら新世代が先端表現を考えていることがわかる。舞踏をコンテンポラリーへ活かすと言われたのは一時代前。そうではなく、より新たな姿勢で表現を模索している。コンテンポラリーダンスという大時代と一色を画する先端表現を切り出していって欲しい。

手柴孝子お別れの会（9月30日、石井折田舞踊研究所）手柴孝子は石井みどり時代から60年以上この研究所で活躍してきた。スタジオの生き字引である。石井みどりからは「内面を作って、裏を鍛えて」と指導を受け、コツコツと舞踊道を歩いてきた。石井系の方々、舞踊団のメンバーや演劇の上田美佐子らが集った。暖かな秋の午後だった。(吉)

Myrtle Arts
同郷同年2023

ザムザ阿佐谷、23年10月4日〜9日

★放射性廃棄物の最終処分場誘致をめぐる、同郷同年の3人の男性による物語。農業を継いだ田切、薬局を経営する谷上、電力会社に勤務する中本の3人だ。

舞台は、住民投票で誘致が否決された場面から始まる。元々は誘致に反対だった谷上だが、衰退する郷土を前に、誘致推進側に回り、運動をすすめてきた。町立病院の廃止によって、薬局の経営が成り立たなくなるのを防ぐためだ。住民投票による否決を受けて、中本は別の場所で最終処分場をつくるため、転勤するが、このときに農業に見切りをつけた田切を電力会社に推薦し、社員として働くことをすすめる。

田切は最終処分場誘致の地元工作で能力を発揮し、出世するが、中本は逆に最終処分場に疑問を持つ。会社を退職した中本は、故郷に戻り、農業をはじめる。

田切も故郷に戻り、再び最終処分場誘致運動を進めるため、県会議員となる。逆に最終処分場誘致に反対した中本は失意の中、死んでしまう。病院は電力会社によって新しくなり、谷上は新しい薬局をオープンさせる。そこに、谷本の遺品も飾られる。

これまで日本ではずっと、経済的格差の低い場所に原子力施設が誘致されてきた歴史がある。当然、リスクが高い施設を誘致することには地元に強い反対があるが、それでもその施設によって地元が救われると考える人も多い。最近では、山口県の上関町の中間貯蔵施設誘致が問題になっているし、最終処分場では北海道の寿都町などが誘致をめぐって問題となっている。

原子力施設の誘致をめぐる3人の男性は、お互いに対立するものの、「同郷同年」という言葉の向こうに、そもそも郷土をどうにかしないと自分たちが生きていけないという困難さを共有しているということでもある。その困難さが、実力ある3人の俳優によって濃密に演じられるという舞台だった。同時に、原子力と地方の問題を一面的なものに終わらせない作品ともなっている。

福島県浜通りはそもそも常磐炭鉱で栄えた場所でもある。エネルギーの問題では、人々はずっと答えが出ない問題をひたすら先送りしているだけだし、先送りされる時代の中で、人々はずっと翻弄されているのだろう。

単純な原子力反対ということではなく、それは地元の人たちが尊厳を取り戻そうとして取り戻せない物語なのだと思う。(M)

野又穫

Continuum
想像の語彙

東京オペラシティギャラリー、23年7月6日〜9月24日

★遥かなるどこにもない風景を描き続ける画家の展示。佐賀町エキジビットスペースで見たことがある。その作風には舞台美術にも通じる要素がある。佐藤卓、藤幡正樹、野又の東京芸大・卒業式の写真はネットで少し話題になった。この時代に芸大にデザイン科が作られ日比野克彦や石岡瑛子もでている。佐藤は電通で活躍し、藤幡は慶応で2回続けてサバティカルをとり芸大へ移った頃から時代の彼方へ埋もれていく。その傍らで野又は資本主義の傍らで画業を続け知る人ぞ知る画家になった。90年代現代美術の一時代前の80年代を回顧する内容である。

小林紗織「音と記憶の風景」(東京オペラシティギャラリー)もみることができた。楽譜の上に描かれる絵画は舞台人に愛されそうな作風といえる。(吉)

山崎貴監督

ゴジラ -1.0

★何も期待しないこと。

そのことを深く心に刻んで、最初の鑑賞に臨んだ。予告篇以外は、一切の予備知識を持たずに……。

初見の感想は、想像以上に面白かった。なるほど、そう来たか！と思った。

時代設定が『ゴジラ』第一作の一九五四年以前であることは、事前情報で知っていたので、そのことが第一作と、それを起点としたゴジラ映画への冒瀆になるのではないかと心配していたのだが、それは杞憂だった。随所にオリジナルへのリスペクトが感じられて、胸が熱くなる。

特にゴジラの銀座襲撃シーンで轟く伊福部音楽には涙腺が決壊した。

ああ、やっぱりゴジラはカッコイイな、と。

物語は、敗戦直後の廃墟と化した街から、やっと復興しはじめた時期の東京が主な舞台となる。そこで出会った特攻崩れの敷島(神木隆之介)と典子(浜辺美波)。そして幼子の明子(永谷咲笑)がささやかな暮らしを営んでいる。

そこへゴジラが現れる。

敷島は、敗戦の直前に大戸島で、被曝して巨大化する前のゴジラを目撃していた。

彼は、機体が故障していると偽って、特攻を忌避した男である。

そして、彼が発砲しなかったために、大戸島守備隊のほとんどがゴジラに殺されてしまった。

いわばゴジラは、敷島のトラウマであり、今なお終わらない戦争の象徴でもある。

マッチョなヒーローではなく、心に負い目を持ついくじなしの男が、勇気を振り絞ってゴジラと対峙する。その姿は、感動的ですらある。演じる神木隆之介が、どちらかというとひ弱でナイーヴなイメージがあるから、余計に物語に新鮮さが感じられるのだ。

そして、ヒロインの典子を演じるのが、浜辺美波であるところもポイントが高い。

そう、ＮＨＫ朝の連続テレビ小説『らんまん』のコンビだ。

僕は、『屍人荘の殺人』(二〇一九年)で浜辺美波にぞっこん惚れ込み、もし次に日本でゴジラが実写映画化されるとしたら、ヒロインは彼女以外ありえないと思っていたので、その願いが叶って本望である。

前作『シン・ゴジラ』(二〇一六年)は斬新なアプローチが素晴らしい傑作ではあったが、後半、ゴジラが動かなくなるところに不満が残った。それに較べて本作では、ゴジラの登場シーンがバランスよく配置されていて、心地良い。

意外と早く現れた大戸島の飛行場のシーン、海上での対決、定番の銀座襲撃、そしてクライマックスのゴジラ殲滅作戦と、四箇所の見せ場があり、敷島の悪夢を入れれば、五回も登場シーンがあるのは、贅沢だ。まあ、欲を言えば、銀座襲撃のシーンはもう少したっぷりと見せて欲しかったけれど。

零戦や重巡洋艦・高雄、そして幻の戦闘機・震電が登場するところも戦記映画のファンには嬉しいところだ。

と、概ね好感の持てる作品に仕上がっ

ている。

　現時点で、僕は六回観たけれど、飽きることなく、そして決まって涙腺をゆるませながらエンドクレジットの最後に轟くゴジラの咆吼を全身に浴びるのである。

　だけど……。

　全作品を観たわけではないけれど、僕は山崎貴監督の作品があまり好きではない。

　美味しいところだけをつまみ喰いしているような印象がある。

　いわば、すき焼きで肉ばかり喰ってる奴のような、と言えば解りやすいだろうか？

　その器用さ、というか要領の良さが鼻につくのだ。

　なので、確かに面白くはあるんだけど、心の深いところには響かない。

　本作でも、随所にご都合主義の展開や、説明不足が眼につく。

　一例を挙げるなら、ゴジラと核実験との関係が明言されていない曖昧さが居心地を悪くしている。残留放射能や黒い雨、そしてケロイドのような痣が浮かび上がるシーンもあるので、余計にそう感じるのだ。

　もちろん、ゴジラが巨大化して熱線を吐くようになり、なおかつ不死身の肉体を持つようになったのは、ビキニ環礁での核実験が原因であることは、ゴジラ・ファンには常識なので、あとは想像で補ってよってことなのだろうが、それはきちんと作品の中で明示して欲しかった。

　あと、個人的には、ゴジラが熱線を吐く時、背ビレがガシャンガシャンと機械的に隆起するところが頂けない。ロボットじゃねーんだからさ。

　と、欠点を挙げて行けばきりがない。

　一冊の本が書けるくらい、というほどではないにしても、まあ、映画のシナリオ分くらいのヴォリュームで語れるくらいの自負はある。

　それでもやはり、本作は諸手を挙げて傑作とは称賛出来ないけれど、愛しい映画である。

　これは僕の信条なのだが、「出来のいい映画と、面白い映画・好きな映画は別物」なのだ。

　だって、ゴジラと浜辺美波が一緒に出てるんだぜ。

　ま、惚れたが病ってことさ。（八）

山崎貴

小説版ゴジラ-1.0

集英社オレンジ文庫

★映画を観て疑問に思った点のいくつかは、本書にその解答があり、少しスッキリした。

　例えば、ゴジラと核実験の関連についてもはっきりと語られている。

　銀座襲撃の後の、ラジオの報道（明記されていないが、そう思われる）で「巨大生物は放射能を帯びていることから、その成長の過程で、ビキニ環礁での一連の原爆実験がなんらかの影響を与えたのではないかと見られています」と。

　説明台詞になるからカットしたのかも知れないけれど、説明だってちゃんと必要なのだ。

　映画で描ききれなかったことを小説で補完するって、基本的には邪道だと思う。

　あと、映画でもそうだったが、小説でも山崎は「怪獣」という言葉を一切使っていない。

　ハリウッド志向の彼は、自分のは従来の「怪獣映画」ではなく新しい「モンスター・ムービー」だとでも言いたいようだ。

　と、またもやアンチ山崎の血がざわつくが、この「小説版」を読んでから映画を観なおすと、さらに味わいが深まることは確かだ。（八）

選抜新人舞踊公演2023

あうるすぽっと、23年9月20日・21日

★今年は2日目をみた。いろいろな動きのボキャブラリーの作品をみることができたが、今年はテーマ性や全体のストーリーがはっきりしている作品が印象深かった。星瑠奈「ヴァレリーの舟」は〝我々は未来へ後戻りしながら進む〟という詩に着想をえた作品である。東京新聞のコンクールでみた時より、さらにすっきりとした構成と演出を組み合わせることで作品をまとめてみせた。ドレスを着たり、ドラマティックな曲を使うという作品が多い中で異色だったのが、ポップミュージックと共に素の自分をみせていた鈴木泰羽「花に風」である。現代的な表現にひっそりと古典的な技法を組み合わせていた。
　島澤のどかによる「荒野」は照明による演出と肉体表現を組み合わせることでしっかりとした商品となっていた。山内梨恵子「雪の果て」は情感あふれるデュオでカンパニーの作品と異なる表現の幅を

みせていた。有明歩「決まりごと」や荒澤来瞳「鳥になる日」などコンセプトと作品が歩み寄るとさらに効果が上がるが、場面が印象に残る作品も記憶に残っている。（吉）

Ra:IN
Look At The Sky Tour 2023

Club Citta'、23年11月16日

★X JAPANのPATA（Gt）、TENSAWのmichiaki（Ba）、hide with Spread BeaverのDIE（Key）、VIENNAのRyu（西田竜一）（Dr）の四名からなるインストゥルメンタル・ハードロックバンド、それがRa:INだ。結成は二〇〇二年というから、もう二十年選手。一四年ぶりの音源であるマキシシングル『Look At The Sky』の発売に合わせたツアーのファイナルに初参加してみた。

直前に、X JAPANのベーシストであったHEATHの急逝が明かされ、来場者の多くもショックを隠し切れない様子であったが……PATAは、こんなときこそ笑顔で音楽を楽しんでほしいと呼びかけ、オーディエンスもそれに答えたのが伝わってきた。二度のアンコールを含め、およそ二時間にもわたったライヴは、まずもって錚々たるキャリアのベテラン陣ならではの安定感が印象的。それでいて、ブリティッシュ・ロックを基体としながら、豊富なアドリブを織り交ぜたプログレッシヴな感覚が混じり、なるほど確かに新しい。なのに、聴けば聴くほど味が出そう。

特に、ドラムの手数の多さと、それを受け止めて彩りを添えるテクニカルなベースが嫌味にならず（ドラムソロは特に派手で、観客の女性曰く「雷様みたい」）。そこに乗せられるギターは、ヘヴィでありながら自然体で、実にPATAらしい。リズミカルで、エッジが利いている。腰を痛めたというのに、DIEはヴォーカル曲の際に客席へと乱入。サービス精神あふれるステージだった。終了後、CDにもらったサインは写真を参照のこと。（岡）

H/Y Dance eterno
レジリエンス

豊洲シビックセンターホール、23年9月12日

★山口華子は帰国し活動を再開している。震災前の2010年にデヴィッド・ビントレーによる新国立劇場の企画で山口と池田美佳が最初に紹介された。久々の本格的な舞台に期待が集まった。藤井公・利子「降臨祭前夜」より『亡き風を抱いて』（2003）はバレエ音楽と共に情感溢れる踊りをみせた。日本人の身体性と感情表現が歩み寄る。

続く「舞姫」は森鴎外の原作である。その創作背景やモデルについては良く知られるようになってきたが、女性振付家がエリスの心境について考察し生まれてきたのがこの作品である。ヒロインを清水美由紀が描き、日本人男性をヴィユウジャーニン・ニコライが演じた。心理描写を描く振付がしっかりしており、バレエ団にもしっかりと振り付けられるような仕上がりになっている。日本でオーディエンスに成果を定期的に示しながら海外へ飛躍していく事が望まれる。

山口がしばらく東京で舞台を行っていなかった間に、舞踏は過去の芸術概念としっかりと認知されるようになった。コンテンポラリーダンスはかつての大時代を言い表す歴史的な概念になっている。成長を遂げた山口らが新しい時代の身体表現と作品を生み出す時代になった。

かつて若松美黄がダンス界は30年サイクル説を語っていたので、彼が語る1930年代・60年代・90年代の次は2020年ぐらいではないかという仮説を実際にCut-Inや音楽舞踊新聞で2000年代に文字化してみた。その時に若松はもう少し早いかもしれないと語っていたが、実際には震災による経済の変化や社会変動があった。リアリティを持って新時代がでてきたのはコロナ前後であり、Tarinof Dance CompanyやWith Harajuku Dance Festivalの登場などを印象的にみてきた。新しい時代には新しい身体表現が求められる。ビントレー企画を支えてきた野坂公夫や多くの人々の成果も少しずつ実ってきている。日本に限定することなく広い視野で活躍してほしい才能である。（吉）

佐川恭一
ゼッタイ！芥川賞受賞宣言 ～新感覚文豪ゲームブック～

中央公論新社

★ゲームブックというものをご存知だろ

うか。1980年代ファミコンブームとほぼ同時期に大流行した書籍型ゲームだ。簡単にいえば展開が分岐する小説であり、「宝箱を開くなら14へ、古い井戸を調べるなら251へ進め」のように、読者の選んだ選択肢によって次に読むべき項目《パラグラフ》が指定される。現在でも少ないながら新刊が発売されており、一人用のテーブルトークRPGシナリオとして遊ばれているものなどもある。

　今回はなんと中央公論新社から、芥川賞をモチーフにしたゲームブックが発売されると聞き、驚いて手に取った。これは、、あのゲームブックなのか?と半信半疑な気持ちで開いてみると、文章は小説としてはあまり無い二人称、【君】で始まっている。冒頭、主人公たる【君】は、同級生の美人読書家の気を引きたい一心で、芥川賞作家になる事を心に決める。読み進めると……出た!選択肢だ。

　ゲームブックの中には戦闘や判定ルールがあったり、サイコロやトランプなどを使ったりとゲーム的技巧を凝らしたものも多いが、本作は複雑な約束事はなく、小説を読み進めて、項目の終わりで次に進みたい展開を選ぶだけだ。ゲームと聞いて躊躇った方にこそ、ぜひ試して頂きたい。これまで未経験の読書体験を得られること請け合いだ。

　物語は佐川氏独特の、妄想と現実の入りまじる軽妙な文体で、普通そうはならんだろうという奇想天外な展開が巻き起こる。しかしなぜだろうか、読み進めているうちにいつの間にやら著者に言いくるめられてしまう。

　小説を読んでいて、登場人物の行動に不満を覚えた経験が無いだろうか。「もし」あの時、あの選択をしなかったらどんなことが起こったのだろうかという思いは、現実でも同じだ。しかし一度きりの人生と違い、これはゲームブック。やり直しも容易い。ぜひ気楽に選択を試し、作家人生を謳歌して貰いたい。人生の選択肢を選ぶ、と言ってもお堅いものではなく、デート先にひらパーに行くか、それとも東京ディズニーランドに行くか、などと馬鹿馬鹿しい選択肢が待っていたりする。真面目に選んだことが良い結果に繋がる訳では無いというのも人生さながらで、何がどう転ぶかわからず、どうしてこうなった?と首を捻ることもしばしばだ。単なる正解ルート探しではなく、分岐してゆくストーリーを楽しめるつくりになっている。ふんぞり返る文豪相手にキレ散らかしてみたりしつつ、ピューリッツァー賞や、なんと直木賞を受賞するも、ゲームオーバーという結末も。この物語のハッピーエンドはあくまで「芥川賞作家になる」事だからである。

　これが新刊として中央公論新社から出版されたという事実には、旧来からのゲームブックファンとして今後への期待を隠せない。著者インタビューによると、ゲームブック執筆は出版社側からの提案であったのだとか。ぜひこれからも多くの作家諸氏に分岐型小説を執筆して頂きたいものだ。なお実際の芥川賞作家である津村記久子氏も「真夜中をさまようゲームブック」(『サキの忘れ物』新潮社所収)という短編ゲームブックを書かれている事を申し添えておく。(水)

アトリエ果樹園・いおぎい国天使商会
合同教室展

楽園~ぱらいそ~

Gallery Cafe & Bar オンディーヌ、23年10月31日~11月12日

★それぞれ現代日本を代表する人形教室である、清水真理の主宰するアトリエ果樹園と、木村龍の主宰するいおぎい国天使商会に所属する生徒達による企画・展示。アダムとエヴァという神によるヒトガタが織り成したかつての楽園への郷愁と希求がテーマ。二つの人形教室を対立的に捉えるのではなく、現代的感性による美学の潮流として表わし、それぞれの人形教室の作家を分けることなく、混在して展示した点などにおいても、流派よりは、それぞれの作家の個性や表現や現代性に重点を意図していることが窺える。清水真理と木村龍によるマストのお人形もさることながら、それぞれの生徒達の作品も精彩を放っていた。

　個人的には、アトリエ果樹園では、北川エリの『不視鳥』(2020)の背徳的な作

品や侑恵-yue-の気品ある『星の女王』(2023)。Gallery Cafe & Bar オンディーヌの店長でもある萩原アマネの赫い髪が印象的な『箱の中の安息』(2023)。Rio Tokikawa の怜悧でノワールで清新な『La libération de Lilith』(2023) などが興味深かった。また、いおぎい国天使商会では、卵ちりの独特の陰翳がある『召喚』(2021) や香夜の昏いバロックたる『王』(2021)。まどろん花店の美風で鮮やかな『木花咲耶姫』(2023)。藤炎の情念的で妖美な『精神の自由』(2023)。後藤奈穂子の夜の思念ともいうべき美しき『思』(2020) などが印象に残った。

耽美的で精妙な人形たちの夢想に触れることが出来た20名の作家の謂わば、協奏曲的な展示であった。なお本展はSNS等で拡散されるなど人形作家の業界や多くの人々の耳目を集め、連日盛況であった。アトリエ果樹園、いおぎい国天使商会のそれぞれの生徒等の今後の展開が楽しみである。(並)

春陽会誕生100年 それぞれの闘い

東京ステーションギャラリー、23年9月16日～11月12日

★大正時代の1920年代にそれまでの日展、院展に続く第三勢力としてでてきた春陽会を再考する展示。この団体は院展の日本画部から脱退した洋画部同人を中心に出てきた団体で、洋画・日本画にとらわれずに個人個人の絵画を探求した。当時の風俗や文化、著名人などが登場する。近代の洋画・日本画に関するコアな展示で、資料を集めた意義は大きい。多メディア時代の20年代の様々なジャンルの美術愛好家たちに伝える工夫があると良いかもしれない。

永井荷風「墨東奇譚」の木村荘八の挿絵、ダンスとの関係が知られる萬万五郎、長谷川潔、岡鹿太郎、中川政一の絵が展示されており、彼らの活動の背景を知ることができる。辻潤がモデルとする林倭衛「ある詩人の肖像」からは生前の風貌を感じ取ることができる。林は大杉栄と交流があり、「出獄の日のO氏」を描くなど、大杉と辻、伊藤野枝の終演にいた才能である。大正から昭和にかけての日本の点描といえるような内容である。(吉)

泥酔文士
西川清史
講談社

★酔っているひとの本が好きだ。酔っていなければ書けないような、できないようなことを書いた文章も好きだ。

あの『世界金玉考』の、西川清史の『泥酔文士』。ゼッタイ面白いだろうとおもったら、果たしてそうだった。スラリとした文章で、作家やその周辺のひとびとの酔態がえがかれる。中原中也からはじまって、坂口安吾や吉田健一、辰野隆……。とくに面白かったのは、筑摩書房創業者の古田晃の話。「古田は、酒を楽しむというよりも、体内にアルコールを流し込んで、自らを前後不覚の酩酊状態にもっていこうとしたように思える」、「古田は心優しい含蓄の人であり、出版社の経営者としては、およそ修羅場を逞しく乗り切って行くようなタイプの人間ではなかったようにみえる」。出版界で要職をつとめた著者が書くと説得力がある。おそらく、筑摩書房倒産の前だろう。そして古田氏は六十七で死に、「酒漬けともいうべきすさまじい人生だった」。

本篇もそうだけれど、とくに目をひいたのが「はじめに」や「あとがき」。文藝春秋に入って、『週刊文春』に配属となった著者。初日、いきなり、先輩ふたりがチンチロリンをやっている現場を目にする。しかもこのふたり、のちに文春の社長になったらしい。酔って男同士で耳を舐めあった、いっぽうも社長になったらしい。坪内祐三が生きていたら、このひとたちがだれだか明かしてくれただろうにとおもう。

巻頭に、立川談志の言葉が載っている。「酒が人間をダメにするんじゃない。『人間がもともとダメだ』ということを酒が教えてくれるのだ」。談志がよく話していたジョークを思い出す。「俺、このあいだ酔っぱらっちゃて、女の乳首なめちゃったよ」「そうか。俺はもっと酔ったことあるよ」。先の文春人のエピソードそのままだ。

あとがきでの野坂昭如とピンクレディーの逸話も、坪内さん喜んだだろうなあとおもう。そういえば坪内氏の原作・

主演で、内藤誠の『酒中日記』があった。それもともとは、講談社『小説現代』の連載である。なんだか不思議なシンクロニティですね。（日）

卒寿記念—横山慶子先生を囲む舞踊展

南相馬市民文化会館ゆめはっと、23年10月29日

★横山慶子の卒寿のお祝いの舞踊展が行われた。13年前に同じ劇場で横山の舞台をみた時は客席から花輪洋治が登場し祝福したが、今回は舞踊団のメンバーや関係者が集った。現代舞踊、バレエ、フラダンス、ポップダンスと幅の広い内容でかつ水準が高い。横山に学んだ優れた才能たちが現代舞踊からフラダンスまで国内外で活躍しているためである。横山は舞踊作品以外にも様々な横顔を持ち教育者として多くの人材を輩出し、かつ福島県洋舞連盟を竹内ひとみらと立ち上げるなど人の輪をつくる能力も高い。

この舞踊団は東日本大震災を経て一旦ばらばらになったメンバーが再び集い活動を重ねてきた。苦難の時代を経ながら、強い結束のある人の輪をカンパニーのみならず地域の人々とつくりだした。この劇場はほぼ満員になり、皆が横山を祝って集まった。活動を継続すること、それが必ず次につながっていくことを身をもって示したようなところがある。私は２０１０年代に何回かこの団体の舞台をみて、その後に評論集にその一部を収録した。震災を経ながらも形作られた作品と人の輪が印象的な舞台であった。

新進の若手たち、門馬瑞希、日下ひまわり、日下はなこ、伏見月那、大竹美友はいずれも感情表現が深まり、現代的な作風との接点も伸び始めている。苦難の時代もあったが、合同公演などでしっかりと成果をみせつつある。福島県洋舞連盟「空からSORAへ」はアラカルトな内容を楽しめる作品である。ベテランたちのフラダンスや得意とするレパートリーは東京でもあまりみられない水準の高いものであった。

この場で横山の作品をみたことは私にとってはこの先何度も考えることになる貴重な経験であったといえる。舞踊を書き続けて出会うことになった社会的な出来事を考える最中の中に私はいる。（吉）

八田拳（みこいす）

『みこいす生誕祭』

池袋AK、23年8月26日

★ありがたいことだ。推しの誕生日が祝える。しかもファンたちが集まって。

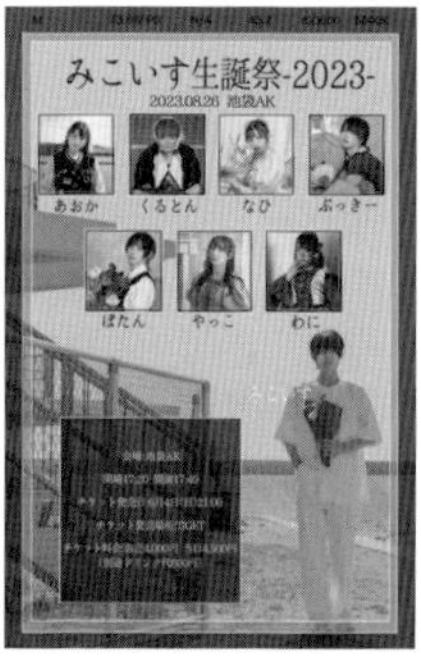

三年ぶりぐらいなはずだ。このみこいすさん、八田拳さんのYoutube動画のおかげで、コロナ禍のひどいメンタルを生きのこれた。

前回は二〇一九年。コロナ前だ。二十二歳のとき。

そして今回。二度目の生誕祭は、八月二十六日に二十六歳だという。みこいすさんの素敵な踊りを堪能しながら、お祝いできるなんてすばらしいことだ。体調がひどくて古館伊知郎トーキングブルースも、鈴本演芸場のさん喬・権太楼も、行けなかったけど、このイベントにはおもたいからだをひきずって行ってよかった。いくつもいくつも、みこいすさんとゲストのパフォーマンスがくりひろげられる。スタンディングの会場というから、立っていられるのか私とおもったが、力をもらえてそんなこと気にならなかった。

この十二月。『火だるま槐多よ』という映画にみこいすさん、出演するという。これだけ凄みのある演舞をみせてくれたひとが、どんな演技をみせてくれるかもたのしみである。（日）

南佳孝

50th Anniversary Live 2023 南佳孝フェス

東京国際フォーラムホールC、23年9月24日

★9月21日にデビュー50周年を迎えたシンガーソングライターの南佳孝が記念ライブを開催。自身のヒットナンバーはもちろん、応援に駆けつけた太田裕美、尾崎亜美、杉山清貴、松本隆、小原礼、鈴木茂とのセッションを披露した。

セットリストはデビューから80年代初期の作品が中心。シブいアレンジの「スローなブギにしてくれ」「モンローウォーク」などの名曲が心地よい。当時とほとんど変わらぬ歌声も懐かしさを誘う。太田とは同時期にCBSソニーに所属していた仲間同士。観客の期待通り『木綿のハンカチーフ』を共に歌唱。

この楽曲の作詞家でもある松本隆がステージに現れるとトークコーナーに。70年代の音楽業界裏話、はっぴいえんどのエピソードなど、3人による興味深い話は尽きなかった。

　続いて鈴木茂が登場して、自身の代表曲「ソバカスのある少女」を、南に杉山も加わり豪華共演。センス溢れるギターサウンドは鈴木ならでは。南の声との相性も素晴らしい。切ない歌詞とメロディーがより引き立つ南バージョンに、誰もが酔いしれているようだった。（シ）

土偶を読むを読む

文学通信

★先日、日本の外務省がX（旧ツイッター）に「縄文時代は1万5千年前から1万年もの間続いた #日本 の古代文明。自然と共生しながら狩猟・採集によって生活していた人類史上稀に見る時代です。（後略）」という投稿（1）をおこない、一部で物議をかもした。私もこの投稿に疑問を感じたが、私は縄文時代について通り一遍の知識しか持っていない。よい機会と考え、ベストセラーになった『土偶を読む――130年間解かれなかった縄文神話の謎』（晶文社、二〇二一）と、その反論本として出版されて話題となった『土偶を読むを読む』（文学通信、二〇二三）を読んでみることにした。

　まず『土偶を読む』について説明する。この本は日本各地で発掘された土偶を「縄文時代の人々が生活の糧とした植物や貝の形を直接模倣したもの」であると説く。著者の竹倉史人氏は東京大学で宗教学を学び、東京工大大学院で価値システムを専攻した在野の学者であり、土偶の形状から制作者の意図を読みとる手法として、宗教学の図像学（イコノロジー）を大胆に応用した。その明快で一見説得力のある内容は、NHKから愛国右派の雑誌「will」までを含む各種メディアで好意的に取り上げられ、解剖学者の養老孟司氏、文芸評論家の鹿島茂氏、作家のいとうせいこう氏、政治学者の中島武志氏、著述家の松岡正剛氏など、各界の著名人からも高く評価された。そのため古代史本としては異例の部数を売り上げ、二〇二一年のサントリー学芸賞を「思想・歴史部門」ではなく「社会・風俗部門」で受賞した。また、同書のビジュアル版である『土偶を読む図鑑』（小学館、二〇二二）は竹倉氏が主人公の漫画を含む親しみやすい本で、全国学校図書館協議会選定図書に選出され、多くの小中学生向けに推薦を受けた。

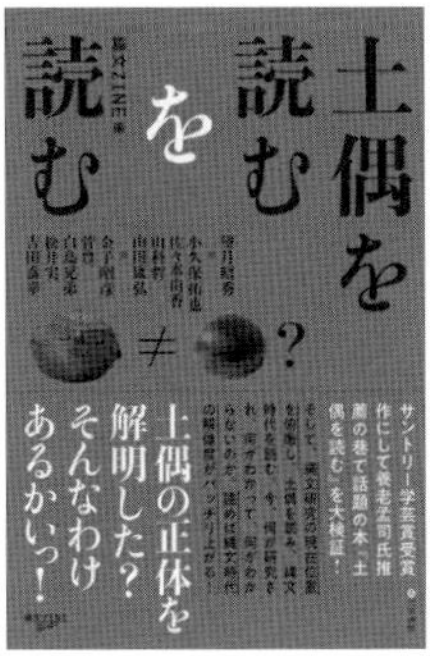

　一方で『土偶を読む』の出版後すぐに、在野の縄文愛好家の望月昭秀氏や何人かの考古学者らは、ブログや書評を通じて反論を発表した。『土偶を読むを読む』はこれらの反論を元にまとめられており、この本の編者でもある望月昭秀氏はデザイン事務所代表として働くかたわら、「縄文ZINE」という縄文ファンのためのフリーペーパーを発行している。「縄文ZINE」には第一線の考古学者が寄稿するなど「開かれたアカデミズム」が実践されており、『土偶を読むを読む』の執筆陣の多くもこれを通じて望月氏とつながりがある学者たちである。なお、サントリー学芸賞「社会・風俗部門」の選考委員は比較文化、経済学、社会学などの専門家であり、当然ながら考古学者は含まれていない。

　『土偶を読むを読む』の約半分は、『土偶を読む』の内容に対する望月氏の分析と反論で占められている。『土偶を読む』に述べられている内容が実は、一万年以上に及ぶ土偶の制作時期や歴史的な変化の過程、縄文時代全体の植生の変化などを考慮せず、その時代にその地域には存在しないはずの植物と結びつけてしまうなど、印象論にのみ頼っていることを指摘し、すでに市民権を得てしまった疑似科学的な論説に対して、どのように分析して批判すればよいかを、読みやすくくだけた文章で読者に伝えてくれる。中でも、ハート型土偶をオニグルミの殻の断面に比定した竹倉氏の手法をそのまま応用して、「実はサトイモの葉の方が似ている」と反論する手法は鮮やかだ。

　残りの半分は考古学を専門とする大学教授や博物館の学芸員など、専門研究者らによる各種の考察や対談をまとめたものである。日本における土偶の研究史、縄文文化の最新研究、物語批判、土偶の年代別変化、縄文時代の植生、考古学と人類学の関係史など切り口は様々だ。『土偶を読む』の内容と同時に、非専門家の書いた本が、専門外の著名人によって高く評価され賞も得てしまうという、危機的な状況についても分析されている。「若手を励ましたい」という意図から好意的な評価をしたある考古学者の意見が、マスメディアによって切り取られ本の宣伝に使われてしまったという状況は、決して健全なものとはいえないだろう。また、同書の最後にある菅豊・東大東洋文化研究所教授による「知の『鑑定人』」という一文は重要なので取り上げておきたい。

　菅氏によれば『土偶を読む』には「土偶

の正体を解明する」という表のテーマの他に「専門知批判」という裏テーマがあるという。竹倉氏があとがきで述べている、「多くの考古学者や出版社から黙殺されながら、講演会やワークショップを通じて仲間を作り、地道に自説を普及して著書を出版した」というサクセスストーリーが、権威主義的な専門家ではなく「社会一般の感じ方こそが正しい」と考えやすい大衆の共感を呼んでしまったのだという。そして、そのような反知性主義が世界的に蔓延する一方で、デジタル技術によって誰もが自分の考えを全世界に発信し、客観的な事実よりも個人的感情や心情へアピールする「つぶやき」が人々に影響を与える、「ポスト真実時代」がすでに生まれている。このような状況の中で、専門家は非専門家の意見を黙殺するのではなく、「知の鑑定人」として積極的に発言し、非専門家や一般市民も交えて対話をおこない、共同で知を管理していくべきだと語る。

　縄文時代についてインターネットで検索すると、「縄文文明は世界最古の文明」「日本人は縄文人の直系の子孫」「北海道の先住民は日本人で、アイヌは十三世紀にやってきた外来民族」「朝鮮半島の先住民は日本人」「稲作は日本から朝鮮に伝わった」「漢字は日本人が作った」など、考古学や文献学や遺伝子学の一部をつぎはぎして作った、非科学的で悪意のある歴史観が多数拡散されているのを目にするし、書店の歴史コーナーには非専門家によって書かれた「縄文文明」の本が並んでいる。冒頭で述べた外務省の投稿も「官製クールジャパン」の一環だろうと思われる。望月氏にはこれらに反論する続編も期待したい。

　なお、『土偶を読む』の中にも、竹倉氏による個々の問題提起には見るべきものもあるという好意的な意見は若干含まれており、非専門家が土偶について語ることを否定している訳ではない。むしろ竹倉氏が自説に固執する余り、専門家の意見を排除して対話を怠ってきたのではないか、という疑問が提示されている。『土偶を読む』出版後に、望月氏は竹倉氏に公開討論を呼びかけたが、竹倉氏は多忙を理由に晶文社の編集者を通じて断っている(2)。『土偶を読む』に好意的な感想を述べた著名人の多くは、筆者が知る限りでは『土偶を読む』について特に意見を述べていないが、いとうせいこう氏は二〇二三年七月二十一日の中日新聞夕刊に、「ぐうの音もでない、素晴らしい反論書」だというコメントを寄せた(3)。この二冊の本に対する評価の変化を今後も見守っていきたい。（穂）

(1) https://twitter.com/MofaJapan_jp/status/1725065251786543447
(2) https://note.com/22jomon/n/n054489c7b23a
(3) https://bungaku-report.com/blog/2023/11/post-1417.html

人形塚
インスタレーション／残された人形たちのレクイエム

代官山ヒルサイドテラス ヒルサイドプラザホール、23年10月12日〜15日

★愛実（球体関節人形）、蓑輪紀人（音楽）、永山のりこ（フラワーコーディネート）、宮向隆（照明）による展示。捨て去られた人形たちへの供養（レクイエム）の意味が込められている人形塚。澁澤龍彦の『人形塚』の翻案である妖美たる雰囲気。愛実の哀切に鈍く光る球体関節人形のエロティックな輪郭を映し出す、ノワールに深く変化する照明。冥く呼吸するように空間に溶け込む音楽。死化粧たる花々の醸し出す妖しい雰囲気などの要素が、息を呑むかのように刹那的で耽美的で美妙だった。人形塚のノワールな陰翳礼賛たる総合芸術の趣。まさにヒルサイドプラザホールは、うらぶれた人形への鎮魂歌たる切実な祈りの空間に変化《へんげ》していた。この魔窟から出た後の、逢魔時の秋の夕闇の空が物悲しく哀歌のように響いていたのが、面妖ながら人形塚の展示共にその余韻が印象深かった。（並）

近代⇅現代作家コレクション
ラブレター

下北沢シアター711、23年11月6日・7日

★浅田次郎の短編の朗読劇。直木賞受賞先の「鉄道員」と同じ時期に書かれた代表的作品。主人公の吾郎は歌舞伎町の裏ビデオ店長で、トラブルから拘置所に入っており、出所してきたところ。戸籍を貸して、風俗店ではたらく中国人女性の白蘭と結婚したことになっているが、その白蘭が亡くなったことを知らされる。戸籍上は夫であるため、千葉県の千倉まで遺体を引き取りに行く。ラブレターは、白蘭が会ったこともない夫の悟郎に向けて書いたもの。戸籍を貸してくれた吾郎に対する愛が語られる。

　短編小説を、複数の登場人物で朗読

し、舞台上で演じられるし、地の文も役者によって語られる。というのが、この朗読劇。

吾郎役の俳優はとてもいい味を出していたなあって思う。そうは思うのだけれど、この作品は、短編小説として味わえば十分だし、それを舞台にして、超えることはできていないんだろうなあ、と思った。舞台で演じてしまうと、何となくいい話ということで終わってしまう。そんな物足りなさも感じる舞台だった。(M)

第20回 牧阿佐美ジュニアバレエトゥループ AMスチューデンツ公演

文京シビック大ホール、23年9月24日

★今年のAMスチューデンツは「シルビア」や「ライモンダ」など今年の夏〜秋冬のバレエ界の空気を映し出すようにはじまった。ハイライト版の「コッペリア」第1幕よりはダニロワ振付・牧阿佐美改訂振付版なのだが、当時のバレエ界の空気やダニロワを感じさせる仕上がりで心から楽しめた。ハイライト版なのでコッペリウスとコッペリアは登場しないのだがこの名作のツボをつかまえた内容である。「フィナーレ(ゴッドシャルクの組曲)」ではダンサーを赤と白の花に例えるような演出と舞台美術が印象に残った。管弦楽はシアター・オーケストラ・トーキョー、指揮は福田一雄という豪華な公演である。(吉)

演劇集団間欠泉 ベツレヘムの星

せんがわ劇場、23年11月8日〜11日

★震災から3年後、ある夫婦が経営するホテルに、一人の若い女性が訪ねてくる。彼女は、5歳年下の弟と共に養護施設で育てられたが、震災以降、弟は行方不明だという。そして、ホテルの主人が、実の父親だという。主人には身に覚えがないが、女性は人工授精で生まれたという。主人は帝都大学の学生時代に、研究目的で友人に自分の精子を託したことを思い出す。その友人で現在の帝都大学医学研究所の教授は、政府の極秘の活動を明かす。それは、凍結した精子を解凍し、受精させる実験のために、友人であるホテルの主人の学生時代の精子を使い、5年後には本当の目的である、1945年にドイツから日本に運ばれた精子を解凍し、受精させる。そうして生まれたのが、ホテルにやってきた女性であり、行方不明の彼女の弟である。そして、ドイツから運ばれてきたのが、アドルフ・ヒトラーの精子であり、その子を育て、第三帝国を復活させようという計画だった。

この事実を知らされた登場人物たちは、当局によって殺されていく。

ストーリーとしてはすごく安っぽいなあと思う。ベテランの俳優たちが演じているだけに、もったいないなあ、とも。そうなのだけれど、イスラエルによるガザ地区でのパレスチナ人殺戮が続く中では、ある種のリアリティがある。精子があればヒトラーが再生するという幻想は、ゲルマン人とユダヤ人とパレスチナ人がいずれも同じ人間でしかないはずなのに、そこに壁ができてしまう幻想とつながっている。そして、実際にその幻想が人々を殺戮している。現在のドイツ政府はどうしてもイスラエル側に立ってしまうし、その反動で反ユダヤ主義の過激な活動が国内に広がる。イスラエル建国を推進した英国ではパレスチナ支援デモが拡大、フランスでも政府は反ユダヤ主義を批判する一方、若者はパレスチナ解放を訴える。そうした分断される世界の中での、この物語だ。

ベツレヘムの星とは、オーニソガラムという花のこと。ベツレヘムはイエス・キリストの生誕地であり、現在のイスラエルとパレスチナの間に位置している。第三帝国の幻想が、現在のベツレヘムにつながっている。そのことだけはリアルだ。(M)

bug-depayse 椅子に座る ――我思う、故に我動かず

シアター・バビロンの流れのほとりにて、23年11月24日〜26日

★bug-depayseは演劇やダンスというジャンルにこもらず、新しい表現と取り組んでいる。アートのデペイズメントや社会のバグに注目した作風といえる。

障がい者、健常者が共にパフォーマンス

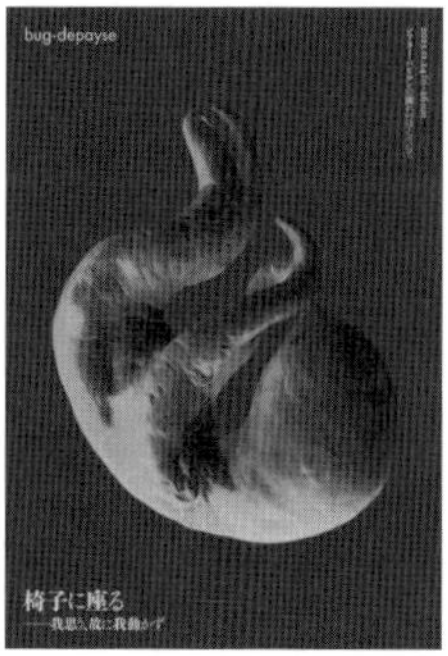

をするのだが人権をテーマに問題を炙り出していく。ネットで問題になった事件や、戦後から現代へという時代の矛盾から、バグの様な出来事や組み合わせが立ち上げる社会問題を取り上げていく。メディアミックスな要素とノイズの組み合わせは演劇の外部ともいえる作品である。意識は先端アートとメディア芸術に近い。

　小劇場界隈や演劇の枠に収まらないコレクティブといえる興味深い存在といえる。ポストメディアの20年代のアートシーンに独自な演出法や創作法を生み出しそうな事が楽しみである。上手く横断的な場にキュレーションなどを通じて紹介していきたいグループといえる。(吉)

筒井康隆

カーテンコール

新潮社

★「これがわが最後の作品集になるだろう。」と、帯に作者の言葉があるが、すぐ横に「信じていません！」と、担当編集者のコメントがあるので、どこまでホントか解らないけれど、とにかく最後の作品集ということなので、襟を正して精読した。といっても、この作者の作品なので、必然的に笑いがこみ上げて来る。

　荒唐無稽な法螺話や、不条理で実験的な作品に混じって、思わず涙を誘うしんみりとした作品もあり、多種多様な小説世界が展開するところは、まるで万華鏡のようだ。

　中でも、亡くなった息子と夢の中で再会する私小説風の「川のほとり」と、時をかける少女・芳山和子や、唯野教授や、美藝公、パプリカなどの登場人物が、次々と入院中の作者の前に現れる「プレイバック」は、涙なしには読めない。

　だけど、なんで火田七瀬は出て来なかったんだろう？

　彼女が出ると、作者の心を読んでしまって厄介なことになるかな？

　ヴァラエティに富んだ作品群が、クライマックスともいうべき「プレイバック」へと収斂して行き、文字通りの「カーテンコール」、そしてボーナストラックのような言葉遊び「山号寺号」で幕を閉じる構成にも感服したが、奥付を見たら、基本的に発表順に並んでいたことが解り、さらに

びっくりした。

　というわけで、「最後の作品集」にふさわしい充実した一冊である。

　だけども筒井さん、僕も担当編集者同様、これが最後だなんて、信じていません！(八)

team ZAG

五嶋透太が汽車を降りても降りなくても世界に変わりはない

studio ZAP!、23年11月17日〜19日

★劇団所属の劇作家である五嶋透太は、事務所兼稽古場を追い出される劇団を置いて、三陸地方の鉄道に乗車する。銀河鉄道のような車内では、生者と死者が交わる。透太のいない劇団の日常とほぼ銀河鉄道が交互に演じられる作品。

　車内には、透太の母親が現れたり、別れた妻の伽耶が連れてきた犬が熊とともに現れたりする。みんな、途中で汽車を降りていくのだけれど。最後に現れたのは、どこかの国の兵士たち。社内に忘れられた絵本「てぶくろ」を手に、その物語を語る。「てぶくろ」はウクライナ民話である。そして兵士たちが去った後、透太も汽車を降りる決意をする。

　世界がどれほど困難な状況にあったとして、透太が何かを大きく変えることができるわけではない。無力であったとしても、それでも、透太は舞台に戻り、戯曲を完成させ、劇団員に示す。

　気持ちはわかる、そういう作品だ。とはいえ、銀河鉄道という舞台はちょっとありふれているし、劇団の日常を舞台に持ち込むことも、いまさら、という気がしてしまう。確かに、世界は深刻で困難な状況になるし、それに対して何ができるのか、という無力感もある。でも、そこにとどまって、想いを列車に乗せたところで、それ以上のことはない。作者の気持ちはわかるし、俳優陣も実力

があってとても良かったのに、もうちょっと工夫がほしいよなあ、と思う舞台だった。（M）

劇団BOW
火男の火

CBGKシブゲキ!!、23年11月23日～26日

★1993年に東京壱組で初演された作品。

中世の盗賊たちが登場する。お頭と仲間、女たちが暮らす山奥のアジトが主な舞台。主人公の火男は顔に赤い痣があり、それゆえに醜い一方で、明晰な頭脳を持ち、強盗の作戦を立案する役割を担う。お頭は火男を重宝するが、仲間はそれを嫉妬している。女たちは入れ替わりお頭のものになる。そのお頭は、病を抱えており、余命いくばくもない。

そうした中、仲間の一人が、強盗先から女性を一人さらってくる。この女性は、お頭によって、火男に与えられる。そこから、仲間の男性や女性の嫉妬、裏切り、不信などが積み重なり、盗賊団は崩壊していく。

途中に休憩をはさむ2幕物だけれど、前半に伏線をいろいろとはり、仲間への不信感などを徐々に盛り上げながら、後半では強盗の計画と実行が崩壊していく構成は、よくできていると思う。また、特に初演当時の時代を背景としたメッセージ性があるわけではなく、そうしたこともあって、古さを感じさせない。意外な展開はないけれど、どの場面もうまく構成されているし、これは、脚本だけではなく演出の力にもよるのだろう。俳優陣の力量も十分にあるし、結果としてよくできたエンターテインメントに仕上がっていると思う。

実は、今回見たのは公開ゲネプロ。客席は限られていたし、舞台の前後で演出家の解説もあった。演出が指摘する通り、出だしはちょっと俳優たちも緊張して入っていけないところがあったけれど、本公演では改善されたと思いたい。満席の舞台で観たら、印象は変わっただろう。観客が少ない分、熱気みたいなもののフィードバックはないのだから。でも、その分だけ冷静に舞台を観ることができたのかもしれない。（M）

松永茂子
ON THE DISTANCE 降誕

シアターカイ、23年12月15日

★松永茂子が空間と身体の関係を描く作品を上演した。舞台には金属色の板が置かれていたり、円柱がぶら下がっている。パフォーマー・美術家の中村博の作品たちだ。無機的な印象を与える空間の中で、有機的な自らの身体を確かめ、空間と対話をしながら演者が踊っていく。空間との対話という意味では70年代の「環境」をテーマにした舞台作品たちともリンクする。舞台監督の吉本大輔は三浦一壮と活動し、大野一雄「ラ・アルヘンチーナ頌」の1977年初演の舞台監督を務めた才能である。舞踏が大きく日本社会に浸透した時代の様々な身体表現を知っており、それをどのように演出するかと

いうことが分かっている。身体表現や視覚表現としてはその感覚が発揮された近未来的な舞台といえる。現代舞踊、舞踏、そしてSDGsら環境問題が議論をされる昨今の風潮を反映した表現を照明や音響を通じて描いていく。音楽については一般論として「現代舞踊は演歌、舞踏は民謡」といわれることがある。この作品でも最後に「天城越え」がかかり70年代のサイケな舞台を想い起こさせるクライマックスがあった。ここに民謡や、20年代の先端的な現代音楽のフィーリングを加味していくこともこれからの課題といえるかもしれない。大野一雄は100歳でも踊り当時の西欧になかった舞台表現として注目された。新しい舞台表現の模索が続いている。（吉）

武蔵野シティバレエ定期公演
新版・くるみ割り人形

武蔵野市民文化会館 大ホール、11月19日

★武蔵野シティバレエは中原麻里振付の新版を上演した。コンテンポラリーな振付を通じて古典をアレンジし、ストーリーもベーシックなところを抑えながら変化させている。出演者にアコーディオン奏者（藤野由佳）を加えるなど"楽しい演出"になっている。今回は舞台美術が良

くトータルに効果が上がっていた。

　東京シティバレエ団が春に日本初演したフォーサイスの名作で1stキャストで重要な役を踊っている大久保沙耶（東京シティバレエ団）と活躍中の浅田良和を大きく起用しながら、この地域のダンサーたちを軸に盛り上げた。大久保はオランダ国立バレエ団を経て帰国した才能だが期待がかかる。マリー（上野祐未）も雪の国の女王（田島由佳）のみならず出演者たちは非常に良い踊りと演技で、コロナ明けの時代の中へアピールをみせていた。（吉）

よこはましの会主催の現代作品

久良岐能舞台、23年12月24日

★能舞台で行われる朗読・舞・音楽の会が宮越賢治記念久良岐能舞台で12月24日に行われた。三浦一壮『ちむりぐさ』はユニークな装束による能舞台版である。矢野英征と重なるテーマと取り組む近況をみせてくれた。ホワイトダイスの新生能『石の姫たち《なかぞらの天賦と賢人》』は万城目純の古典能を基にした創作舞踊劇である。ギャラリーや美術館でのパフォーマンスとは異なる古典の現代的展開のある内容となった。山田奈々子に学んだ石丸麻子、及川廣信に学んだ蛭田浩子、コンテンポラリーの宮保恵も出演し、夢幻能と現代舞踊の接点をみせていた。猪鼻秀一の舞踏を通じた表現は土俗な雰囲気も伴い、中世の風土に迫っていた。この日は川崎毅の現代演劇・パフォーマンスも同時併演された。
　この舞台は能楽に限らず様々な作品が上演されている。元々は高浜虚子の兄で能楽に多大な貢献をした池内信嘉が囃子方育成の為に日比谷の帝国ホテルの隣に建てたもので鏡板を描いたのは日本画家・歌人の平福百穂である。それが今日の東京芸大・邦楽科に引き継がれ、船舶事業で名をあげ能楽愛好家としても活躍した宮越賢治を経て横浜市に寄贈された。宮越は能「海霊」の作者であり、船の船長たちの顔を描いたユニークな本を出している。現代でいうフィランソロピーのような活動をした横顔もあった。アクセスに難が多少あるが、横浜・磯子に雰囲気のある庭園と共に能楽堂が伝わっている。（吉）

名取事務所

屠殺人ブッチャー
慈善家―フィランスロピスト

下北沢『劇』小劇場、23年11月17日～12月3日

★カナダの劇作家、ニコラス・ビヨンの2作品上演。「屠殺人ブッチャー」は再々演、「慈善家―フィランスロピスト」は新作初演。
　「屠殺人ブッチャー」の舞台は、警察署。クリスマスの夜、ラビニア国の軍服を着た老人が連れ込まれた。その老人が持っていた名刺の主、弁護士が参考人としてよばれる。しかし、弁護士は身に覚えがないという。老人はラビニア語しか話さないので、ラビニア語の通訳をよぶ。通訳は看護師で勤務明けに警察署にやってきた。

　ラビニアは20年前に崩壊した国で、当時の独裁政権下にいた幹部は、残虐非道に民衆を弾圧してきたが、先進国との取引によって彼らは罪に問われないまま、国外で隠れるように生きているという。そして、この老人が屠殺人ブッチャーと言われた幹部の一人だという。公正に裁かれることのなかったラビニアの戦争犯罪人に対し、秘密組織が彼らを追い詰め、処刑していく。屠殺人ブッチャーはどうなるのか。

　という話なのだけれども、ストーリーは二転三転、次々に意外な事実が告げられていく。先が読めない展開で、密度の濃い作品。再々演というのもわかる。

　今回演出を担当した生田みゆきは、これまでパレスチナの演劇も演出してきたということもあり、この作品を通して、パレスチナのことを考えずにはいられなかったという。

　老人のブッチャーが語る、収容所における自らの残虐行為は、ナチス・ドイツの収容所を思わせる。ナチスの戦争犯罪人は裁かれたけれども、ラビニアの戦争犯罪人は、それこそ先進国の都合で裁かれなかった。そこには、先進国の罪がある。

　この戯曲は、現在において、迫害されたユダヤ人に対し、先進国の都合でユダヤ国家をつくったこと、そして先進国の都合でパレスチナが迫害されていることが、そのまま投影されてしまう。

　4人の俳優によって演じられたが、ラビニア語のセリフしかないブッチャー老人も含め、3人の男性が劇場空間を作っていく中に、テイストの違う現実的な身軽さを持つ演技を投げかけてくる看護師が、リアルな外の世界と劇をつなげていく。その緊張感が劇を重層なものにしたと思う。おそらく、演出だけではなく、脚本に埋め込まれたものなのではないか、というのも、「慈善家―フィランスロピスト」が同じだからだ。

　こちらは美術館が舞台。製薬会社の会長が、美術館に自分の名前を付けると同時に、莫大な額の寄付と美術品の寄贈を申し出に訪れる。これまでにも寄付して

きた製薬会社だったが、今回の寄付の契約をもって、最後にしたいということだ。解任された新社長の暴行事件が明るみになる前に、ことを急ぎたいという。美術館にとっては、極めて大きな資産を得ることになる。粗忽な理事は喜ぶが、寄付を急ぐにはもっと深い理由があった。

　送られてきた契約書には、製薬会社が訴えられたときに、美術館が製薬会社を擁護することが盛り込まれていた。しかし、美術館の弁護士は、それは受け入れられないと指摘し、会長との交渉の結果、削除された。

　その後、この製薬会社が販売してきた鎮痛剤は習慣性があり、多くの人を死亡させたことが明らかとなり、訴訟に発展した。美術館は契約の道徳条項をたてに、これを解除しようとするが、製薬会社の会長はその条項では契約を解除できないという。

　モデルとなったのは、パーデュー・ファーマが訴えられた、鎮痛剤オピオイド訴訟。製薬会社は習慣性・中毒性を知っていたにもかかわらず、販売を継続し、被害を拡大させたという。創業者のサックラー一族は現代のメディチ家とよばれ、それまで美術館や博物館に多額の寄付をしてきたが、この事件をきっかけに、次々と寄付の受け取りを断っている。

　この作品は、名声のロンダリングを行う富豪と、それに強く抗えない人々が描かれている。慈善事業という名の下でお金に巻き込まれてしまう。

　同時にこの作品では、女性の館長、女性の弁護士ら女性が男性に対して劣後する地位に、また館長はインド系であり、会長の後ろ盾があって就任している、という設定には、女性や人種に対する差別への批判も織り込まれている。何より、館長のアシスタントの若い女性は、女性というだけで理事から軽く見られることを経験する。正義感の強いアシスタントは、製薬会社について徹底的に調べ、館長にも報告し、会長に対しても詰め寄る。彼女の演技もまた、「屠殺人ブッチャー」における看護師と同様、現実的身軽さを持つテイストの異なる演技で、舞台と現実の世界をつないでいる。

　巧みな構成と現代社会に対する批判が込められた、どちらも見ごたえのある舞台だった。（M）

東京シティ・バレエ団

シティ・バレエ・サロン vol.12

豊洲シビックセンターホール、23年11月11日・12日

★今年の本企画は非常に密度が濃い内容だった。日本から振付家を送り出していく事は大事なことである。

　冒頭の『B possibility』（振付：濱本泰然）は若者の現代バレエに対するイメージがいくらか流れた後に、がっちりとしたコンテンポラリー作品に集約されていくという力作である。アジアの現代表現に通じる要素もありしっかりと発信していくと良いと考える。『ラ・バヤデール』第2幕（振付：キム・ボヨン、原振付：マリウス・プティパ）は重要な場面をしっかりとまとめながら全体でしっかりと仕上げた。

　『kukka』（振付：松崎えり）はゲスト振付家による力作である。ダンサーと振付家の間にみなぎる緊張感が円熟した大家の振付と新鮮なダンサーたちの感覚の間に呼吸を生みだしている。松崎の近作の中で群を抜く仕上がりといえる。

　『百華繚乱』（振付：草間華奈）はこのバレエ団のスターダンサーの一人として人気の松本佳織を起用しながらアンサンブルとヴィヴァルディの音楽と展開するシンフォニックバレエである。パステル調の衣裳の色彩と踊りが歩み寄る。松本は感情表現が伸びてきた。アンサンブルも好調である。

　キムと草間は長年の活動から芽生えてきたしっかりと育んでいる。新人の濱本は2020年代の現代アートや現代音楽、様々なジャンルの評論を巻き込みながら新しいバレエの作品と様式を生みだしていくと良い。石田種生が若き日にはグループ音楽や戦後の現代美術、20世紀舞踊の批評家を中心に様々なジャンルの才能の渦があった。SNSの時代なので国境を越えてリアルタイムに情報のやりとりもできる時代であり展開が楽しみだ。

　市民に愛されるバレエを追及しているこの団らしい親しみやすく奥深い公演であったともいえる。（吉）

MODE

さようなら、シュルツ先生

上野ストアハウス、23年11月8日〜12日

★ブルーノ・シュルツというとダンス界では勅使川原三郎である。そんな芸術家の作品と取り組む演劇作品があるとい

うことで足を運んだ。

出演するのは倉多七与である。倉田はダンス界でも活動をすることがあり、Nomad~s・池宮中夫と活動する。去年は20世紀舞踊の展覧会「20世紀芸術＋展覧会」にて池宮信夫の「梅酒」をリーディングしながら演じたことも記憶に新しい。

MODEの松本修は新劇調の作風でドラマを大事しながら台本を描いている。照明や空間の演出の工夫があるとより楽しめるが、ダンスと異なり細部までみえるわけで興味深い下りも多い。なにより戦後ポーランド社会の描写は震災後の荒れた日本の様相と通じる下りもあり印象深かった。（吉）

劇団民藝
巨匠

紀伊国屋サザンシアター、23年12月8日～17日

★60年代のポーランド、舞台は楽屋から始まる。マクベスを演じる俳優が、稽古ではどうしても独白のシーンになると凡庸になってしまう。楽屋では迫真の演技ができるというのに。それには理由があるという。

20年前の1944年、まだ若かった俳優は、ワルシャワ蜂起に対するナチス・ドイツの弾圧を逃れ、小学校の校舎に身を寄せる。そこにはすでに逃れている人たちがいる。教師、元町長、医者、ピアニスト、そして老俳優。少しも俳優として活躍できなかったが、今でもマクベスを演じたいと思い、本を所持している。

校舎にやってきたゲシュタポは、見せしめに知識人5人を処刑するという。しかし、老俳優の身分証明書に記載されている職業は簿記係とある。しかし老俳優は、自分は俳優であると主張し、マクベスの独白シーンを演じる。老俳優は知識人と認められ、他の4人とともに処刑される。

命よりもプライドを優先させた老俳優の演技を目にしたことから、20年後、マクベスの独白の演技にこだわりができてしまう。

命よりも俳優としてのプライドを優先させる、俳優として最高の演技を残す、そうした老俳優の執念が中心にある作品。

では、今回の舞台はどうだったかといえば、ちょっと残念だった。楽屋に演出家と俳優が現れる冒頭の部分、セリフがそれぞれの俳優に入っていない感じだった。というか、脚本の力に俳優が負けている、上手いけれど、それ以上ではない、そんな出だしだった。こうした感じは最後まで続く。演出が十分ではなかったのかもしれない。作品が舞台の上で十分に消化されていなかった。特に、老俳優がマクベスを演じるシーン。そもそもダメな俳優がダメなまま演じている。そう解釈すればいいのかもしれないけれど、不遇な老俳優が迫真の演技を見せることでこの作品が生きるのだとすれば、どうだろう。この作品の解釈がまったく変わってしまう。老俳優がだめな老人のまま演じる、そうした解釈でもいいと思う。でも、そのためにはそれなりの緊張感があっていいとも思う。どこか中途半端さを感じてしまった。（M）

海をゆく者

パルコ劇場、23年12月7日～27日

★舞台はクリスマスイブ、アイルランドの海沿いの家。若くない兄弟が住んでいる。酒飲みの兄リチャードは最近、目が不自由になったけれど、あまり気にしていない。その兄の面倒を見るために返ってきた弟のシャーキーは禁酒し、しっかりと兄の面倒をみようとしている。飲み友達のイヴァンは、昨夜、ここで飲んだ後、そのまま泊まっていた。そこに、ポーカーをやろうと、ニッキーも現れる。シャーキーのかつての妻は今、ニッキーと暮らしており、シャーキーとしては会いたくないが、リチャードとイヴァンの友人でもある。ニッキーが連れてきたのが、ミスター・ロックハート。彼はシャーキーの過去を知っており、かつてともに留置場でポーカーをしたことがある。そのときはシャーキーが勝ち、ロックハートはシャーキーからあるものを手に入れることができなかった。それを取り戻すために、ポーカーに加わる。

登場人物はみんな飲んだくれのダメおやじばかり。リチャードにいたっては、せめて風呂に入って欲しいと思うけれど、当人はクリスマスの朝に入るといって

ゆずらない。

第二幕で、ポーカーが始まる。ロックハートは悪魔であり、シャーキーに勝つことで、その魂を手に入れることができる、ということはロックハートとシャーキーしか知らないのだけれど。

とまあ、ストーリーにするととてもシンプルなのだけれど、どうしようもない男たちの会話が、それだけで引き込まれていく。いや、会話だけじゃないな、俳優たちの細かい動きが、ちょっとそれはばっちいだろう、というような動作まで、徹底して楽しませてくれる。

実はシャーキーこそがアル中で自分の人生をずっと棒に振ってきた、妻とも別れざるを得なかった、そんなシャーキーをそれでも兄のリチャードは愛しているし、イヴァンもニッキーもそれは同じだ。そして、そうしたダメな人たちにもクリスマスはやってくるし、贖罪もされる。ダメなのは大酒のみのリチャードではなく、実はシャーキーこそが救われる。そういった逆転も含めて、心に落とし込まれる舞台だった。

今回は再々演ということだが、2009年の初演と再演ではシャーキー役が吉田鋼太郎から高橋克実に交代した以外は、同じメンバーとのこと。その高橋の半端ない不衛生感とあたたかい声が、舞台を引っ張っていた。（M）

踊るうた3
update dance #101

KARAS APPARATUS、23年12月8日〜17日

★ロック、ポピュラー、ドイツリート、ズータラ節、小唄、平山みき、東京音頭、賛美歌など刻々と変化するグルーヴの波に乗り込む、初日のsoloをつとめた佐東利穂子の応用自在な浮遊感と遊戯感はまさに、快哉を叫びたいほど完璧であった。選曲の妙もさることながら、apple music宛ら、提示される様々な音楽を乗りこなす、KARAS的なメソッドが踊りの呼吸的リズムの粒子ともいうべきグルーヴ感、即ち音楽の本質に如何にコミットしているかが、伺い知れて興味深い試みであった。それらグルーヴへの共振が、今回の踊るうた三度目の試みでさらに進化、深化している風情をリアルに実感した。KARASのupdate dance今年度最後にして、総決算である重要な公演であったと思えた。（並）

鳥の劇場・韓国芸術総合学校共同事業
小さなエイヨルフ

勝谷体育館、23年9月14日〜17日

★鳥の劇場・韓国芸術総合学校共同事業『小さなエイヨルフ』は、後期イプセンの戯曲を、鳥の演劇祭16の演目の一つとして、中島諒人が演出したもの。象徴主義に回帰したと言われる後期イプセンの世界観と、中島演出の叙情性とが、絶妙にマッチした傑作であった。

端正な美学に貫かれた、静謐な舞台（ナム・ヨンジュの美術・照明が、落日や曙光を描くかのように美しい）。フィヨルドに面した土地に暮らす、地主の青年アルフレッド・アルメルス（齊藤頼陽）、その妻リータ（キム・ドヨン）、ふたりの子エイヨルフ（ファン・ギュチャン）、アルフレッドの異母妹アスタ（イ・スビン）、そしてアスタに片思いをしながら、この土地から離れようとしている、土木技師ボルグハイム（山本芳郎）。彼らは互いに語り合うときも、視線を交わしはせず、観客に正対する姿勢を崩さない。それはまるで、彼らのすれ違いを象徴するかのようである。

青年アルフレッドは、異母妹アスタとの間に精神的な信頼関係を築いているが、それは兄妹の関係を超えたただならぬ気配を漂わせている。妻リータは、夫と義妹の関係に嫉妬を隠さず、性的な欲求不満まであらわにして、夫を独り占めにすることを渇望する。一方アスタは、実母が残した手紙によって、自分が亡き父の実の子ではないと知ってしまい、アルフレッドとの関係に終止符を打ち、この家からひとり去るしかないと決意している。そのアスタにボルグハイムは恋心を打ち明けるが、アスタの心はボルクハイムには靡かない。かくまでも、四者の思惑はすれ違い、すれ違いながらも、危うい均衡を保つ。だがちょっとしたきっかけで、この均衡はたちまち瓦解することが予感される。だからこそ、今この時が永遠に続くことを、佇立する四者は心密かに願うかのようだ。だがもちろん、時間を止めることはできない。アルメルスがたびたび自らの哲学として口にする「変化の法則」が、彼らの関係にも否応なく到来する。

この四者の危うい均衡の犠牲となるのが、アルフレッドとリータの子エイヨルフである。かつて、夫婦の情交の最中に放置されてテーブルから落下し、エイヨルフ

が足に障害を負ったことで、この夫婦には既に罪の烙印が押されている。「人間の責任」についての著作に没頭するアルフレッドは、山にこもって思索にふけり、著作の執筆を断念してこれからはエイヨルフのために生きると気まぐれに翻意するが、リータは、夫との間に息子が割って入ることにすら嫉妬する。ところが、ハーメルンの笛吹き男に導かれるかのように、エイヨルフは鼠ばあさん（イ・チャンヒョン）を追って海に沈んでしまい、夫婦の罪過は決定的となり、絶望のどん底に叩き落される。アルフレッドは息子の死から目をそむけ、アスタとの甘美な日々の思い出に逃避する（そもそも「小さなエイヨルフ」とは、アルフレッドが妹に与えた綽名であり、リータはそのことを、くだんの情交の折に、睦言として聞いたのだった）。リータもまた悲しみから目をそむけ、アスタにここにとどまるよう懇願し、賑やかな日々に逃避しようとする。だが兄との関係に危機を感じたアスタは、兄から逃避するために、突発的にボルグハイムを選ぶ。もちろんボルグハイムは、楽天的にアスタを受け入れ、可哀そうな亡きエイヨルフの思い出に静かに背を向ける。かくして、エイヨルフの死から四者四様に逃避を試みるが、それはもちろん四者の生への執着によるものだ。だが、自らの地所に暮らす貧しい子供たちが命がけでエイヨルフを助けなかったのは、自分たちの階級的な傲慢さのせいであると夫婦が気づいたとき、ようやく彼らは観客席に正対することをやめ、互いに視線を交わし始める。こうして彼らは新たなる共生へと遅すぎた一歩を踏み出し、今しばらくは、この世にとどまるだろう。

　日本人俳優と韓国人俳優のコラボレーションであり、双方が自分の言語で発話することが、似ているが異なっており、異なっているが似ている、という、四者の心理的な距離を象徴しているかのように思えてくる。下手奥には演奏ブースが置かれ、そこではあの鼠ばあさんが、韓国の伝統的なパーカッションによって、常に合いの手を入れる。ニヤニヤと不気味な表情を崩さないばあさんは、上流の人間模様を嘲笑するホームレスのようでもあれば、同時に、愚かな人間たちの運命を弄んで死へといざなう神のようでもある。そのような両義性は、この役を男優が演ずることによって、いっそう増幅させられていた（イ・チャンヒョンの怪演が見事であった）。鼠ばあさんが頻繁に銅鑼を鳴らすとき、その音色はあたかも、死への旅路へと向かう船の、出帆を告げているかのようだ。このしかけによって、生きのびた者たちが演ずる四重奏は、一刻一刻死へ向かうことに抗う哀調を感じさせる。リータが幻視する、海の底に沈むエイヨルフの「不気味な目」が、この演出においては、メタ・レベルに置かれた鼠ばあさんの存在感と重なるかのようである。

　事前に戯曲を読み、はたしてこれを現代の俳優が演じられるのだろうかと訝しんだ。というのも、この登場人物の四者は、自分が執着する相手との関係が、もはや他の誰ともとりかえることができないと信じているからだ。出会いのチャンスなどその気になれば無数にあり、他人との出会いを「運命」などと本気では信じ込むことのできない今日の我々が、このような他人への執着に、説得力を持たせることができるだろうか。だがこれは杞憂に終わった。とりわけリータとアスタを韓国の若い女優たちが演じることが功を奏した。キム・ドヨンとイ・スビンの、静謐なまま激情を燃やす人物造形は、特筆に値する。ここに何か意味を見出すとすれば、韓国社会は現在の日本社会よりは、家族の絆や長幼の序を重んずる気風が未だ根強く、人が他人を縛ることによって、自らもそのぶんだけ他人に縛られるという関係性に、まだいくらかリアリティがあるということかもしれない。おそらく、日本社会も、かつてはこうだったのだ。そのせいだろうか、この登場人物たちが破局から、死から、贖罪から目をそむけて、甘美なノスタルジーに退行しようとするとき、観客である私もまた、うっとりと過去へいざなわれるようだった。

　息子に障害を負わせるだけでなく、溺死へと追いやってしまった二重の罪過に対して、夫婦が贖罪を決意するラストに、中島演出はわずかの希望を託している。上層の人間が下層の人間に寛大なる慈愛を示すというその贖罪の中身が、はたして本当に解決になりうるかは疑問であり、私はこのわずかな希望にすら希望を感じることができない。だが確かに、銅鑼を鳴らしフィヨルドから——あるいは山陰の港から、あるいは韓国の港から——去りゆく船を見送って、私たちはまだもう少しの間だけ、この岸辺にとどまりたいと願っている。失われたものは元には戻らず、過ぎゆく時間をとどめることはできず、変化の先の先にあるのがどのみち死だとしても、私たちはもう少しだけ抗い、高みを目指したいと思っている——そうではないかと問われれば、それもまた否定はできない。子に先立たれるということほど不幸なことはないが、その後を生きる者たちの心情に寄り添う点で、中島はイプセンに共鳴したのだろうと、改めて気がついた次第である。（大）

京極夏彦

鵼の碑

講談社ノベルス

★榎木津探偵などによる番外編は除き、十七年ぶりの鈍器のような本編「枕本」、百鬼夜行シリーズ第十作になる最新作である。同時発売の鉄亜鈴のように重いハードカバーは遠慮して、かろうじて片手で持てるノベルスで購入。

今回の妖怪は「鵼《ぬえ》」である。これをキマイラの妖怪にならい、交錯して何度も何度も繰り返し入れ替わる、五つの視点の「蛇」「虎」「貉《むじな》（狸とアナグマを同様と考えた総称）」「猨《さる》」「鵺《ぬえ》（前記と別の表記である）」に分割し、それぞれが同時進行に多岐にわたる事件を追い、個別に互いの行動を知らず、最初から東照宮のある日光にいる者も多いが、最終的に日光に集まって、長い「憑き物落とし」の章「鵼」で謎解きの大団円が幕を閉じる。「ぬえ」が二つに書き分けられているのは、「鵺《ぬえ》」は、その夜中に聴く「ヒー、ヒー」という虎鶫《とらつぐみ》の、か細い鳴き声が日本の中世には、正体不明で無気味なために「ぬえ」という妖怪とされた伝承によって、近代になるまで「得体の知れないもの」として拡大した人間の妄想を指し、「鵼《ぬえ》」は、それらの事象をキマイラとしての複合体として俯瞰し、メタ・レベルから見た場合の「ぬえ」の表記であろう。そう考えると、批評としての作品化を経た能の「鵼」が、その当て字を用いている理由もよくわかる。

このシリーズは、それぞれの登場人物が勝手に事件に巻き込まれたり、単独行動をとるために事件を混乱させたりするもので、必ずしも集団による捜査ではないが、結果的に、その絡まった謎を「本当の名探偵」が解明する意味では集団捜査になる。シリーズ主役の四人は以下の通り。事件の舞台は昭和二十年代末期で、それぞれ大正生まれの軍隊経験者である。

中禅寺秋彦は、主に和本の古典籍《こてんせき》を扱う古書店「京極堂」の店主で、副業に「武蔵清明神社」の宮司のこともあり、陰陽師を兼ねている。事件に目鼻がつかない限り出馬しないが、他の登場人物による情報から、事件に妖怪の名前を当てはめて、それを「憑き物落とし」として「情報処理」する。これによって、罪のない事件関係者に対しては最大限の、迷惑がかからない事件解決をする「本当の名探偵」。戦中は人間の精神を操り洗脳するための、政府の秘密機関で研究させられていたようだが、当時のことは、あまり語らない。

関口巽は、中禅寺秋彦の旧制高校時代からの友人。鬱病気質で対人恐怖症の小説家。典型的な、相手を信じやすい気弱な凡人。個性的な語り手が多い小説中では目立たないが、言わば主役ナンバー2の登場場面の多いワトスン役。ダメ男好きの女性読者には非常に人気が高い。

榎木津礼二郎は「薔薇十字探偵社」を経営する私立探偵。前二人の旧制高校時代の一年先輩。スポーツ万能、楽器は何でも得意で、和事を含めた諸芸堪能、荒事の喧嘩最強、旧華族出身で美男のうえ、実家は華族に斜陽族の多い中、世渡りの上手い財産家。そのせいで、どんなに浪費しても財政は傾かない富豪探偵。しかし、桁外れの変人である。中禅寺と関口の妻の雪絵（本作では登場しない）以外の周りの人物を、関口を含め、自分の下僕と考える「超楽天家」の自己中心的な躁病気質。嫌なことはせず、腹が立てば暴れ、興味のあることには執着し、無類の猫好きで天衣無縫のため、悪口雑言しか言わないが、意外に憎まれていない。戦地での閃光で片目に視覚障害を受け、そのため片目は弱視だが、他人の眼光から潜在的光景を、場合により何種類も読み取る能力を授かる。しかし怠惰な探偵のため、その能力を乱用せず、探偵調査は二人の「下僕」の安和寅吉と元刑事の益田龍一にまかせきりで、大乱闘のような御祭り騒ぎと、気の向いた目立つ場面しか出たがらない。シェークスピア劇で言うなら、すべての無礼講が許され、王と対等に話し、ときに真理を洞察する「狂人の道化」と同様、世界を混乱させながら、その世界を解明する手掛かりを生み出すトリック・スターとしての役割を持つ。本編でも中盤から登場し、何人かと会っているため、潜在的光景を幻視するが、得た結論は「ジャンケンのアイコの連続」という謎の返答で、あとは詮索しない方が良いという態度である。今回は大乱闘ナシで残念。

木場修太郎は榎木津の幼馴染で、戦地では将校の関口の部下。職業軍人で、戦後は四角い顔の強面《こわもて》の刑事。直情型で正義感の強い豪傑。理屈嫌いのため調査には熱心だが、職業的直感による独断で暴走するため、真相に肉薄しながら解決できず、混乱させる問題児でもある。そのため考えは違うが、理屈嫌いの榎木津とは妙に馬が合う親友。今回は、もっと大暴走して欲しかった。

以上がレギュラーである。

冒頭「蛇」の章の語り手は脚本家の久住加壽夫で、榎木津の母方の祖父である今出川広彬《ひろあきら》が後援する小劇団の座付作者。今出川に能の「鵼」を題材とした新作を依頼され、榎木津の兄がオーナーの榎木津ホテルに「缶詰め」になっている。この久住が、部屋担当のメイド桜田登和子（二十二歳）から、幼少時に父親を殺害した記憶があると告白され、ホテルに同宿していた関口に相談した事から知り合いとなり、二人で事件を追い始める。

「虎」の章の語り手は、戦争未亡人で薬剤師の御厨《みくりや》冨美で、戦後に路頭に迷っていたところを薬局店主の寒川秀巳に助けられ、彼の援助で薬剤師になるが、その寒川が失踪したため薔薇十字探偵社に捜索を依頼。結果、日光に調査に行く益田に同行する。

「貉」の章の語り手はレギュラーの木場刑事。退官した先輩同僚の壮行会で、二十年前の昭和九年に芝の東照宮（東京にある外宮）の裏手で起きた未解決事件の概要を聞き、また上司から、同時期の未解決の放火殺人との関連も示唆される。そして木場は同席した上司の命令で、有給休暇を取らされて、放火殺人の遺族が引き取られた日光へ向かう。到着後、依頼された事件捜査とは別に、榎木津ホテルの桜田登和子と出会った事で、彼女の記憶に残る殺人（?）についても調査する。彼女のトラウマになっているのは蛇に対する恐怖で、ひも状のものには触れず、その結果、和服は着られないという。

「猨」の章の語り手は学僧の築山公宣で、実家の寺が経営破綻で廃寺になり、信仰を見失い彷徨っていた戦後に中禅寺と知り合い、彼から精神的に助けられたことから親しくなる。現在は古文書研究の学芸員まがいの仕事をしており、昨年から日光の輪王寺の嘱託で、偶然に護法天堂裏の土中から七棹もの長持ちに収められた、正体不明の古文書と経典が発見されたせいもあり、その大量の資料解読の助っ人として呼び寄せたのが中禅寺だった。築山は、ある日の仕事帰りに、不審な行動をとる寒川秀巳に出逢う。寒川は溝の中に対し拝跪しているかのように見えたのだが、よく話を聞くとガイガー測定器で放射能を調べているのだった。そして彼から、旧尾巳村で政府嘱託の研究機関が、何らかの極秘な研究実験をしていたのではないかという推論を聞く。

「鵺」の章の語り手は、地方の医大研究室助手の緑川佳乃。中禅寺や関口と榎木津は、彼女の女学校時代からの知人。小柄で顔が小造りのために三十なかばながら少女のように見える。二十年以上も音信不通の大叔父である猪史郎が昭和二十八年に亡くなり、無縁仏になる寸前で連絡を受け、遺骨を取りに日光へ向かう。大叔父が運営したのは旧尾巳村の診療所で、ここで十年ぶりに関口と再会。そして大叔父が診療していた医院の古いカルテから、桜田家の複数の診療記録を見つけ、それと登和子の記憶に、数々の差異があることが判明してくる。

こうして麻のように乱れた、あるいは「群盲象を撫でる」ような、それぞれの物語を読み解いて、八方にトラウマのような精神的傷が残らないように丸く治めるための、中禅寺による「憑き物落とし」の「鵼」の章が幕を開ける。

文字どおりの超大作である。シリーズ最初の頃は、全体としては中編小説の構造でありながら、細部の各所が局部肥大しているために、一見「大長編」に見える作品が出来ていたのに対し、これは正しく構造として長編になっている。方向性の違う、総勢三十数名の登場人物が、偶然に絡み合い、出来た事象が「鵺」のような事件である。書くのに費やしたのは三ヶ月ほどらしいが、その物語の熟成に十七年かかったのも、苦労と共に良くわかる作品である。謎の解決の章の章題が、空虚の「空蝉」的意味での「鵼」なのも、謎の設定のために登場人物がいて、謎の解決で世界が閉じてしまう多くのミステリと違い、作者の意図的なものと推測する。物語に書かれているが、表層に現れない影の人物たちも多く描かれ、閉じていない世界を想像させるのに充分な効果をあげている。戦前の探偵作家なら引退していて当然の年齢である京極が、これだけの大長編を描けるというのは、一つの驚異と言うべきであろう。

この「影の人々」の中には、目立たない市井の人々の他に、代々「山人《やまびと》」として山で生活してきた、マタギや木地師や杣人《そまびと》（樵《きこり》および製材業）、炭焼業、サンカなどの人々も含まれる。しかし、これをサンカ一色として強調しないのは、三角寛の膨大な小説とサンカ研究は、興味深く面白いが、実は妄想に近い「虚説」であることが明らかになったことによる、最近の研究成果が反映している。他称としての「サンカ」は、この小説の時代まで実在したが、「山人」と同義ではなく、また、三角寛の主張するような古代から続くものではない、江戸末期からのものであることが判ったせいである。

謎の核心である政府主導の「秘密研究」も、放射能測定器が出たあたりで予測でき、当時の日本の科学者の苦労を歴史として知る者には、最後の「落ち」も先読みできるものだが、巨大な「秘密兵器?」（原爆ではない）が出て来たのには驚嘆

ExtrART《エクストラート》 FILE.39 好評発売中!

A4判・並製・112頁・税別1318円
ISBN 978-4-88375-514-1

こんなアートに出会ってほしい――。
ExtrARTは、少々異端派なアートファイルです。

◎FEATURE:
ヒトガタの夢、心象の旅

★表紙:月

★影山多栄子

★櫻井結祈子

★作田富幸

★浅野勝美

★狩野れいな

★与偶

●月《人形》
未来を待ち望みながら
人形たちが醸す
移ろいゆく刹那の美

●影山 多栄子《人形》
ユニークな造形と
物語性で生まれる
人形の存在感

●櫻井 結祈子《陶》
人の手が及ばない
奇妙な生き物たちの
楽園を夢想

●作田 富幸《版画・立体》
顔にこだわり続け、
銅版画に飽き足らず、
立体作品へも展開

●浅野 勝美《絵画》
硬質な抒情を込めて
繊細に描き出す
生命の感触

●ユハ・アルヴィド・ヘルミナン《写真》
マスクや軍服の匿名性が
ディストピアな
未来を映す

●狩野れいな《版画・コラージュ》
木版を切り抜きコラージュし
シュールで滑稽な
幻想を生み出す

●岡本 泰彰《絵画》
生物の生態を追求し
その不思議さから
インスピレーションを得る

●西村 亨《人形》
健康な
エロス振りまく
アメリカンドールズ

●与偶《人形》
深く傷ついた
心が生んだ
睨む目、虚無を掴む指

●Salomé -Passion
~考察・現代作家によるサロメの愛と死~
オスカー・ワイルドが生んだ
「サロメ」を、現代作家たちが
独自に解釈し直す

●Mediations Biennale
さまざまな国、
ジャンルのアートが
イスタンブールに集った

●Velvet Knot Doll Exhibition
―非日常に満たされた日常―
創建当時の姿を受け継ぐ
建築遺産「旧足立邸」での
贅沢な人形展

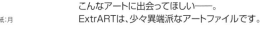

した。やはり、こういう見栄えのするスペクタクルなガジェットは、虚構でありながらも読者として嬉しい。

　ただし、東照宮に縁のあると思われる寺院から発見された膨大な古文書が、期待した割には活用されていないのが気にかかる。東照宮を創建した天海が山王一実神道を作ったのは、仏教中心の考えの本地垂迹説と、神道中心の考えの垂加神道を統一し、一種の両部神道として神仏のさらに上位を家康の称号「権現」とすることで、幕府による日本の宗教の総ての支配を計画したものである。このことは古文書を読むような中禅寺の「常識」であることは、本編での古文書の解明でもわかる。しかし、密教寺院でもある東照宮の別院から、当然のように「茶《だ》枳《き》尼《に》天《てん》」、魔神としての「弁財天」、「牛頭《ごず》天王《てんのう》」、あるいは「両面宿儺《りょうめんすくな》」のような秘仏が、新たに発見されるような小説展開であれば、なお結構だったと思う。そして、その発見は、一六七九年に発見され印刷されて一般にも流布したという、実在する七二巻本の「先代旧事日本紀大成経」（これが後世の、民間の異端的仏教および神道における、教義や修法その他の、アイデアの源流となる）のように、神職あるいは学僧が自分の勤める寺社の権威を高めるための偽書ではあるが、その偽書の発見が前記の「異神」信仰に影響を与えているのであれば、本作品に続く、もう一編の大作が期待できるかもしれない。

　このような仏教の「天部」に属する異国伝来の「異神」は、密教寺院の「秘仏」とされても不思議でなく、現実にも秘蔵されているはずだが、一般には公開されていない。何年かに一度「御開帳」がある、江の島の国宝「裸弁天」（正面から見えないが、下から見ると、女陰まで克明に彫られ彩色されている）も、福の神とされる大黒天が、インドまで遡ればヒンドゥー教の魔神で破壊神のシヴァであるように、サラスヴァティー河の神格化した、下半身が蛇の魔神なのである。前記の茶枳尼天や牛頭天王なども御利益のある福神とされるが、裏を返せば、それだけの呪力のある魔神であることに変わりはない。日本の仏教や神道は、これらを自分の宗派に取り入れて「秘仏」としてきた。その集大成が天海の山王一実神道だから、どんな意外な真相が出てきても不思議ではない。

　あるいは、今回の調査では判明しなかったが、後に七棹の長持ちから、偽経ではあるが後世に多大な影響を与えた古文書が発見され、新たな長大な一編が書かれるのではないかと想像する。インド、中国の王朝を傾かせ、それが日本まで来て平安時代の鳥羽上皇の寵姫となった玉藻前は、金毛九尾の狐の化身であり、陰陽師の安倍泰成が退治する伝説があるが、この大妖怪の玉藻前ですら全国数ヶ所の神社で祀られている、いわゆる「祟り神」なのである。また、この伝説は能の「殺生石」の伝説としても巷間に親しまれている。ところで茶枳尼天はインドでは、裸身で虚空を駆け人肉を食べる夜叉である。これが半裸で白狐に跨ることから稲荷信仰と習合し、日本では神社の御利益のある神仏として信仰されている。そうなれば玉藻前と茶枳尼が、狐を眷属とすることを媒介に習合する茶枳尼信仰があったとしても、あり得る話ではないかと思う。茶枳尼信仰は邪教とされた真言立川流の中心的な奥義でもある。立川流の経典の多くは焚書されているが、部分的には残って実在し、新たに大量の残された経典が発見されたという設定は、虚構として成り立つと思う。

　本作品にも茶枳尼とともに名前だけは登場した牛頭天王にしても、日本では牛角で虎のパンツをはいた「鬼」と習合し、それが「牛」と「虎」であることから方位神で「祟り神」の「丑寅の金神」と習合してきたことは、最近の研究で解ってきた。また八坂神社の祭神は素戔嗚《すさのお》だが、元は牛頭天王で、そのため祇園祭は牛頭天王の祭であり、こうした経緯から素戔嗚と「丑寅の金神」を同定する考えが江戸時代に生まれてきた。また本地を薬師如来とし、垂迹を牛頭天王とする考えもあり、素戔嗚が大国主命の息子（子孫説もあり）であることから、大国主（大黒様）までも同定する考えがある。大国主は「医療」と「禁厭」（まじない）の神でもある。だが神仏として祀られようと「渡来神」の場合、謎の多い弁財天にしろ、元は魔神や夜叉であることは変わりなく、ここから新たな見解や伝承が発見されるであろうことは確かである。仏教の「天部」に属する神仏は「渡来神」（七福神の総てもそうであり、そのために、ゆるい意味でのカーゴ・カルトである福神たちは「宝船」に乗っている）であるため仏の身分としては、如来の下が菩薩で、そのまた下の「明王」や「神将」などと同格の眷属で、仏としての格式が低い。しかし、人間の欲望や暴力性も属性として持つために、そうした卑俗な欲望を叶える神仏として、民衆に親しまれる意味では如来や菩薩以上である。また多くの場合、妖怪めいた眷属を従えている。こうした事を考えれば、仏教である密教と、民間の寺社に限らない神仏習合の信仰とを横断する「天部」の神仏は、百鬼夜行シリーズの王道ではないかと思う。（村）

サイトで内容のサンプルを
ご覧いただけます。
www.a-third.com

THART Series
好評発売中!!

発行=アトリエサード 発売=書苑新社

無垢な少女に、
ぴりりスパイスきかせた作品に
軽妙な詩や文を添えた、大人の絵本館。
人気の絡繰りオルゴール作品も収録!
横浜ブリキのおもちゃ博物館 館長北原照久氏推薦!

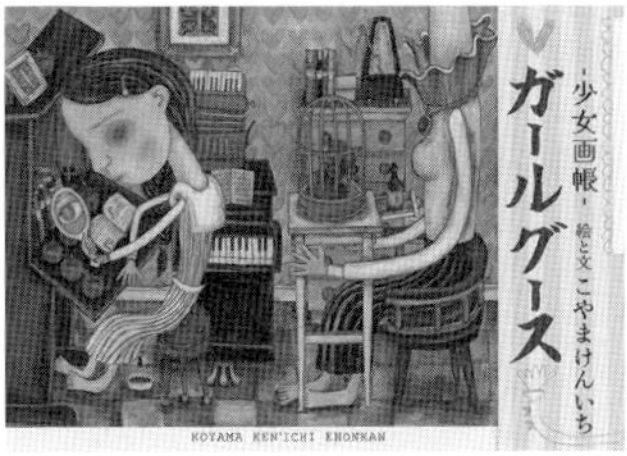

こやまけんいち絵本館
「ガールグース -少女画帳-」
A5判ヨコ・カヴァー装・112頁・定価2700円(税別)

《生を謳歌する者たちのユートピア》
アウトサイドを歩む異才が描く、秘密の園
可憐な少女、少年たちが惜しげもなく
エロスを花開かせた耽美の劇場

中井結 画集
「はじまりとおわりと、そのあいだ」
B5判・カヴァー装・96頁・定価3091円(税別)

愛らしくて純粋で、だけどちょっぴり
病んでいて…少女たちの、甘く歪んだ
遊戯はおわらない。国内外で人気の
宮本香那の代表作がこの1冊に!

宮本香那画集
「おままごとのつづき」
B5判・カヴァー装・96頁・定価3091円(税別)

青空のもとに解き放たれた、裸身たちの美景。
多様な裸体の個性を伸びやかに解き放ち
そのフォルムで夢幻の光景を描き出す
写真家・七菜乃の集団ヌード写真集!

七菜乃 写真集
「LONG VACATION」
B5判・カヴァー装・144頁・定価3800円(税別)

希代の責め絵師・伊藤晴雨が
かかわったとおぼしき、生々しくも美しい
風俗資料館秘蔵の責め写真の数々を
収録した、ファン垂涎の写真集!

「伊藤晴雨の世界1[秘蔵写真集]
責めの美学の研究
風俗資料館 資料選集」
A5判変型・カヴァー装・128頁・定価2000円(税別)

ひとりの依頼主のために描かれた
臼井静洋、四馬孝による残酷絵。
卓越した表現の観世一則の責め絵。
特異な昭和の絵師の貴重な画集!

「秘匿の残酷絵巻[増補新装版]
～臼井静洋・四馬孝・観世一則
風俗資料館 秘蔵画集」
A5判変型・カヴァー装・160頁・定価2200円(税別)

好評発売中!! 書店店頭で見つからない場合は、書店にご注文下さい(通信販売やインターネット書店もご利用下さい)。

芳賀一洋 作品集「錠前屋のルネはレジスタンスの仲間」
978-4-88375-331-4／A5判・224頁・並製・税別2222円
●パリの街並みや日本の昭和的風景などを精巧なミニチュアで再現した驚異の作品群。その40作以上を郷愁あふれる写真に収めた作品集。

◎写真集

二階健「Dead Hours Museum」
978-4-88375-203-4／A4判・32頁・ハードカバー・税別2750円
●「Trick me ! Treat me !」「ぬいぐるみ症候群」「STEAM BLOOD」など5シリーズを収録した、A4判の大型サイズの写真作品集！

珠かな子 写真集「蜜の魔法」
978-4-88375-489-2／B5判・80頁・カバー装・税別2500円
●幸せの魔法が強くなるように——11人のモデルを優しくリスペクトする視線で、エロスとイノセンスをあわせ持つ魅力を写した写真集。

村田兼一 写真集「宵待姫 十三夜」
978-4-88375-469-4／B5判・96頁・ハードカバー・税別3200円
●村田兼一の原点、禁断の手彩色写真集！ エロスとタナトスが交錯する13の秘密の夜。自身が見た夢などを添えた濃密な魔術的世界。

村田兼一 写真集「女神の棲家」
978-4-88375-416-8／B5判・96頁・ハードカバー・税別3200円
●古の女神を現代の少女に重ね合わる——魔術的なエロスやタナトスと、御伽のような叙情性が混交する村田兼一写真集、第7弾！

美島菊名 写真作品集「HOPE」
978-4-88375-308-6／B5判・64頁・ハードカバー・税別2750円
●少女よ あなたは 世界を変える——少女の無垢と欲望を、インパクトあるヴィジュアルで表現してきた美島菊名、初の写真作品集！

谷敦志 写真集「D. P Collage Series」
978-4-88375-283-6／A4判・64頁・ハードカバー・税別3800円
●妖しく溶け合う、肉体とオブジェ。異型の写真家・谷敦志が、女体のコラージュによって生み出した極北の美の世界。A4サイズの豪華版！

堀江ケニー 写真集「恍惚の果てへ」
978-4-88375-139-6／A5判変型・96頁・カバー装・税別2200円
●澄んだ空気感の中で恍惚の果てへ導かれる—湖や廃墟で撮った、堀江ケニーならではの幻影的作品を集めた待望の写真集！

◎幻想系・少女系

真珠子作品集「真珠子メモリアル～〝娘〟を育んだ20年」
978-4-88375-483-0／B5判・128頁・ハードカバー・税別3200円
●天衣無縫なガーリーアート！ 渋谷PARCOなどでの個展等、多彩な活動を続けている真珠子の20年の軌跡を凝縮した記念作品集！

イヂチアキコ 画集「Dignity」
978-4-88375-462-5／A4判・48頁・並製・税別1500円
●日本画の手法により、現代に生きる少女の心性を寓意によって描き出してきたイヂチアキコ。画集『イルシオン』以降の作品を集約！

たま 画集「Deep Memories～少女主義的水彩画集VII」
978-4-88375-451-9／B5判・64頁・ハードカバー・税別2700円
●深く落ちた記憶の欠片、透明な絵の具で彩って、5つに束ねて留めました。記憶の底にある、可愛らしくも不気味な楽園にようこそ！

高田美苗 作品集「箱庭のアリス」
978-4-88375-393-2／B5判・64頁・ハードカバー・税別2700円
●混合技法によるタブローから銅版画まで、少女をモチーフとした夢幻世界を描き続ける高田美苗の軌跡を集約した、待望の作品集！

古川沙織「ピピ嬢の冒険」
978-4-88375-131-0／A5判・64頁・ハードカバー・税別2800円
●禁断の木の実を手にした罪深き少女たちのエロスの恍惚郷！ 緻密なペン画や色鉛筆による着彩で描かれる過剰なる耽美世界！

◎小説・コミック・評論・エッセイ

◎ナイトランド・クォータリー（ホラー＆ダーク・ファンタジー）

ナイトランド・クォータリー vol.34 対なるものへの畏怖～双生児あるいは半神
978-4-88375-513-4／A5判・160頁・並製・税別1900円

ナイトランド・クォータリー vol.33 人智を超えたものとの契約
978-4-88375-505-9／A5判・176頁・並製・税別1900円

〈増刊〉妖精が現れる！～コティングリー事件から現代の妖精物語へ
978-4-88375-445-8／A5判・200頁・並製・税別1800円

◎TH Series ADVANCED（評論・エッセイ）いずれも四六判

井村君江「妖精世界へのとびら～新版・妖精学入門」
978-4-88375-511-0／192頁・税別2000円

フロリス・ドラットル「フェアリーたちはいかに生まれ愛されたか～イギリス妖精信仰——その誕生から「夏の夜の夢」へ」
978-4-88375-474-8／320頁・税別2500円

樋口ヒロユキ「恐怖の美学～なぜ人はゾクゾクしたいのか」
978-4-88375-482-3／320頁・税別2500円

◎TH Literature Series／いずれも四六判

伊野隆之「ザイオン・イン・ジ・オクトモーフ～イシュタルの虜囚、ネルガルの罠」
978-4-88375-501-1／224頁・カバー装・税別2300円

健部伸明「メイルドメイデン～A gift from Satan」
978-4-88375-498-4／256頁・カバー装・税別2250円

壱岐津礼「かくも親しき死よ～天鳥舟奇譚」
978-4-88375-491-5／192頁・カバー装・税別2100円

篠田真由美「レディ・ヴィクトリア完全版1～セイレーンは翼を連ねて飛ぶ」
978-4-88375-485-4／352頁・カバー装・税別2500円

橋本純「妖幽夢幻～河鍋暁斎 妖霊日誌」
978-4-88375-477-9／320頁・カバー装・税別2500円

M・ジョン・ハリスン「ヴィリコニウム～パステル都市の物語」
978-4-88375-460-1／320頁・税別2500円

ケン・リュウ他「再着装（リスリーヴ）の記憶～〈エクリプス・フェイズ〉アンソロジー」
978-4-88375-450-2／384頁・税別2700円

SWERY（末弘秀孝）「ディア・アンビバレンス～口髭と〈魔女〉と呼ばれた遺体」
978-4-88375-454-0／416頁・税別2500円

図子慧「愛は、こぼれるqの音色」
978-4-88375-345-1／256頁・カバー装・税別2200円

◎ナイトランド叢書（ホラー＆ダーク・ファンタジー）いずれも四六判

アーサー・コナン・ドイル「妖精の到来～コティングリー村の事件」
井村君江訳／978-4-88375-440-3／192頁・税別2000円

キム・ニューマン「《ドラキュラ紀元》われはドラキュラ—ジョニー・アルカード」
鍛治靖子訳／上巻384頁・税別2500円／下巻432頁・税別2700円

キム・ニューマン「《ドラキュラ紀元一九五九》ドラキュラのチャチャチャ」
鍛治靖子訳／978-4-88375-432-8／576頁・税別3600円

キム・ニューマン「《ドラキュラ紀元一九一八》鮮血の撃墜王」
鍛治靖子訳／978-4-88375-327-7／672頁・税別3700円

キム・ニューマン「ドラキュラ紀元一八八八」
鍛治靖子訳／978-4-88375-311-6／576頁・税別3600円

クラーク・アシュトン・スミス「魔術師の帝国《3 アヴェロワーニュ篇》」
安田均他訳／978-4-88375-409-0／320頁・税別2400円

E&H・ヘロン「フラックスマン・ロウの心霊探究」
三浦玲子訳／978-4-88375-361-1／272頁・税別2300円

E・H・ヴィシャック「メドゥーサ」
安原和見訳／978-4-88375-339-0／272頁・税別2300円

M・P・シール「紫の雲」
南條竹則訳／978-4-88375-336-9／320頁・税別2400円

◎TH Art series

◎PICK UP

こやまけんいち絵本館「ガールグース -少女画帳-」
978-4-88375-512-7／A5判ヨコ・112頁・カバー装・税別2700円
●無垢な少女に、ぴりりスパイスきかせた作品に軽妙な詩や文を添えた、大人の絵本館。人気の絡繰りオルゴール作品も収録！

「伊藤晴雨の世界1［秘蔵写真集］責めの美学の研究 風俗資料館資料選集」
978-4-88375-510-3／A5判変型・128頁・カバー装・税別2000円
●明治～昭和の希代の責め絵師・伊藤晴雨がかかわったとおぼしき、生々しくも美しい責め写真の数々を収録した、ファン垂涎の写真集！

「秘匿の残酷絵巻［増補新装版］～臼井静洋・四馬孝・観世一則」
978-4-88375-496-0／A5判変型・160頁・カバー装・税別2200円
●ひとりのために描かれた臼井静洋、四馬孝の残酷絵。卓越した観世一則の責め絵。貴重で特異な作品たち！ カラー・モノクロともに増量した新装版。

中井結画集「はじまりとおわりと、そのあいだ」
978-4-88375-507-3／B5判・96頁・カバー装・税別3091円
●アウトサイドを歩む異才が描く、秘密の園。可憐な少女、少年たちが惜しげもなくエロスを花開かせた耽美の劇場！ 待望の初画集！

七菜乃 写真集「LONG VACATION」
978-4-88375-500-4／B5判・144頁・カバー装・税別3800円
●青空のもとに解き放たれた、裸身たちの美景。多様な個性の裸体のフォルムで、夢幻の光景を描き出した、集団ヌード写真集！

トレヴァー・ブラウン×七菜乃「トレコス」
978-4-88375-298-0／B5判変型・80頁・ハードカバー・税別2750円
●トレヴァー描く、かわいくてシニカルな少女に七菜乃が扮した〝トレコス〟全作品！ トレヴァーの原画はもちろん、メイキング写真も収録！

中島祥子画集「生命樹と妖精猫たち」
978-4-88375-508-0／A4判・64頁・並製・税別2000円
●猫たちよ、どうか永遠に幸福に―愛された128の猫が妖精となって生命樹のまわりを舞う大作の全貌をおさめた記念碑的画集！！

浅野勝美画集「Psyche（プシュケー）」
978-4-88375-504-2／B5判・64頁・ハードカバー・税別3000円
●妖しいきらめきに満ちた、澄んだ美の結晶――皆川博子、シェイクスピアの装画などで知られる、浅野勝美の耽美かつ幻想的な世界！

宮本香那画集「おままごとのつづき」
978-4-88375-503-5／B5判・96頁・カバー装・税別3091円
●愛らしくて純粋で、だけどちょっぴり病んでいて…少女たちの、甘く歪んだ遊戯はおわらない。宮本香那の代表作をまとめた初画集！

「王女様とメルヘン泥棒～暗黒メルヘン絵本シリーズZERO」
978-4-88375-497-7／B5判・64頁・並製・税別2000円
●訪問者は、実は「メルヘン泥棒」だった！ 黒木こずゑ、たま、鳥居椿、須川まきこ、深瀬優子の絵と、最合のぼるとの幻想ヴィジュアル物語!!

九鬼匡規画集「あやしの繪姿［新装版］」
978-4-88375-493-9／A5判・64頁・カバー装・税別2000円
●こころ狂わす 美しき妖怪、怪異。妖怪や怪異を現代風な女性像になぞらえ、蠱惑的な美人画として描き出した、あやしき妖怪美人画集！

駕籠真太郎画集「死詩累々［新装版］」
978-4-88375-490-8／A4判・128頁・カバー装・税別3300円
●不謹慎かつ狂気的な漫画で人気を集める奇想漫画家・駕籠真太郎の、漫画以外の多彩なアートワークを凝縮した「超奇想画集」！

椎木かなえ 画集「虚の構築」
978-4-88375-475-5／A5判・64頁・ハードカバー・税別2700円
●無意識を彷徨い、構築する――形容し難い不可思議さ。シュールだけどユーモラス。椎木かなえが闇の中から構築した〝虚〟の世界！

北見隆 装幀画集「書物の幻影」
978-4-88375-398-7／B5判・96頁・ハードカバー・税別3200円
●赤川次郎、恩田陸、中島らも、津原泰水…あのワクワクは、この絵とともにあった！ 40年の装幀画業から、約400点を収録した決定版画集！

「杉本一文銅版画集」
978-4-88375-286-7／A5判・128頁・カバー装・税別2500円
●幻想とエロスの桃源郷――杉本一文のもうひとつの顔、銅版画の代表作を装画作品から蔵書票まで約200点収録！

eat「DARK ALICE-Heart Disease-（ハート・ディジーズ）」
978-4-88375-438-0／A5判・224頁・カバー装・税別1295円
●摩訶不思議な世界で、奇妙な境遇を生きる者たちのトラウマティック・メルヘン!! 描き下ろし・ホワイト誕生の秘話も収録!!

◎人形・オブジェ作品集

田中流 球体関節人形写真集「Dolls II ～瞳に映る永遠の記憶」
978-4-88375-480-9／A5判・96頁・カバー装・税別2500円
●「Dolls～瞳の奥の静かな微笑み」に続く人形写真集。可愛いものから個性的なものまで、23人の作家の多彩な人形作品を掲載！

田中流 写真集「Dolls ～瞳の奥の静かな微笑み」
978-4-88375-373-4／A5判・96頁・カバー装・税別2300円
●数多くの人形に接してきた写真家・田中流が、28人の人形作家の作品を撮影し、現代の創作人形の潮流をも浮き彫りにした写真集！

清水真理 人形作品集「VITA NOVA～革命の天使」
978-4-88375-464-9／B5判・64頁・ハードカバー・税別2700円
●ハルピンの束の間の栄華と、刹那的な享楽。球体関節人形と人形オブジェで、歴史の陰翳の中に生きた者たちを描き出した幻影の劇場！

神宮字光 人形作品集「Cocon」
978-4-88375-378-9／A5判・64頁・ハードカバー・税別2700円
●ビスクなどで作られた愛おしい人形達がさまざまなシチュエーションの中で遊ぶ、かわいくも、ときにシュールでミラクルな世界！

ホシノリコ 作品集「蒼燈のばら」
978-4-88375-326-0／B5判・64頁・ハードカバー・税別2750円
●艶かしく息づく球体関節人形、幻想的な物語奏でるオブジェ。ホシノの10年の歩みをまとめた待望の作品集！ 写真＝吉田良、田中流

森馨 人形作品集「Ghost marriage～冥婚～」
978-4-88375-236-2／B5判・64頁・ハードカバー・税別2750円
●妖しい美しさと、哀しいエロスを湛えた、森馨の球体関節人形。その蠱惑的な肢体を写真家・吉成行夫が撮影した、闇の色香ただよう写真集！

林美登利 人形作品集「Night Comers ～夜の子供たち」
978-4-88375-288-1／A5判・96頁・ハードカバー・税別2750円
●異形の子供たちは、夜をさまよう――「Dream Child」に続く、人形・林美登利、写真・田中流、小説・石神茉莉のコラボ、第2弾！

与偶 人形作品集「フルケロイド FULLKELOID DOLLS」
978-4-88375-265-2／A5判・68頁・ハードカバー・税別2750円
●多くの人の心に突き刺さっている、凄みのある作品たち。20年の作家生活をここに総括。横4倍になる綴じ込み2枚付！

木村龍 作品集「光速ノスタルジア」
978-4-88375-245-4／B5判・96頁・ハードカバー・税別3500円
●ボックスアートから彫像的作品、球体関節人形、絵画などまで、妖美で奇矯、かつ純真な世界を濃密に凝縮した、待望の初作品集！！

菊地拓史「airDrip」
978-4-88375-229-4／A5判・64頁・ハードカバー・税別2750円
●「夢と現の境を揺蕩う、幻視の錬金術師」―手塚眞。菊地拓史が贈るオブジェと言葉のブリコラージュ。その世界を本で表現した一冊。

No.89 魔都市狂騒～都市の闇には、物語がある。

A5判・224頁・並装・1389円（税別）・ISBN978-4-88375-461-8

●都市の狂騒的な享楽と、頽廃的な闇――上海、ベルリン、ニューヨーク、円都と歌姫、東洋の魔窟・九龍城砦、酔いどれと怪物～大都市ロンドン近代化の影、コペンハーゲンにあるヒッピーたちの独立自治村、美魔都市・京都、観音、遊郭から一大歓楽街へ～浅草の歴史、ゴッサム・シティの光と影、都市から生まれる都市伝説他

No.88 少女少年主義～永遠の幼な心

A5判・224頁・並装・1389円（税別）・ISBN978-4-88375-456-4

●永遠を夢見る少女、少年の魂は、時代や性差、生死をも超える― ［図版構成］たま、須川まきこ、戸田和子、パメラ・ビアンコ、村田兼一、甲秀樹他／「恐るべき子供たち」などに見る少年少女たちの死と再生、少女主義者たちの文学、「不思議の国のアリス」の姉をめぐって、庵野秀明と宮崎駿、『紅楼夢』、鷗外と芥川のヴィタ・セクスアリス他

No.87 はだかモード～はだける、素になる文化論

A5判・208頁・並装・1389円（税別）・ISBN978-4-88375-444-1

●タブー視されてきた「はだか」、そして「はだけること」をめぐる文化の諸相。珠かな子、七菜乃、彫師・SHIGEインタビュー、人はなぜ裸という無垢を捨てたか、黒田清輝と裸体画論争、偏愛のヌーディズム、絵本『すっぽんぽんのすけ』、映画におけるヌード表現史、バタイユとクロソウスキー、銭湯・温泉主義者たちの裸のユートピア他

No.86 不死者たちの憂鬱

A5判・224頁・並装・1389円（税別）・ISBN978-4-88375-439-7

●不死は幸福か？苦しみか？――『ポーの一族』、ヴァンパイアと浦島太郎、『ガリヴァー旅行記』、『火の鳥』からヒーラ細胞へ、クレア・ノースの孤独、ドリアン・グレイ、韓国SF、不老不死になれる（かもしれない）秘薬・霊薬・仙薬、荒川修作、不老不死を生きる童話世界の住民たち、サザエさんシステム、不死の怪物プルガサリ ほか

No.85 目と眼差しのオブセッション

A5判・208頁・並装・1389円（税別）・ISBN978-4-88375-433-5

●窃視、邪視から千里眼、眼球まで、オブセッションの数々！図版構成/泥方陽菜・神宮字光・下田ひかり、邪視にまつわる民俗史、眼球考～ルドンの絵から、映画から考えた覗き見の功罪、「屋根裏の散歩者」の愉悦、法医学オプトグラフィー、千里眼事件、唐十郎が寺山修司に捧げたもの ほか

No.84 悪の方程式～善を疑え!!

A5判・224頁・並装・1389円（税別）・ISBN978-4-88375-421-2

●「悪」を意識することは、この世の「善」に対して疑いを差し挟むことだ――ダークナイト・トリロジーにみる悪の本質、テロ的アートの系譜、「黒い幽霊団（ブラック・ゴースト）」には悪意がない、警官を蹴るチャップリン、少女漫画におけるモラルとエロス、娼婦と聖性ほか満載！

No.83 音楽、なんてストレンジな！～音楽を通して垣間見る文化の前衛、または裏側

A5判・224頁・並装・1389円（税別）・ISBN978-4-88375-412-0

●パンクからクラシックまで、音楽をめぐる少々ストレンジなイマジネーション！恍惚のアヴァンギャルド音楽偏愛史、パンクとポストパンクの思想的地下水脈、イスラムにおける音楽、近代日本の音楽の闇、ワーグナーの共苦と革命、バッハのもとに本当にニシンは降ったのか他

No.82 もの病みのヴィジョン

A5判・224頁・並装・1389円（税別）・ISBN978-4-88375-402-1

●「病み」＝「闇」のヴィジョン。人形作家・与偶トークイベントレポ、梅毒をめぐる幾つかの逸話と謎、舞踏病と死の舞踏、「吸血鬼ノスフェラトゥ」とペストのパンデミック、草間彌生の小説『すみれ強迫』、美人薄命の文化史、病と日本人、舞踊家・土方巽の〈病み〉、澁澤龍彥と病ほか

No.81 野生のミラクル

A5判・208頁・並装・1389円（税別）・ISBN978-4-88375-389-5

●我々は野の何を表現の糧にしてきたか。ケロッピー前田インタビュー～野生を取り戻してテクノロジーを乗りこなせ、管理された野生、粘菌、牧神、人豚、八化けタヌキ、シュルレアリスムのアフリカ、変身人間、キム・ギヨンが描く〝オス〟と〝メス〟、異類婚姻譚、動物フォークロアほか

No.80 ウォーク・オン・ザ・ダークサイド～闇を想い、闇を進め

A5判・224頁・並装・1389円（税別）・ISBN978-4-88375-376-5

●新たな想像力は闇から生まれる。［図版構成］濱口真央、C7、新宅和音、紺野真弓、宮本香那、萌木ひろみ、谷原菜摘子。タスマニアの美術館MONA、書肆ゲンシシャの驚異のコレクション、カタコンブほか。

No.79 人形たちの哀歌

A5判・240頁・並装・1389円（税別）・ISBN978-4-88375-363-5

●［図版構成］田中流写真作品（人形＝日隈愛香・SAKURA・ホシノリコ・舘野桂子）・清水真理・野原 tamago・神宮字光、現代の〝生き人形〟～中嶋清八・井桁裕子・衣・森馨・佐藤久雄、菅実花、ロボット・アンドロイド演劇、映画『オテサーネク』ほか。追悼・遠藤ミチロウなども。

No.78 ディレッタントの平成史～令和を生きる前に振り返りたい私の「平成」

A5判・256頁・並装・1389円（税別）・ISBN978-4-88375-350-5

●私たちが感じ取ってきた「平成」を振り返る。TH的・平成年表、極私的平成の三十年間（友成純一）、平成ゾンビ考～「終わりなき日常」から「サバイバル」へ、舞踏の平成、アニメ『どろろ』に見る内実の変容、死体ビデオと90年代悪趣味ブーム、SNSという「ネオ世間」の出現、IT盛衰、「今日の反核反戦展」、酒見賢一論ほか。

No.77 夢魔～闇の世界からの呼び声

A5判・224頁・並装・1389円（税別）・ISBN978-4-88375-340-6

●不穏さに満ちた夢の世界へようこそ。mizunOE、飴屋晶貴、亜由美、林良文、タイナカジュンペイ、「メアリーの総て」と『フランケンシュタイン』の悪夢、《夢》は現実を超えるか～古代記紀神話から『君の名は。』まで、ラース・フォン・トリアー「ヨーロッパ」、『エルム街の悪夢』、『鏡の国の孫悟空』、『ルクンドオ』ほか。

No.76 天使／堕天使～閉塞したこの世界の救済者

A5判・224頁・並装・1389円（税別）・ISBN978-4-88375-330-7

●天使や堕天使から発した想像力。村田兼一、ホシノリコ、『ベルリン・天使の詩』、ボカノウスキー『天使』がいたころ、天使と日本人、イスラムの堕天使たち、「天使の玉ちゃん」と〈失われた子供時代〉、『デビルマン』飛鳥了、熊楠の天使／天子と男色ほか。ジャ・ジャンクー論（藤井省三）、アジアフォーカス2018レポなども。

No.75 秘めごとから覗く世界

A5判・256頁・並装・1389円（税別）・ISBN978-4-88375-316-1

●秘めごとが生む物語。ステュ・ミード、中井結、宮本香那、『檸檬』『四畳半襖の裏張り』などに見る秘めごとの諸相、文学における「告白」、J・T・リロイの事情、自販機本の原稿書きが「映画芸術」の編集長に教えられたこと ほか。小特集としてマッケローニと映画「スティルライフオブメモリーズ」、追悼・ケイト・ウィルヘルム。

No.74 罪深きイノセンス

A5判・224頁・並装・1389円（税別）・ISBN978-4-88375-309-3

●無垢への信奉とそれが持つ残酷さ。美島菊名、村田兼一、蟲川ギニョール、Hajime Kinoko、ドストエフスキーと無垢なるもの、わたなべまさこ『聖ロザリンド』と萩尾望都『トーマの心臓』、『悪童日記』と『フランケンシュタイン』、『小さな悪の華』と『乙女の祈り』、少女ポリアンナほか。

No.73 変身夢譚～異分子になることの願望と恐怖

A5判・224頁・並装・1389円（税別）・ISBN978-4-88375-299-7

●miyako（異色肌ギャル）インタビュー 、トレヴァー・ブラウン×七菜乃、別人化マニュアル、変身譚としてのギリシア神話、バルテュスと鏡～少女の変身を映すもの、変装から変身へ～怪盗から見る映画史、女性への抑圧が生み出す変身～『キャット・ピープル』とその系譜ほか。

No.72 グロテスク～奇怪なる、愛しきもの

A5判・224頁・並装・1389円（税別）・ISBN978-4-88375-289-8

●林美登利～異形の子供に惜しみのなく注がれる愛情、立島夕子～瀬戸際から発せられた生命の賛歌、たま～可愛らしい少女の中に秘められた不気味な何かを暴く、黒沢美香～既成の価値観に収まらない名前のない景色の豊満さ、畔亭数久とその時代、謎のバンド ザ・レジデンツ ほか。

◎ExtrART(エクストラート)〜異端派ヴィジュアルアート誌

file.39◎FEATURE:ヒトガタの夢、心象の旅
A4判・112頁・並装・1318円(税別)・ISBN978-4-88375-514-1
●月、影山多栄子、櫻井結祈子、西村亨、与偶、作田富幸、浅野勝美、狩野れいな、岡本泰彰、ヘルミナン、Velvet Knot Doll Exhibition、他

file.38◎FEATURE:時や文化、生死を超えて
A4判・112頁・並装・1318円(税別)・ISBN978-4-88375-506-6
●大島利佳、傘嶋メグ、門坂流、Sotaro Oka、土谷寛枇、中井結、中島華映、平野真美、吉田有花、瑠雪、にんぎょう うらら展、三代目彫よし×空山基、他

file.37◎FEATURE:幻視者たちが見たリアル
A4判・112頁・並装・1318円(税別)・ISBN978-4-88375-499-1
●サワダモコ、椎木かなえ、真珠子、神野歌音、スミシャ、冨岡想、夏目羽七海、丹羽起史、ひらのにこ、美濃瓢吾、山上真智子、横尾龍彦、他

file.36◎FEATURE:白昼夢の劇場/少女の遊戯
A4判・112頁・並装・1250円(税別)・ISBN978-4-88375-492-2
●朱華、SAKURA、大野泰雄、森本ありや、石松チ明、Zihling、濵口真央、中井結、緋衣汝香優理、喜藤敦子、佐藤文音、山田ミンカ、都築琴乃(遊)、他

file.35◎FEATURE:幻想の王国へ、ようこそ。
A4判・112頁・並装・1250円(税別)・ISBN978-4-88375-486-1
●エセム万、網代幸介、塚本紗知子、松本ナオキ、ミルヨウコ、雛菜雛子、塚本穴骨、田中流、下山直紀、村上仁美、沖綾乃、ジュリエットの数学、すうひゃん。

file.34◎FEATURE:美のゆらぎ、闇の鼓動
A4判・112頁・並装・1250円(税別)・ISBN978-4-88375-479-3
●三谷拓也、高久梓、安藤朱里、日野まき、藤浪理恵子、西村藍、六原龍、戸田和子、SRBGENk、shichigoro-shingo、雪駄、異形のヴンダーカンマー展

file.33◎FEATURE:聞こえぬ声を聞く
A4判・112頁・並装・1250円(税別)・ISBN978-4-88375-471-7
●土谷寛枇、小野隆生、Sui Yumeshima、鶴見厚子、大西茅布、芳賀一洋、駒形克哉、清水真理、松平一民、太郎賞展、i.m.a.展立体部門

file.32◎FEATURE:たましいの棲むところ
A4判・112頁・並装・1200円(税別)・ISBN978-4-88375-466-3
●衣[hatori]、安藤榮作、村上仁美、西條冴子、FREAKS CIRCUS、岡本瑛里、宮崎まゆ子、前田彩華、アンタカンタ、たま、mumei、真木環

file.31◎FEATURE:動物と花のワンダー!
A4判・112頁・並装・1200円(税別)・ISBN978-4-88375-459-5
●石塚隆則、吉田泰一郎、森勉、水野里奈、萩原和奈可、永見由子、珠かな子、椎木かなえ、金澤弘太、雫石知之、Sitry、呪みちる×古川沙織

file.30◎FEATURE:揺らぐ心象の迷宮
A4判・112頁・並装・1200円(税別)・ISBN978-4-88375-452-6
●宮本香那、ÔБ、川上勉、高松潤一郎、田中流、大山菜々子、塩野ひとみ、かつまたひでゆき、Ma marumaru、シン・ニッポン風土記 ほか

◎トーキングヘッズ叢書(TH Seires)

No.96 GOTHIC-R ゴシック再興〜闇に染まれ
A5判・208頁・1500円(税別)・ISBN978-4-88375-509-7
●「ゴシック」を知ることは、不安や恐怖を手なづけることだ。ゴシックの源流から、ゴシックの精神を受け継いだ現代の作品まで——ゴシック精神とは何か/ドール/ゴシックと廃墟美/身体改造国際会議/クィアでフリークな南部ゴシック/ミツバチのささやき などなど。特集以外にもレビューなど盛りだくさん!

No.95 SWEET POISON〜甘美な毒
A5判・208頁・1444円(税別)・ISBN978-4-88375-502-8
●毒を知ることは、人間中心の価値観から脱皮すること。その甘美な魅惑とは? 松永天馬(アーバンギャルド)インタビュー、ろくでなし子×森下泰輔展、童話の中の少女はなぜ毒を受け取ってしまうのか、子どもにひそむ悪と毒、十九世紀英文学とアヘン、毒薬とミステリー、美貌の毒殺魔・ブランヴィリエ侯爵夫人ほか

No.94 ネイキッド〜身も心も、むきだし。
A5判・208頁・1444円(税別)・ISBN978-4-88375-494-6
●心の枷を解き放とう——そう訴えかけてくるものたち。七菜乃、真珠子、村田兼一、ストロベリーソングオーケストラ、加藤かほる、ゲルハルト・リヒターの肖像、羞恥心考、『まぼろしの市街戦』、エゴン・シーレの歪なエロス、公衆浴場、異物としての裸体、翼と裸体、ありのままの「脱ぎ恥」論、結城唯善インタビューほか

No.93 美と恋の位相/偏愛のカタチ
A5判・224頁・1444円(税別)・ISBN978-4-88375-488-5
●「美」に幻惑され、偏愛的、狂的、病的な愛に憑かれた者たちの物語——美しき吸血鬼像、クレオパトラ、ベニスに死す、桜の森の満開の下、乱歩式人形愛の美学、ヴェルレーヌと美少年ランボー、少女人形フランシーヌが見せた夢、コスプレで上流階級を魅了した美女エマ・ハミルトン、八田拳(みこいす)インタビュー他

No.92 アヴァンギャルド狂詩曲〜そこに未来は見えたか?
A5判・224頁・1444円(税別)・ISBN978-4-88375-481-6
●新たな価値観を創出することを志したアヴァンギャルド的表現を見直し、新たな多様な表現を眺望してみよう! マン・レイ、合田佐和子、田部光子、ヴェネチア・ビエンナーレ、舞踏はいまも前衛か、きゅんくんインタビュー、アヴァンギャルド映画、未来派とバウハウス、寺山修司による『市街劇ノック』、月刊漫画ガロの足跡他

No.91 夜、来たるもの〜マジカルな時間のはじまり
A5判・224頁・1444円(税別)・ISBN978-4-88375-473-1
●「魔」的なものが支配する時間、それが夜だ! 神は闇を渡る、『稲生物怪録』、児童文学と少年少女の夜、裸のラリーズという《夜の夢》、ドイツ表現主義映画、『ナイトホークス』、稲垣足穂、埴谷雄高、『百億の昼と千億の夜』、妖精たちの長くて短い夜、『夜のガスパール』、金縛り・過眠症・夢遊病、高千穂の夜神楽他

No.90 ファム・ファタル/オム・ファタル〜狂おしく甘美な破滅
A5判・224頁・1389円(税別)・ISBN978-4-88375-467-0
●危険な魔性の女、魔性の男たち——エヴァ、イザナミからラムまで、かぐや姫の正体、女奇術師・松旭斎天勝、カサノヴァの艶なる恋、高級娼婦コーラ・パール、クラーナハ、ジャンヌ・モロー、松本俊夫『薔薇の葬列』、キューブリック、横溝正史の美少年像、オペラ『カルメン』、妲己のお百、トレヴァー・ブラウン、アーバンギャルド他

トーキングヘッズ叢書（TH series） No.97

LOST PARADISE
〜失われた楽園

編　者　アトリエサード
編集長　鈴木孝（沙月樹 京）
編　集　岩田恵／望月学英・徳岡正肇・田中鷹虎
協　力　岡和田晃

発行日　2024 年 2 月 9 日

発行人　鈴木孝
発　行　有限会社アトリエサード
東京都豊島区南大塚 1-33-1 〒170-0005
TEL.03-6304-1638 FAX.03-3946-3778
http://www.a-third.com/
th@a-third.com
振替口座／00160-8-728019
発　売　株式会社書苑新社
印　刷　株式会社平河工業社
定　価　本体 1500 円＋税
ISBN978-4-88375-516-5 C0370 ¥1500E

出版物一覧

http://www.a-third.com/

ご意見・ご感想をお寄せ下さい。
Web で受け付けています。
新刊案内などのメール配信申込も
Web で受付中!!

●アトリエサード twitter　@athird_official
●編集長 twitter　@st_th

アトリエサード HP

AMAZON（書苑新社発売の本）

A F T E R W O R D

■あまり世の中に期待しないで生きてきた。むかし、小説などは、冒険して何かを成し遂げる、みたいなものにはあまり興味が惹かれなくて、ちょっと厭世的なのや、破滅モノを好んだりした。でもそんな自分であっても、かつては、現実に対し楽園への希望をわずかでも持っていたような気がする。でもいまはどうか。社会も経済も衰退モード。そして災害、紛争の世界で、長く生きる希望はどう持てるのか。ある意味、フリーレンのドライさはひとつの答えなのだろうと思う…。で、次はExtrARTが3月下旬、THが4月末です！（S）
★弦巻稲荷日記ーイスタンブールに箏を持っていって演奏してきた（ExtrART file.39に見開きで写真中心の記事載ってます）。これは、私でなければ出来なかった仕事と、確信する物語だった。今回それを書こうと思ったけど次回に延期。でも絶対書く。以下次号（め）

■展覧会・個展や上映・上演等の情報は、編集部あてにお送りください（なるべく発売の1カ月半前までに。本誌は1・4・7・10の各月末発売です）。
■絵画等の持ち込みは、郵送（コピーをお送りください）またはメール（HPがある場合）で受け付けています。興味を持たせて頂いた方は、特集や個展など、合うタイミングでご紹介させて頂きます。
■巻末の「TH特選品レビュー」では、ここ数ヶ月の文学・アート・映画・舞台等のレビューを募集中。1本400字以内で、数本お送り下さい。採用の方には掲載誌を進呈します（原稿料はありません）。THの色にあったものかどうかも採否の基準になります。投稿はメール（th@a-third.com）でOK。
■詳しくはホームページもご覧ください。
※応募の際には、本名・筆名・住所・TEL・E-mail・年齢・職業・趣味の傾向等簡単な自己紹介・本書のご感想を必ずお書き添え下さい。
※恐れ入りますが、原則的に採用の方にのみご連絡を差し上げています。ご了承ください。

アトリエサードの出版物の購入のしかた・通信販売のご案内

● TH series（トーキングヘッズ叢書）の取扱書店は、http://www.a-third.com/ へ。定期購読は富士山マガジンサービス及び小社直販にて受付中！（www.a-third.com のトップページにリンクあり）●書店店頭にない場合は、書店へご注文下さい（発売＝書苑新社と指定して下さい。全国の書店からOK）。●ネット書店もご活用下さい。

●アトリエサードのネット通販でもご購入できます。
■各書籍の詳細画面でショッピングカートがご利用になれます。■郵便振替 / 代金引換 / PayPal で決済可能。

■インターネットをご利用になれない方は、郵便局より郵便振替にて直接ご送金いただいても結構です（送料の加算は不要！ 連絡欄に希望書名・冊数を明記のこと）。入金の通知が届き次第お送りいたします（お手元に届くまで、だいたい 1 週間〜10 日ほどお待ち下さい）。振込口座／00160－8－728019　加入者名／有限会社アトリエサード
■また TEL.03-6304-1638 にお電話いただければ、代金引換での発送も可能です（取扱手数料 350円が別途かかります）